DATE DUE			

CRONICAS
DE
SANTIAGO DE CUBA

TOMO IV

CRONICAS
DE
SANTIAGO DE CUBA

SEGUNDA EDICION

TOMO IV

RECOPILADAS POR

EMILIO BACARDI Y MOREAU

REEDITADAS POR

AMALIA BACARDI CAPE

972.91
B/2c
141844
Jue 1987

© Amalia Bacardí Cape
Segunda edición, 1973
Depósito legal: M. 27.467-1972
ISBN 84-400-5865-9 tomo IV, rústica
ISBN 84-399-0408-8 rústica, obra completa
Impreso en España por Breogán, I. G., S. A.
C/. Brújula, s/n. - Torrejón de Ardoz - Madrid
Printed in Spain

1868

ADVERTENCIA

En las páginas sucesivas de estas *Crónicas de Santiago de Cuba,* el lector podrá hallar noticias repetidas unas, otras más o menos verídicas quizá, y algunas corregidas y aumentadas tal vez, pero todas reales y auténticas. No se culpe al recopilador, a quien le faltó tiempo y lugar para compaginarlas, aunque le sobrase buena voluntad para ello, y que ha hecho lo humanamente posible en situación especial en que los documentos, esparcidos o destruidos, no han aparecido, tal cual se deseaba. Suplan los deseos de exactitud y de sinceridad a cuanto error o falta hubiere en las relaciones impresas. No existe culpa cuando no hubo intención de cometer la falta.

E. B. M.

1868

PROLOGO-INTRODUCCION

Desde el año de 1837, entre otros José Antocio Saco, batallaron por obtener leyes para Cuba iguales a las de la Península Ibérica; fracasó y no fue admitido como diputado a aquellas Cortes que se llamaron liberales, y Cuba fue declarada, como si ello fuese un título de gran honor, Colonia; colonia que había de traer, en lo futuro, como natural secuela, los cruentos sacrificios que, comenzados en 1868, terminaron en 1898.

Y el desatentado Gobierno de España, incapaz de comprender a su pueblo, va sacrificándolo aún hoy, ahora que ya no domina a América, en tierra marroquí. ¡Pobre España!, imbuida e incorregible siempre por la teocracia católica y el militarismo, sin finalidad patriótica legítima después de todo.

Los esfuerzos repetidos de algunos cubanos, ansiosos de aunar la libertad con su afecto a lo que se llamaba «la Madre Patria», fueron totalmente inútiles; el criterio cerrado de Madrid hizo brotar, al conjuro de Carlos Manuel de Céspedes, la heroica rebelión del 10 de octubre de 1868.

El cronista, desde 1542 hasta este momento, no ha experimentado desaliento alguno; su obra ha sido fácil. El relacionar acontecimientos, anotar fechas, relatar sucesos más o menos trascendentales, no ha exigido comentario alguno.

Con imparcialidad impuesta a fuer de historiadores verídicos, insensibles a los hechos al parecer por una resolución inquebrantable, hemos dejado vagar la imaginación por los campos del pasado poniendo una barrera al juicio y un sello a los labios.

El descubrimiento del ilustre genovés que donó al viejo Continente, cuna de todas las tiranías, un Mundo dormitando entre océanos, era para el autor de estas líneas una cosa pasada, un hecho consumado sobre el cual no había por qué emitir juicio, y así fue.

9

El pueblo que dio en llamarse español y que desde años atrás venía sufriendo las tiranías de su poder central, en un rapto de rebeldía, se subleva el 29 de septiembre de 1868 y hace añicos lo que creíase eterno en él, el «derecho divino», las leyes anticuadas, realeza y religión. Pero —y de aquí lo que habremos de clasificar como alma de España y no el alma de los españoles— los victoriosos en la Metrópoli, dominados por las dos fuerzas que arteramente los dirigen, el Ejército y la Iglesia, sin servirles para nada las lecciones de la experiencia histórica, vulgares por lo repetidas, se estremece de ira al llegar hasta ellos el eco de la rebelión del 10 de octubre de 1868, en que un puñado de colonos, clamando libertad, hace vibrar en los espacios la campana de *La Demajagua* y escribe al mismo tiempo en su programa, cansados de engaños y de vivir sólo de esperanzas: «¡Independencia o muerte!», y una vez más el canto de un poeta se hace axioma entre dos pueblos que pudieron y debieron haberse amado entrañablemente:

«Que no en vano entre Cuba y España
Tiende inmenso sus olas el mar.»

La Península Ibérica, conglomerado de pequeñas naciones que conservan, a pesar del tiempo transcurrido, idioma, leyes, fueros y, por lo tanto, sus libertades, tuvo para crear lo que habremos de llamar «alma española», la sangre goda puesta al servicio de la casa de Austria por el cardenal Jiménez de Cisneros durante su regencia; régimen continuado por reyes sucesivos crueles e imbéciles, como Felipe II y Carlos «el Hechizado», que moldearon en sus súbditos el carácter teocrático encarnado en una iglesia soberana e intransigente dueña de toda vida, impasible a las crueldades y a la barbarie, propicia para que el pueblo pudiese contemplar impávido la tortura y la cremación de sus conciudadanos y hermanos por obra de la Santa Inquisición sin que una fibra sensible vibrase en la muchedumbre sino para demostrar infame regocijo por la extirpación de aquellos que poseían un ideal religioso distinto al de su grey católica.

Y no hemos de rehuir responsabilidades: la Península Ibérica, aún hoy, a pesar de todo, no se siente «española» en el sentido neto de la palabra: en cada habitante vive, de manera imborrable, el amor a sus antiguos hogares: el Regionalismo. El corazón, esclavo del terruño por el nacimiento, permanece libre, aunque aherrojado por la tiranía «metropolitana», intransigente, despótica y dura.

Preguntad a un hijo de aquellas playas en que muere rugiendo el mar Cantábrico: «¿Qué eres?», y os responderá incontinenti: «Soy gallego». Preguntad a aquel otro a quien no le basta, como antes, un árbol como simple símbolo de libertad solamente: «¿Qué eres?», y contestará: «Soy vizcaíno». Y el hijo de la Pilarica os dirá «Soy aragonés». Y el que grabó sobre los peces del mar Mediterráneo parte de sus escudos os dirá también: «Soy catalán». Y estos descendientes de regiones libérrimas hiciéronse por inconsciencia, por obediencia servil, por disciplina dinástica, cómplices de un gobierno que sólo ha sabido escribir, en la historia de las tierras que llamó suyas por derecho de conquista, páginas lúgubres, sangrientas y dolorosas.

España —y llamémosla así, ya que hace tiempo que éste es el nombre aceptado para la Península Ibérica— tuvo en su historia dos momentos de salvación que se trocaron en fatales, en verdadera desgracia, y que la han impedido entrar, como las demás naciones, en la vía franca de la civilización.

El verbo de la oratoria española, Castelar, díjolo ya: «*Lo moderno en España es la tiranía; lo antiguo, la libertad*». La rota de Villalar ahogó, con la sangre de los Padilla y Maldonado, toda aspiración a la libertad, y llevó a la Península la implantación de un régimen de hierro que convirtió a sus hijos, a los que tuvieron la desgracia de sobrevivir a ese sistema, en víctimas de la tiranía más aboslruta, cuya única y hermosa solución de transacción, en la gran mayoría de los casos por divergencia de opiniones, fue la mejor medida, la más justa y la más rápida: la supresión del inviduo, la muerte de cualquier manera que se obtuviese.

España vegetó de esta manera arruinada y desacreditada siempre. Lanzó de su seno a hijos laboriosos por el único delito de orar a otro Dios —el mismo de los católicos en el fondo— de distinta manera y con diferentes palabras; y la otra vez en que tuvo la regeneración de nuevo a sus puertas perdió la ocasión —¡crueldad del destino!— por esa maldita intransigencia religiosa que se armó contra el extranjero libertador lanzando a todo el pueblo contra él al grito de «¡Herejes!» el día 2 de mayo de 1808, día que marcaríamos con cruz negra, día en que fue sacrificada la patria española en su presente y en su futuro, arrojando de su trono a un demócrata, Bonaparte, para reponer en él al perjuro de Valencey, al asesino de Riego, al corruptor de su nación, a la que hizo bendecir la infame tiranía con el grito sarcástico de «¡Vivan las caenas!» y obligó a morir en tierra extraña a los Goya, a los Moratines...

Y España ha permanecido con el cerebro y el alma esclavos. Los gobiernos han continuado manteniendo los mismos procedimientos, no han variado, y con el «¡Viva el Rey!», a pesar de la realidad que se imponía con todas las secuelas del antaño autocrático y absoluto, han forjado un alma especial. Los sentimientos de tiranía que la realeza grabó en el corazón de sus súbditos siguen inamovibles como el primer día. El manto real que cayó hecho añicos mantúvose inalterable en lo que se denominaban «colonias españolas», tierras de incalculables riquezas, tierras en las cuales «jamás se ponía el sol», tierras que para arrancarse de los brazos de la Madre Patria, «la Metrópoli», hubieron de pasar por la vía dolorosa de todas las intransigencias, de una crueldad sin límites, que ha sido y es, aun en el siglo XX, la doctrina salvadora de justicia y buen gobierno que practicaron virreyes, capitanes generales, obispos, inquisidores, frailes y alguaciles que, al cabo y a la postre, habían de determinar, con su implacable doctrina, la definitiva ruptura de los lazos entre España y el Nuevo Mundo a pesar de sangrientos martirios como no los hubo jamás ni para la implantación de las religiones, tan prolíficas en horrores.

Y para desvanecer o atenuar el grito del alma del excelente padre las Casas, que dejó escrito: «Estas cosas y muchas otras que hacen temblar a la humanidad yo las he visto por mis propios ojos y apenas me atrevo a contarlas, deseando yo mismo no creerlas y figurándome que todo fue un sueño», el laureado poeta Quintana exclamó amargamente en su dolor y su vergüenza: «Cosas fueron del tiempo y no de España», grito inútil, pues se hubiera estremecido de horror al ser testigo de hechos idénticos o peores en el siglo XIX y en los albores del siglo XX. ¡Edad de las luces que lo fue de los mismos despotismos y de las mismas humanas hecatombes!

¡Nadie escapa a la responsabilidad histórica! La Edad Media nos galardona con su duque de Alba, impasible ante sus crímenes en el desgraciado país flamenco, y saltando por encima de los tiempos que fueron, y para que no se nos diga que nos retrotraemos a épocas comunes a todas las naciones, deseamos saber si tiene perdón histórico el Gobierno que, olvidado de los sacrificios de su pueblo por la libertad, premia con el título de capitán general al «tigre del Maestrazgo», quien cuenta, entre sus hazañas gloriosas, el asesinato de cuatrocientos prisioneros, voluntarios de Vinares, ante los muros de la ciudad de Valencia y contestó con befas proferidas en báquico festín a las súplicas y a las lágrimas de madres y de esposas desesperadas asomadas a las murallas, «que así debían perecer todos los enemigos de la Religión y del rey Carlos V».

No puede ser olvidada la conducta de un Gobierno que a la heroica rebeldía de parte de sus súbditos, cansados de reclamar siglo tras siglo derechos que necesitan para vivir, contesta con sancionar los decretos de un general que merecerá, a su vez, el título de «el tigre de Jiguaní», ordenando que sea «pasado por las armas todo hombre que se hallare en la campiña y tuviese quince años de edad, y que todo edificio sin una bandera blanca sea reducido a cenizas», y corona la obra de esa brutalidad inconcebible asintiendo a que durante veintiséis meses, de 1868 a 1870, bajo el mando de los capitanes generales Lersundi, Dulce y Caballero de Rodas, con sus secuelas de conde de Valmaseda, González Boet, Cañizal, etc., sean ejecutados DOS MIL SEISCIENTOS CINCUENTA CUBANOS en las ciudades, pueblos y poblados de la «Siempre Fiel Isla de Cuba», lo mismo en el afrentoso garrote vil que pasados por las armas, incluyendo entre las víctimas tres mujeres y un sacerdote que —¡crimen inaudito!— bendijo una bandera de los rebeldes. Y no son palabras, son hechos y ejemplos los que presentamos copiando íntegro el *Libro de Sangre,* cuyas ejecuciones se justificaban y trataban de paliar poniendo en las sentencias la coletilla de «ladrones e incendiarios en cuadrilla».

Y de allí siga el que quiera las huellas sangrientas de los años 71, 72, 73, 74, 75, 76, 77, 78 y los de la reproducción de la guerra —«la guerra Chiquita»—, la del despiadado general Polavieja a raíz de la Paz del Zanjón, y después las inútiles hecatombes de fuego, hambre y de concentraciones por las cuales mereció el general Weyler el título de «el Carnicero» para obtener con sus ferocidades y desaciertos el llevarse hecho trizas, en dolorosa derrota, el pabellón que jamás supieron honrar, haciéndolo amable, en ninguna de las tierras que poblaron y dominaron aquellos conquistadores y virreyes de España.

Estas divagaciones no son escritas con odio, no; son, por el contrario, hijas de un espíritu de justicia. ¡Pluguiese al cielo que cada hijo de España, en un arrebato de amor a todos los demás pueblos, se arrancara la venda de lo que allí llaman gloria, la cual es su ceguera, y con aspiración a la verdadera gloria humana, correspondiente a la civilización, la justicia y el progreso, en una reacción de cordial fraternidad se confundiera en estrecho abrazo con toda la humanidad libre y culta!

¡Viva España! es un grito sacrílego contra todo sentimiento humano cuando es una evocación para terminar todo debate e implantar lo que se desea: la pena capital.

¡Viva España! es la exclamación que vino a suplantar la de ¡Viva el Rey!, y que significa, sin variar un ápice, los procedimientos de barbarie consentidos en el Continente por las fórmulas heredadas de godos y marroquíes y perpetuadas por los cristianos después con distinta frase a la de «¡No hay más Dios que Alá, y Mahoma es su Profeta!», y en vez de cercenar con la cimitarra la idea y el habla, emplear para ello la hoguera y el plomo.

¡Viva España!, grito nefasto con el cual los gobiernos metropolitanos han alucinado a un pueblo trabajador y sencillo, no reparando jamás en el daño que se causara a los demás ni castigando a los criminales que, en su nombre, como hicieron Valmaseda, Polavieja, Weyler, la deshonraron ante los ojos de la humanidad civilizada.

Volvemos a repetirlo: no hay odio en nosotros ni mala voluntad: sólo hacemos exposición de los hechos. Los pueblos se entenebrecen históricamente por los errores y las maldades de sus gobiernos, y una mala reputación heredada es mancha que deben las futuras generaciones borrar y hacer perdonable a fuerza de acciones verdaderamente gloriosas y con amor intenso a la humanidad entera, sin distingos de tipos ni de razas.

Salve el lector a su vez, en la lectura de estas *Crónicas*, cuanto rasgo hallare en que se demuestre que el pueblo se puso francamente del lado de las víctimas y maldijo de todo corazón los intereses creados, *alma mater* de España, con los cuales los gobiernos se abroquelan para ser los dominadores exclusivos en cada época, con toda la inhumanidad con que se sabe imponer, teniendo por auxiliares la cruz y la espada.

Antes de finalizar queremos transcribir opiniones ajenas: nunca fueron escuchadas ni la de los hijos de la Península Ibérica que amaron de veras a su Patria; por el contrario, fueron mirados con desdén los que quisieron salvar a España de su ruina y desprestigio, y como premio de esa aspiración sufrieron el abandono, el dolor y la muerte, que hubieron de recibir de los dominadores de su pueblo.

Ejemplo: *Lo que hay de más y de menos en España para que sea lo que debe ser y no lo que es.* Su autor, D. José del

Campillo y Cosío, nacido en 1693 en Allés, pueblo de la jurisdicción de Laredo (Asturias). Su energía y su talento le hicieron escalar altos puestos y ser clasificado como un buen servidor del Estado; tanto que en 1719, preparándose una gran expedición que había de derigirse a la América Septentrional, haciendo falta persona que tuviera conocimientos especiales en Hacienda, el Gobierno designó a Campillo, satisfecho de sus aciertos anteriores; pero su espíritu innovador, honrado, activo y reformista, contrario a la rutina, a la negligencia y a la inmoralidad, males que desgraciadamente ha padecido siempre la pública administración, levantaron contra él envidiosos y enemigos que lo combatieron artera y cobardemente cuando Campillo desempeñaba el cargo de ministro interino en el astillero de Guarnizo, inventando torpes calumnias y delatándolo al Gobierno y al Tribunal de la Fe.

Campillo, que en los momentos más difíciles había demostrado su valor con gloria y provecho de la nación, seguía sufriendo los incesantes tiros de la envidia, que ya que no podía manchar su nombre procuraba entorpecer y desconcertar sus mejores proyectos. Aparentaba el despreciarlos, pero indudablemente iban causando en su interior funestos estragos, y si no hubo causa más grave y desconocida quizá fueron ellos el motivo de su muerte repentina, ocurrida en Madrid el día de Jueves Santo de 1743.

El señor Campillo dejó escrito otro libro importante que tampoco fue comprendido ni aceptado por España: *Nuevo sistema de gobierno económico para la América, con los males y daños que le causa el que hoy tiene, de los que participa copiosamente España, y remedios universales para que la primera tenga considerables ventajas y la segunda mayores intereses.*

Escribía el señor Campillo lo que a continuación copiamos: «Debemos mirar la América bajo dos conceptos. El primero, en que puede dar consumo a nuestros frutos y mercancías, y el segundo en cuanto es una porción considerable de la Monarquía en que cabe hacer las mismas mejoras que en España.»

«Los curas doctrineros tiranizan terriblemente a los pobres indios, cuyos males que de esto pueden seguirse a veces lo dicta la razón, pues los mismos indios, observando la tiranía de los que tienen por maestros de la Ley y aun por directores de su conciencia, mal tomarán sus lecciones al ver que ellos mismos continuamente la quebrantan en sus operaciones.»

«De aquí pueden inferir que siendo distinta la doctrina que les enseñan con sus palabras de la que practican con sus obras, se dirijan aquéllas a preocuparles para poder con éstas empobrecerles, y de todo ello puede causarse que ni admitan la doctrina con el deseo necesario ni atiendan a la palabra del Evangelio con la atención correspondiente...»

«Las principales causas del daño que sufre España en América (cuyos tesoros van a otras naciones y son a aquellas de más perjuicio que utilidad) son de la inobservancia de las leyes y el descuido de no haberse proporcionado éstas y las providencias de gobierno a la variedad de los tiempos y circunstancias. En cuanto a la primera, por ser asunto tan conocido que no necesita explicación, sólo diré aquí que la gran distancia, la facilidad de engañar con informes artificiosos y de hallar amigos el que tiene dinero, el ningún castigo de los delitos, aunque públicos, y el premio raro y escaso del que obró bien y vino pobre, han causado en aquel Nuevo Mundo un estrago monstruoso...»

«Conservar intempestivamente el espíritu de conquista y preferir el dominio a las ventajas y utilidades del comercio y trato amigable, fue la causa de malograr las conquistas hechas y de no hacer otras no menos importantes...»

«El espíritu guerrero era el que predominaba en tiempos de Carlos V; pero entonces era necesario y conveniente seguir su impulso, pues siendo pocos los españoles en América y teniendo que sujetar millones de indicios con sus caciques, que defendían su libertad con su natural fiereza, era indispensable usar de todo el rigor de la guerra... Pero después no se guardó en esto el prudente medio que correspondía... Si hubiéramos imitado la conducta de los franceses en el Canadá, que no pretenden sujetar a los naturales, sino tener su amistad y comercio, experimentaríamos los efectos correspondientes; pero nosotros estamos siempre con las armas en la mano y el rey gastando millones para entretener un odio irreconciliable con unas naciones que, tratadas con maña y amistad, nos darían infinitas utilidades...»

«No se hacían cargo nuestros españoles guerreros de que el comercio de un país, teniéndolo privativo, vale mucho más que su posesión y dominio, porque se saca el fruto y no se gasta en su posesión y gobierno...»

«La máxima era que el fin de la colonia era el beneficio de la patria a quien debe el ser; mas no habían caído en que para que fuera útil la colonia era preciso darle libertad y ensanche, quitando los embarazos y restricciones que opriman su industria y dándole primero los medios de enriquecerse ella antes de enriquecer a la madre...»

, D. Andrés Vaillant.
, D. Francisco Mancebo.
, Sr. Marqués de Villaitre.
, D. Manuel Jacas y Forment.
, D. Sr. Eusebio Faustino Capaz.
, D. Ignacio Pujols.
, D. Francisco Alvarez Villalón.

designado síndico del Ayuntamiento el Dr. D. Francisco
o.

AS

renuncia del director de la Academia de Dibujo, don
entura Martínez, es nombrado en su lugar D. Joaquín
s.

TES

trasladados a La Habana los dementes D. Dioclecio
uez, D.ª Teresa Queralta, Octaviano Ferrer, Crescencio
D. Ignacio Torres.

TES DE SANTO DOMINGO

dena el Gobierno que los fondos recaudados para sufragar
tos de la guerra de Santo Domingo, en esta ciudad, y que
n sobrantes, se empleen en ornato de la población.

ETE

alcalde municipal, Sr. Marqués de Palomares del Duero,
ia al Sr. Gobernador y a los Sres. que componen la Cor-
n Municipal, con un banquete.

MEN EN PUERTO PRÍNCIPE

el Certamen Artístico y Literario celebrado en la ciudad
erto Príncipe, obtienen premios los siguientes señores,
e esta ciudad, o residentes en ella, D. Laureano Fuentes,

Esto escribió un ministro español en 1748, mucho antes de que España perdiera, después de luchas desastrosas y de sacrificios enormes, todas las posesiones que tenía en América...

Nuestro criterio queda reafirmado al dar por terminadas estas disquisiciones. Con la excitación de «¡Viva España!» y la irónica frase de «la integridad de la Patria», se han querido paliar y justificar errores, delitos, culpas, desmanes y crímenes de lesa humanidad cometidos a sabiendas y sin ninguna excusa... *Verum est quod est.*

CRONICAS DE SANTIAGO

Ve

La verdad e
historia: injust
dolor más lue
el alma del co
ción que el o
por dos fuerza
veces, sin cora
el militarismo.
¡Ay de la
sus rancias pr
glo XX en pl

ENERO 1868

TOMA DE POSESIÓN

(1.º de enero).—Bajo la presidencia
toman posesión de sus cargos de regido
cebo, D. Manuel Jacas Forment, D. F
D. Ignacio Pujols y D. Francisco Alv
constituido el Ayuntamiento como sigu
de Palomares del Duero.

1.er teniente de alcalde, D. Francisc
2.º, D. Manuel Arnaz y Cobreces.
Regidores: alférez real: Sr. Conde
Id., aguacil mayor: D. Manuel de J
Id., D. Manuel de la Torre.
Id., D. Alfredo Kindelán.

en música; y en literatura los Sres. D. Tomás Mendoza y don Francisco González Santos (catedráticos del Instituto de Segunda Enseñanza), y D. Emiliano Martínez Cordero, D. Emilio de los Santos Fuentes y Betancourt y D. EMILIO BACARDI y MOREAU.

CONTRIBUCIONES

La Administración de Contribuciones de esta ciudad ha recaudado en el mes de diciembre del año próximo pasado la suma de 211,938 escudos y 509 milésimas. En el mismo mes de 1866, la recaudación sólo alcanzó a 45,047 escudos y 491 milésimas.

RIVERA

Fallecimiento del racionero de la Catedral, D. Jerónimo Rivera (1).

MEDIDAS SANITARIAS

El Capitán General ordena «que se admitan en Santiago buques que procedan de cualquier puerto no declarado infectado del *cólera morbus,* aunque el no infestado esté tan cerca del infectado como está Batabanó de La Habana», y la Junta de Sanidad, Ayuntamiento y comisiones del comercio, industria y agricultura, apoyados por el gobernador Ravenet, telegrafían al Capitán General «que no es posible aceptar esa orden aunque sea orden general de sanidad para toda la Isla».

CASABE

D. Juan Giró, en representación de su hermano D. Antonio, se queja de que los empleados del Mercado le tienen cansado

(1) El racionero de esta Santa Iglesia Catedral, D. Jerónimo Rivera y del Campo, tomó posesión de dicho cargo el 21 de mayo de 1867, habiendo dimitido previamente el de capellán castrense de la Armada en el Departamento de Cádiz que desempeñaba. Víctima de la fiebre amarilla, falleció el 1 de enero de 1868 en su domicilio, núm. 14 de la callejuela del Rey Pelayo, siendo depositado su cadáver en la Iglesia de Santa Lucía hasta la mañana del siguiente día 2, en la que se le hizo el entierro de Deán y Cabildo en su Catedral.—Libro 4.º de Posesiones de Prebendas y Mitras y Libro 36 de Actas Capitulares, ambos de la Santa Basílica, y relatos orales.—*Barrera.*

por la venta de casabe, que expenden por por las calles sus esclavas, no fijándose en lugar alguno y pagando sus respectivas matrículas.

RODRÍGUEZ

Es embarcado en el vapor *Carolina* con destino a La Habana, para su traslado al presidio de Ceuta, «el reo blanco Vicente Rodríguez, condenado a diez años de presidio».

ARTIGAS

Fallecimiento de D. Pedro Artigas, director de una escuela municipal.

ODIO

D. Manuel Odio es nombrado interinamente, director de la escuela vacante por el fallecimiento del profesor Artigas.

ANTOMARCHI

D. Antonio Antomarchi pide permiso para trasladar a La Habana, de su hacienda *San Antonio,* establecida en el cuartón de Hongolosongo, a su esclavo Napoleón.

SALCEDO

D. Pedro Celestino Salcedo y de las Cuevas, toma posesión del Juzgado de Paz.

VOLUNTARIOS

El día 6 visitan al Gobernador y al Comandante General, los jefes y oficiales del Primer Batallón de Voluntarios de esta ciudad, vistiendo el nuevo traje de campaña adoptado recientemente para la reorganización de dicho cuerpo. Se cambian salutaciones patrióticas y la primera autoridad obsequia a sus visitantes con un refresco.

BAZAR

En la noche del día 6, se reúnen en el salón de la Casa de Gobierno algunas señoras de nuestra sociedad, invitadas por el

Gobernador, con objeto de acordar lo más conveniente para llevar a cabo la celebración de un bazar a favor de los fondos de la Casa de Beneficencia. Se resolvió que dicho bazar tuviese lugar en los días del próximo Carnaval.

«SIRENA»

Procedente de Manzanillo, entra en puerto la goleto de guerra *Sirena*. Conduce cuatro presos del Juzgado de Marina y cuatro del civil.

«BRASILIAN»

Entra el vapor *Brasilian*, procedente de San Thomas, quedando en observación por haber fallecido a bordo su capitán durante la travesía.

VOLUNTARIOS

Imitando a los voluntarios del Primer Batallón. los jefes y oficiales del Segundo, visitan al Comandante General, ofreciéndole sus servicios con motivo de la reorganización llevada a cabo.

CUARENTENA

La Junta Local de Sanidad celebra sesión bajo la presidencia del Gobernador, y entre otros, se toma el acuerdo de someter a una cuarentena de quince días a todos los buques procedentes de San Thomas, por tener noticias de que en aquella localidad está el *cólera morbus*.

FELIZOLA

Fallecimiento de la Sra. D.ª Emilia Felizola, esposa del teniente coronel D. Nazario Rebollo.

«DAGMAR»

Visita este puerto la corbeta de guerra *Dagmar*, danesa.

«EL MOCTEZUMA»

Llega a este puerto el vapor *Moctezuma*, el cual sigue viaje para Santo Domingo, Puerto Rico y San Thomas, sin comunicarse con la plaza.

«El Churruca»

Procedente de La Habana, entra en puerto el vapor de guerra *Churruca,* su camandante, el capitán de fragata D. Diego Méndez Casariego; de porte de dos cañones, 250 caballos de fuerza y 154 hombres de tripulación. Quedó incomunicado por su procedencia.

Hechevarría y O'Gaban

Es conducido al Cementerio General el cadáver de D.ª Bárbara Hechevarría y O'Gaban, fallecida el día 27 en su hacienda *Guaninicum.*

Meteoro

En la madrugada del día 28, un brillante meteoro cruza el espacio del Sureste al Sur, extinguiéndose a los treinta segundos de su aparición.

FEBRERO 1868

«El Churruca»

(Febrero).—El vapor de guerra *Churruca,* sale a la mar con dirección a Cartagena de Indias.

El Colera

El Gobernador General de este Departamento telegrafía al Gobernador Civil de la Habana, expresándole su satisfacción y la del vecindario de Cuba, por la desaparición del cólera en la capital de la Isla.

Aduana

En el mes de enero la recaudación de la Aduana fue de 200,657 escudos 973 milésimas, o sean $ 104,828.98 centavos.

Movimiento marítimo

En el mes de enero entraron y descargaron en nuestro puerto 33 buques que representan 2.707 toneladas de carga, productivas, y 3.643 improductivas.

Vapores

El día 6 entra de La Habana el vapor *Pájaro del Océano,* y el 7 el vapor americano *Star of the South,* que principia su carrera de Nueva York a este puerto.

Rentas terrestres

Lo recaudado por la Administración de Rentas terrestres durante el mes de enero, llega a la respetable suma de 210,972 escudos 900 milésimas, igual a 105, 485 pesos.

Teatro

Funciona, con relativo éxito pecuniario en nuestro teatro, la compañía dramática del insigne actor Valero. Este en su beneficio pone en escena *La Carcajada,* recibiendo una gran ovación.

Santos Ugarte

El catedrático del Instituto de Segunda Enseñanza, licenciado D. Francisco Santos Ugarte, lee en la velada de la Sociedad Filarmónica, una oda «Al lugareño» —*haciendo su elogio*— El Comandante del Presidio Departamental, Sr. Ormaechea, denuncia a la Autoridad al Sr. Ugarte, quien fue procesado y trasladado a otro Instituto.

Semanario Cubano

Deja de publicarse el *Apuntador Cubano,* en cambio, hace su aparición un nuevo periódico titulado *Semanario Cubano,* que dirige el escritor D. Francisco Javier Vidal.

Náufragos

En el vapor francés *Caravelle,* salen para Jamaica varios náufragos de la balandra haitiana *Exemple,* que se fue a pique navegando entre Port de Paix y las Inaguas, y recogidos por el pailebot americano *Heneiette,* fueron llevados a Baracoa y después traídos a ésta. Aquí se les hizo una suscripción para que pudiesen seguir para la vecina isla.

CEMENTERIO

Se inaugura el cementerio de Santa Efigenia, situado en los terrenos conocidos por Venta de Bravo.

LERSUNDI

Se nombra una comisión compuesta del Sr. alcalde, marqués de Palomares del Duero, primer teniente , D. Francisco de Paula Bravó, y síndico, D. Francisco Mancebo, para la recepción del capitán general de la Isla, D. Francisco Lersundi, en viaje de inspección hacia Santiago.

TEATRO

D. Luis Garriga y D. Antonio Gustavino, piden permiso para levantar un liceo, o teatro, en la plaza del Comercio.

ZAMBRANO

El Sr. marqués de Zambrano se hace cargo de la Administración de la Aduana de este puerto.

DESTÍN

Se incribe como comerciante D. Luis Destín.

CAPELLANES

Se eligen para una terna de capellanes para el nuevo cementerio a D. Vicente Ros Rubio de Molina, natural de Orihuela, provincia de Alicante, España; D. Eugenio García y D. Antonio Carrascal, entre quienes designará el Sr. Arzobispo el que deberá ocupar la plaza.

ARANDA

Es nombrado celador del Cementerio D. Indalecio Aranda.

AGUILERA

El Dr. D. José María Aguilera y Pérez es nombrado médico del Cementerio.

DEPÓSITO

D. Agustín Suárez intenta la construcción de un edificio, cerca del Mercado de Concha, para depósito de animales de carga.

CAPELLANES

No aceptados por el Arzobispo, ninguno de los sacerdotes propuestos por el Ayuntamiento para servir la plaza de Capellán del Cementerio, propónese a los siguientes presbíteros: D. Abrahán Sánchez Cisneros, D. Rafael Tirado y D. Pablo Toledo.

BALLESTER

D.ª Inés Ballester renuncia la dirección de la Escuela Pública del Cobre, solicitando dicha dirección D.ª Baldomera Fuentes.

PLAZA DEL COMERCIO

La Administración de Rentas y Estadística dice al Ayuntamiento que puede disponer como le parezca de la plaza del Comercio, por ser su propiedad desde primero de julio de 1851, en que la compró a censo.

OBRAS PÚBLICAS

Se establece la Junta Departamental de Obras Públicas.

HERNÁNDEZ

D. Luis Garriga se separa de la sociedad de Guastavino para la construcción de un teatro, ocupando su lugar D. Ventura Hernández.

Derechos de enterramiento

Son tan alzados los derechos de enterramiento que cobra la Iglesia en el nuevo cementerio, en contraposición de lo módico que son los que cobra el Ayuntamiento que el Sr. conde de Duany pide *que se instruya expediente para deslindar y averiguar esos particulares que perjudican sobre manera a la comunidad.*

Quiroga

El alférez real D. Andrés Duany y Valiente da la triste noticia de que: «el por todos títulos amado y venerado padre Marcelino Quiroga, deán de la Iglesia Metropolitana, se encontraba agonizando y que su muerte causará general y profunda sensación en el pueblo de Cuba, porque habrá muy pocos que no hayan recibido de él auxilios y consuelos; que Cuba pidió por dos veces al Gobierno de S. M. se dignase presentarlo para la silla arzobispal, y que ahora que se acerca el día de las alabanzas no puede menos que certificar que ese apóstol muere en olor de santidad...» y pide que sea enterrado en la iglesia de Dolores, si se puede conseguir esa autorización, de donde es capellán hace más de cuarenta años, y así sería sepultado en el mismo lugar que su antecesor el capellán D. José Joaquín Mustelier «que murió en opinión de santo».

Cementerio

Los primeros cadáveres enterrados en el nuevo cementerio, desde el 22 de abril al 31 de mayo, fueron 103. El primero enterrado fue el cadáver de Encarnación Ramos, de veintiocho días, de raza blanca; el segundo (día 23) Gerardo, raza negra, esclavo de D. José R. Villalón, de dieciocho años.

Saco

Se recibe carta de D. José Antonio Saco «manifestando toda la gratitud que le inspira el acto generoso con que se le honró, comisionado a Madrid».

Tersi

Se nombra vacunador del barrio de Palma Soriano a D. Juan Bautista Tersi.

Lafargue

Se solicita conocer la residencia de D.ª Luisa Lafargue de Lavigne, natural de Burdeos, «para darle la dirección de una escuela municipal vacante».

Ojeda

El coronel de Artillería D. Juan Ojeda, se hace cargo interinamente del Gobierno del Departamento Oriental.

Freire

Termina sus estudios en la Escuela Normal de Guanabacoa D. José García Freire, obteniendo las notas de sobresaliente y las de aprovechados, los alumnos D. José Dolores García y don Francisco Castilla.

Censos

Don Eusebio Faustino Capaz, propone al Ayuntamiento el que se concedan plumas de agua a censo.

Peroso

D. Francisco Perozo y Faría, presenta su título de profesor mercantil.

Energía

En vista de lo indotado que queda el presupuesto municipal, con el nuevo régimen contributivo, el concejal Sr. Capaz propone que: «ante la imposibilidad de cobrar, y dadas las circunstancias, como las que atraviesa el Municipio, graves y comprometidas, y la responsabilidad moral de cada uno de sus concejales, proponía la supresión inmediata de todo servicio de alumbrado, policía, fuentes públicas, escuelas, en una palabra, todo acto, hecho u ocupación, que cueste a las arcas municipales, puesto que no puede sufragarlos porque el Estado absorbe todo el presupuesto».

ARZOBISPADO

El Gobernador del Arzobispado manifiesta que «no le es posible hacer rebaja alguna en las obvenciones que cobra la Iglesia (cuestión derechos de enterramiento), porque sería mermar los derechos de la Real Hacienda, y actualmente los de los mismos párrocos».

MEDIOS FRANCESES

Se da un valor de cinco por una peseta, a los medios franceses que hasta ahora venían recibiéndose a cuatro por una peseta.

COMERCIO

D. Pelegrín Carulla, se inscribe como comerciante y lo mismo hacen D. Gabriel Casamor y D. Rafael Robert.

ROBERT

Se suicida, ahorcándose en su alcoba con un fuete, el rico hacendado D. Teógenes Robert.

VALERO

Como merecido homenaje al mérito, «La Sociedad Filarmónica Cubana» nombra al inspirado actor D. José Valero «Socio de Mérito y Presidente Honorario de la Sección de Literatura y Declamación».

BAZAR

En los días de Carnaval se celebra el bazar a favor de los fondos de la Beneficencia, produjo una suma regular.

CENSURA

Desde hace algún tiempo, los periódicos de esta ciudad están sujetos a una enojosa censura. Aún lo que reproducen de los periódicos de La Habana, incluso los mismos Reales Decretos, tienen que someterlos a una nueva censura, y con frecuencia no se les permite lo que aquellos periódicos han publicado sin inconveniente alguno.

BANCO

Se celebra en el salón principal del Real Tribunal del Comercio una reunión convocada por el Sr. D. Miguel de la Puente con objeto de tratar sobre el establecimiento en esta ciudad de una sucursal del Banco Español de La Habana. No se llegó a un acuerdo satisfactorio.

MARZO 1868

SANTACILIA

(Marzo).—Circula esta cuarteta del poeta Pedro Santacilia, residente en Méjico, siempre mordaz y antiespañol, dirijida a Cuba con toda intención:

> «Quítate esa cruz, cubano
> que te hace muy poco honor,
> ponte, en su vez, una flor
> del jardín americano.»

VOLUNTARIOS

El Capitán General de la Isla, concede a los Voluntario de Santiago de Cuba el uso de bandera igual a la del Ejército, con la sola diferencia de que la inscripción dirá: «Primer batallón (o segundo) de Voluntarios de Santiago de Cuba».

DOMINGOS Y DÍAS DE FIESTA

La autoridad superior de este Departamento recuerda al público los artículos 2 y 3 del Bando de Buen Gobierno, que «prohiben el trabajo personal los domingos y fiestas de guardar, disponiendo que esos días no estén abiertas las tiendas y almacenes de comercio a la venta pública desde las diez de la mañana, exceptuándose sólo de esta disposición los establecimientos y tiendas al por menor en que se venden artículos del preciso sustento o de medicina». Los infractores serán multados de seis a treinta pesos.

Vómito negro

D. Adrián de Garay y Jústiz, cónsul de Venezuela en esta plaza, pone a la disposición del Secretario de la Real Sociedad Económica de Amigos del País unas muestras de la verbena usada en Méjico y Venezuela para combatir el «vómito negro», a fin de que la citada corporación disponga que se analice dicha planta y se compare con la que abunda en nuestros campos.

Zambrano

En el vapor *Barcelona,* entrado el día 13, llegó el señor Marqués de Zambrano, nombrado administrador de Rentas Marítimas, destino que venía desempeñando interinamente D. Ricardo Belmonte.

Bendición

El día 26 tiene efecto la bendición de la bandera del Primer Batallón de Voluntarios, regalada por el voluntario D. Rafael Misas.

ABRIL 1868

El «Vasco Núñez de Balboa»

(Abril).—Sale de este puerto con rumbo a Cartagena el vapor de guerra *Vasco Núñez de Balboa,* con objeto de reemplazar en aquellas aguas al de la misma clase *Churruca.*

Foch

Víctima de un accidente de caza, muere el antiguo profesor D. Juan Foch, decano de los profesores de Segunda Enseñanza. Contaba setenta y dos años.

Bolívar

Deja de existir D. Manuel Bolívar, miembro de la Real So-

ciedad Económica de Amigos del País desde su fundación, y que
por mucho tiempo había desempeñado el cargo de secretario de
este Gobierno Departamental.

«GETTYSBURG»

Entra en puerto el vapor americano *Gettysburg,* que tiene
la misión de sondear las aguas por donde se juzgue conveniente
tender el cable proyectado entre Cuba y Aspinwall, tocando en
Kingston (Jamaica).

DOMINICANOS DEPORTADOS

En el vapor *Pájaro del Océano* vienen a esta ciudad, deportados de Santo Domingo por el general Báez, el licenciado don
Pedro Antonio Delgado, coronel D. Pedro Santana, D. José Gabriel García, ex ministro de Relaciones Exteriores del Gobierno
de Cabral, y D. Rafael García.

NUMANCIA

Toma incremento la construcción de casas en el punto conocido por Numancia, o sea el asiento del demolido ingenio *El
Cristo.*

VINENT

Son trasladados al nuevo cementerio los restos de D. Antonio Vinent y Ferrer, siendo depositados en el panteón que de
Europa trajo su hijo, el Marqués de Palomares del Duero.

LERSUNDI

Se hacen grandes preparativos para recibir al nuevo gobernador y capitán general de la Isla teniente general D. Francisco
Lersundi, próximo a llegar a esta ciudad. Se empieza a levantar
en la calle principal un arco de triunfo, costeado por el comercio, decorado por el artista D. Walterio Goodman. Otros dos
arcos más son costeados, respectivamente, por el cuerpo de Voluntarios y el de Honrados Bomberos.

El teatro se está arreglando para dar en él un gran baile con
el que los comerciantes y hacendados unidos piensan obsequiar
al gobernador general de la Isla.

Villar

Fallecimiento de la señora D.ª Teresa del Villar, miembro
de familia principal.

Pasajeros

En el mes de marzo fueron transportados por la línea del ferrocarril de Sabanilla y Maroto 5,013 pasajeros. La prensa y el
público se quejan de lo alto que cobra la compañía los precios de
pasaje. No obstante esto, las utilidades son tan escasas que no
se reparten dividendos a los accionistas.

Lersundi

A las diez de la mañana del día 30 llega a esta ciudad el gobernador capitán general D. Francisco Lersundi. Cubren la carrera las tropas de la guarnición, voluntarios y bomberos. En la
Capitanía del Puerto, engalanada, le esperan el Ayuntamiento en
pleno, varias comisiones y personas de rango. Un gran gentío
invade las calles, más curioso que alborozado. Las casas están
engalanadas. En la calle de la Marina se elevan tres arcos de
triunfo: uno frente al almacén de D. Juan Tarrida debido al
primer Batallón de Voluntarios; otro frente al Tribunal de Comercio, por los comerciantes y hacendados, y el tercero en la
esquina del café «La Venus», por el Batallón de Bomberos y
Obreros.

El capitán general, antes de ir a palacio, se detiene en la Catedral para dar gracias a Dios «por su feliz arribo». Ya en palacio, desfilan las tropas y el capitán general recibe a las corporaciones, cónsules, empleados, militares y altas personalidades.

Lersundi

En su excursión por Oriente preside al Ayuntamiento en sesión extraordinaria el capitán general de la Isla de Cuba excelentísimo señor D. Francisco Lersundi y Ormaechea. En dicha
sesión del Ayuntamiento resume su discurso con estas frases:
«El entusiasta recibimiento que se le ha hecho es debido, más
que a sus méritos y prendas personas, a la benevolencia y general bondad de este pueblo cubano», siendo contestado por el
primer teniente de alcalde D. Francisco de Paula Bravo.

MAYO 1868

LERSUNDI

(Mayo).—El general Lersundi, durante su estancia en esta ciudad, visita los establecimientos de enseñanza, templos, cárcel, hospital civil, etc., y se efectúa el gran baile proyectado en su honor, lo mismo que una función dramática por la compañía Duclós-Casado.

Se permite, durante los tres días de festejos, el que los cabildos salgan de dos a tres de la tarde con disfraces pero sin careta, y asímismo tengan bailes de tamboril en las afueras.

El día 6 abandonó el general la ciudad, siendo despedido con las mismas demostraciones de carácter oficial y de curiosidad popular.

ACCIDENTE

Debido a las grandes lluvias de aquellos días se desprende la cornisa de la casa que está al lado de la que ocupa la Estación Telegráfica con grande estrépito que alarma al vecindario. Como a la sazón pasaban por la misma acera los señores Márquez, Herrera, Villaitre y el teniente coronel D. Ramón Portal, el primero fue envuelto en los escombros, recibiendo una herida en la cabeza y varias contusiones en el cuerpo, afortunadamente todo ello de poca gravedad.

ESTACIÓN CUARENTENARIA

Vuelven de la Caimanera (bahía de Guantánamo) el inspector de Obras Públicas señor Trujillo y el señor Ledón, ingeniero. Resulta de su inspección «que no es posible establecer allí la estación de cuarentena por la falta de agua y por lo malsano de la costa, que se nubla a veces de cantidades enormes de mosquitos».

BANCO

D. Francisco de Paula Jiménez, director de la Sucursal del Banco Español de Cárdenas, aprovechando su estancia en esta

ciudad convoca a los comerciantes a una reunión para conven-
cerlos de la necesidad de establecer una sucursal aquí por exi-
girlo así las necesidades de la plaza. Logra colocar 200 acciones
de a $ 500 de las 300 que requiere el Banco Español para esta-
blecer la sucursal. Algunos días después logra el señor Jiménez
colocar las que faltan y sale para La Habana.

ORTIZ

Pasa a ocupar interinamente el cargo de Intendencia D. Juan
Miguel Ortiz.

POSADA

Sale para Europa en el vapor francés *Caravelle* el señor Posada Herrera, alcalde mayor de esta ciudad, cuyo destino renun-
ció tres meses ha sin que hasta la fecha se nombrase al que debía sustituirle.

JUNIO 1868

NOALLAS

(Junio).—Se suicida de un pistoletazo el joven Manuel Noa-
llas, de oficio albañil y de veintiséis años de edad.

GRANDES LLUVIAS

Las lluvias son generales y persistentes. Y según la opinión de
personas ancianas hace cuarenta años que no llovía con la constancia de este año.

JUEGOS FLORALES

Habiendo acordado la directiva de la Sociedad Filarmónica,
en junta del 16 de mayo último, la celebración de unos Juegos
Florales, se hacen públicas las bases a que deberán sujetarse los
concursantes sobre temas de ciencia, literatura, música, pintura,
dibujo, escultura y arquitectura.

Línea marítima

Se establece una nueva línea marítima entre Santiago de Cuba y Kingston (Jamaica). Los vapores son ingleses y comenzarán su recorrido el primero del próximo mes de julio.

Quiroga

Fallecimiento del deán de la Catedral Dr. D. Gabriel Marcelino de Quiroga y Rubio. Era natural de esta ciudad, hizo la carrera sacerdotal ingresando como monaguillo en la Catedral, al mismo tiempo que estudiaba en el Colegio Seminario. De monaguillo ascendió a mozo de coro, luego recibió sucesivamente las órdenes menores y mayores. Ganó por oposición, después de haberse doctorado en Sagrada Teología, la plaza de cura rector del Sagrario de la Santa Iglesia Catedral con residencia en la auxiliar de Nuestra Señora de los Dolores. En 31 de julio de 1829 tomó posesión de la canongía magistral de esta Metropolitana, que también obtuvo por oposición; el 14 de febrero de 1855 tomó posesión de la dignidad de tesorero, y el 24 de noviembre de 1866 de la de deán de esta misma Santa Iglesia Catedral. Sacerdote ejemplar por su virtud, su celo y su caridad, expiró en 20 de este mes, siendo por muchos tenido como santo. Su cadáver fue sepultado en el Cementerio General de Santa Efigenia, y en 19 de diciembre de 1905 fue exhumado, depositado en la Parroquia de Santo Tomás Apóstol y sepultado definitivamente en el presbiterio de la Iglesia de Nuestra Señora de los Dolores, de la que fue capellán, después de haberse efectuado el solemne canto del Oficio de Sepultura y de haber pronunciado un breve elogio fúnebre del finado sacerdote el señor Desiderio Mesnier de Cisneros, canónigo de la Santa Basílica y cura párroco de Dolores. Un numeroso gentío concurrió al acto. Ofició de preste el Ilmo. Sr. Lic. D. Mariano de Juan y Gutiérrez, protonotario apostólico, deán de la Santa Basílica y provisor y vicario general del Arzobispado.

Ahogado

Bañándose a orillas de la Alameda tres soldados de Artillería, uno de ellos se ahoga en una zambullida que da.

TEMBLOR

El 30, como a media noche, se sintió un ligero temblor de tierra precedido de un largo trueno.

JULIO 1868

CONDECORACIONES

(Julio).—El día primero son condecorados con las ceremonias de estilo, en la capilla de Palacio, los señores teniente de alcalde D. Manuel Arnaz, D. Manuel Colás, capitán de voluntarios D. Ascensio de Asensio y D. Carlos Sánchez, oficial de la Secretaría del Gobierno del Departamento; D. Juan Sarret, capitán del partido del Caney, con la cruz de caballeros de la Real Orden Americana de Isabel la Católica, y D. Francisco Baralt Celis, contador del Ayuntamiento, con la de Carlos III.

ABUNDANCIA

El mercado se encuentra surtido en abundancia. Los huevos, las aves, las viandas, se venden a precios sumamente bajos.

LIBROS

Es de señalarse el hecho poco común de haberse editado e impreso en esta ciudad dos libros útiles, *El Manual del Apicultor,* del que es autor el señor D. José Ramón Villalón, y las tablas de *Reducciones de libras esterlinas y pesos,* por D. Miguel Fernández Celis.

TEMBLOR

A media noche del día de San Pedro se siente un temblor de tierra.

TELÉGRAFO

Queda establecido el servicio de correspondencia telegráfica para mayor beneficio del comercio y de la prensa.

AGOSTO 1868

Temblor

(Agosto).—A las nueve menos cuarto de la mañana del día 19 se sintió un temblor de tierra de regular intensidad.

Rayos

El día 21, a las cinco de la tarde, se presentó por el Nordeste una fuerte turbonada que avanzó con rapidez sobre la población despidiendo a su paso seis descargas eléctricas. El asta de bandera de la casa comercial de los señores Bueno y Compañía fue hecha astillas. No hubo desgracias personales que lamentar.

SEPTIEMBRE 1868

Chinos

(Septiembre).—Gran alarma en la población. Corre el rumor de que los chinos roban niños para matarlos. El día primero fueron aprehendidos algunos de ellos que se decía llevaban un niño en un saco. Sin embargo, de las investigaciones de la policía no se encontró vestigio de ningún niño. A consecuencia de esa calumniosa versión, algunos colonos asiáticos se ven molestados y aun hostilizados, lo cual motiva una disposición gubernativa del Gobernador Civil tendente a poner coto a tal abuso.

Miura

Toma posesión de la dignidad de deán de la Iglesia Metropolitana el canónigo hijo de Santo Domingo D. Manuel José Miura y Caballero.

Navarro

Fallecimiento del anciano jurisconsulto D. Manuel María Navarro.

Apertura de curso

Con el ceremonial de costumbre, tiene lugar la apertura del curso académico de 1868 a 1869 en el Instituto de Segunda Enseñanza de esta ciudad.

Descalabro municipal

El Ayuntamiento eleva al Capitán General un memorial dándole cuenta de la triste situaión en que se encuentra el Municipio por el nuevo sistema tributario, encabezándola así: «El Ayuntamiento de Santiago de Cuba, lleno de su íntima convicción de que ha llegado al punto extremo de agotamiento de sus recursos y de que le es imposible continuar con la angustiosa y desprestigiada existencia que de un año a esta parte arrastra, sin medio de atender a sus más sagradas y perentorias obligaciones, y contrayendo deudas que su conciencia misma le dice que no podrá solventar.»

El presupuesto de gastos ascendía a 475,636.800 milésimas de escudos.

Ingresos recaudados: 193,635.469 íd.

Décifit en escudos: 282,635.469 milésimas, igual a $141,317.73 centavos.

En el memorial se leen párrafos como éste: «a este Municipio no le es posible seguir adelante con semejante situación. Nada ni a nadie puede pagar lo que se le debe, nadie le da un solo centavo, y en el seno de la misma corporación el señor Capaz levanta la voz proponiendo como única medida salvadora la suspensión del alumbrado público, el servicio de serenos, la policía, los trabajos de ornato y hasta las escuelas públicas». «La situación es terrible y el peligro inminente si a los municipios de la Isla de Cuba no se les vuelve a la anchura e independencia de acción de que gozaban antes del primero de julio de 1867».

El alcalde municipal, señor Marqués de Palomares de Duero, paga de su peculio particular los sueldos de los empleados subalternos que abandonaban el destino.

OCTUBRE 1868

GIRÓ

(Octubre).—Fallecimiento del anciano comerciante D. Juan Giró, trabajador honrado y constante.

MONAGAS Y SOSA

Es remitido a Güines por orden superior el preso D. Francisco Monagas y Sosa.

9 DE OCTUBRE

El día 9 de octubre, en el ingenio *La Demajagua,* jurisdicción de Manzanillo, se reúnen: Carlos Manuel de Céspedes, Manuel Calvar, Bartolomé Masó, Isaías y Rafael Masó, Manuel Socarrás, Angel Mestre, Juan Ruz, Emiliano García Pavón, Emilio Tamayo, Juan Hall, Luis Marcano, Manuel Codina, Jaime Santiesteban, Rafael Torres Garcini, José Rafael Izaguirre, Francisco Marcano, Félix Marcano, Ignacio Martínez Roque, Agustín Valerino, Francisco Vicente Aguilera, José Pérez, Rafael Caymari, Manuel Santiesteban, Aurelio Tornés, Bartolomé Labrada, Pedro, Francisco Javier y Francisco Céspedes Castillo, Francisco Estrada Céspedes, Enrique Céspedes, Enrique del Castillo, Juan Rafael Polanco, Amador Castillo, José Rafael Cedeno y Francisco Cancino, poniéndose de acuerdo para dar el grito de Independencia.

10 DE OCTUBRE

En este día, en el ingenio *La Demajagua* se da el grito de INDEPENDENCIA. (La lucha duró nueve años y cuatro meses, fracasando con la paz del Zanjón.) Se cuenta que convenido en proclamar «la Independencia» a una fecha dada, hubo que precipitarla por haber llegado un emisario de Manzanillo trayendo la noticia de «que telegráficamente el gobierno ordenaba la inmediata prisión de Carlos Manuel de Céspedes y varios otros de los conspiradores». En este estado, y ya de noche, tomó Carlos Manuel de Céspedes enérgica resolución sin dudas ni vacilaciones. Avanzando al corredor de la casa de vivienda donde se

encontraban reunidos todavía varios de los conspiradores, llamó
a su mayoral, Tomás Borrero, joven de unos veintisiete años, y
le ordenó: «Borero, toque la campana y llame a la *fila*». Hecho
esto salieron de sus bohíos, azorados y pricipitadamente, los esclavos varones y hembras, y como de costumbre disciplinados,
fueron colocándose frente a la casa en el batey. Estando así reunidos esperando alguna orden de trabajo extraordinario seguramente, Carlos Manuel, con voz alta, de modo que todos pudiesen oir claramente, les dijo: «Ciudadanos, hasta este momento habéis sido esclavos míos. Desde ahora sois tan libres como
yo. Cuba necesita de todos sus hijos para conquistar su libertad
e independencia. Los que me quieran seguir, que me sigan; los
que se quieran quedar, que se queden: todos seguirán tan libres
como los demás.» Y la Independencia de Cuba quedó proclamada desde aquel mismo instante y sancionada y realizada después
de lucha larga y cruenta.

La guerra en Oriente

Parte oficial.—En hoja extraordinaria publica el Gobierno lo
siguiente:

«Comandancia General del Departamento Oriental de la Isla
de Cuba.—Estado Mayor.—Habitantes del Departamento Oriental: En Yara y sus cercanías, jurisdicción de Manzanillo, se han
levantado 120 paisanos en actitud hostil al Gobierno y fuerzas de
Bayamo, y de esta misma capital salieron al punto para su persecución y captura, que será inevitable y pronta. A mayor abundamiento, salió ayer también para Bayamo, en dos vapores, el Batallón de
Cazadores de San Quintín, que desembarcando simultáneamente
en Manzanillo y en Gibara dará pronto cuenta de ellos, sofocando
en su origen esa descabellada rebelión acometida por hombres que
habiendo dilapidado su fortuna en el vicio, sólo en actos vandálicos pudieran su pereza y malos instintos imaginar recuperarla.
No de otro modo pudieran haber alucinado y seducido para su
séquito a un centenar de ilusos labriegos con engañosas ofertas,
dando por resultado al fin el ser víctimas con ellos de su impre-
meditada y punible defección a un Gobierno que se desvive por
el fomento y el desarrollo de la riqueza pública y para elevar a
los pueblos de la Isla al estado próspero de los más adelantados
del mundo. Comparad si no su estado floreciente de hoy con el
de hace treinta años...» «Y cuando solícito hasta el mayor grado,
nuestro dignísimo capitán general acaba de recorrer la Isla toda

para conocer y estudiar por sí mismo las necesidades de cada localidad y proponer al Gobierno Superior cuantas mejoras le sugiriese su elevada inteligencia y no estuvieran en sus facultades, ¿se viene así a pagar sus esfuerzos con tan negra ingratitud por un puñado de turbulentos y a alterar el reposo público y el bienestar general?»

«Semejante atentado no quedará impune, os lo prometo, porque tan accesible como soy a todos para procurar el bien individual y fomento general de este Departamento de mi mando, tan inflexible y enérgico soy en los casos arduos como de ello fuísteis testigos no ha mucho, cuando la insurrección de la Cárcel.»

«Tengo el deber de velar por el orden en bien vuestro y estoy resuelto a mantenerlo a todo trance. Abriguen esta confianza las gentes sensatas y de arraigo, que son la masa general de los habitantes del Departamento, y sepan a qué atenerse los miserables que intentar se atreven a poner en ejecución miras bastardas de desolación en daño del país... No porque haya habido disturbios en la Madre Patria hay el menor pretexto de perturbaciones en estas provincias apartadas.»

«La Isla de Cuba es de España mande quien mande en la Península, y para España es preciso conservarla y defenderla cueste lo que cueste.»

«Palabras son éstas de nuestro dignísimo capitán general que me dirigió en telegrama de ayer y que os transmito gustoso para garantizaros de que la tranquilidad no se turbará impunemente, dispuesto cual estoy a cumplir sus órdenes en exacta observancia de mis deberes.»

«Entre ellos cuento el muy grato de velar por vuestras personas y los intereses que supísteis adquirir. Vuestro comandante general,

Joaquín Ravenet

Santiago de Cuba, 12 de octubre de 1868.

RAVENET

Llamamos la atención sobre las siguientes frases de la alocución del gobernador Ravenet por lo que encierran de constante repetición histórica mundial.

«Se viene así a pagar sus esfuerzos con tan negra ingratitud por un puñado de turbulentos y a alterar el reposo público y bienestar general» —y agrega luego—, «semejante atentado no

quedará impune, os lo prometo, porque tan accesible como soy
a todos para procurar el bien individual y fomento general de
este Departamento de mi mando, tan inflexible y enérgico soy
en los casos arduos, como de ello fuisteis testigos no ha mucho
cuando la insurrección de la cárcel».

«La Isla de Cuba es de España, mande quien mande en la Península, y para España es preciso conservarla y defenderla cueste
lo que cueste.»

MARRERO

Es trasladado a Manzanillo por orden gubernativa y por cor-
dillera terrestre el preso Francisco Marrero.

ESTADO DE SITIO

Queda declarado en estado de sitio el Departamento Oriental.

«EL CUBANO LIBRE»

Ve la luz pública en Bayamo por primera vez el periódico
El Cubano Libre, fundado por Carlos Manuel de Céspedes.

INTRANQUILIDAD

Las noticias del levantamiento armado crean un estado de
intranquilidad en la población. Alarma más por lo que se cree
que ocultan las autoridades que lo que éstas hacen público. Por
conducto particular se sabe que los insurreccionados en Yara entraron en Jiguaní. En seguida, como obedeciendo una consigna,
deja de funcionar el telégrafo y no se reciben correos de la Isla,
quedando la ciudad incomunicada.

Supónese que la partida que invadió a Jiguaní es la misma
que tomó posesión de una tienda situada en Contramaestre, en
el punto llamado la Venta, a 14 leguas de Cuba. Inmediatamente salieron de aquí, por el ferrocarril de Sabanilla, tropas y artillería.

Los mayores contribuyentes celebran varias reuniones en la
Casa de Gobierno, acordando una derrama voluntaria para cos-
tear unas columnas volantes que defiendan los campos.

Llegan muchas personas procedentes de los campos que dan
noticias contradictorias.

Voluntarios

Creación de dos batallones de Voluntarios y de un escuadrón de Caballería de los mismos, recolectándose para equipos más de 6.000 pesos.

Amnistía

El gobernador Ravenet publica «una amnistía dando de término ocho días para todo insurrecto que se presente».

La guerra en Oriente

Llegada de Manzanillo del vapor *Tomás Brooks* trayendo varios presos por cuestiones políticas.

Se forma un escuadrón de voluntarios de Caballería, siendo elegido jefe el secretario de Gobierno D. Silverio Gómez de la Torre.

Marqués de Palomares

D. Antonio Vinent, marqués de Palomares del Duero, alcalde municipal, paga de su peculio particular el rancho de los presos en la cárcel pública.

La guerra en Oriente

Llega el vapor de guerra *Don Antonio de Ulloa*.

El coronel Quirós con los tenientes coroneles D. Fermín Daza y D. Nazario Rebollo atacan la Venta de Casanovas y dispersan a los insurrectos.

Reunido el Ayuntamiento de Jiguaní en sesión, aprueba la moción del alcalde D. Pedro Ulloa de abrir una suscripción entre los concurrentes para «armar una partida de paisanos leales que defiendan la jurisdicción».

El *Diario de Santiago de Cuba* publica un artículo de fondo condenando la revolución y pidiendo: «Unión y orden, fe y confianza mutuas, y nos hemos salvado de todo peligro.»

Valmaseda

El conde de Valmaseda publica dos alocuciones, una dirigida a los «fieles habitantes del Departamento Oriental», en la cual se lee este primer párrafo: «La ambición de algunos que sin amor al trabajo y al estudio quieren llegar a los primeros puestos reunidos a otros que por su depredaciones os son a todos conocidos, han tenido bastante habilidad para sacar a los pacíficos habitantes de vuestras vegas y hacerles tomar las armas contra el Gobierno de la Patria.»

La otra, dirigida a los insurrectos de Bayamo, Manzanillo, Holguín y Tunas, donde dice: «Algunos hombres llenos de ambiciones y deseos y otros engañados torpemente por ellos, os han conducido a hacer armas contra el Gobierno de nuestra Patria...»

«Ocho días os doy de término para que depongáis vuestra actitud hostil; si expirado este plazo no lo habéis hecho, yo con mis tropas marcharé a buscaros, a haceros entrar en la obediencia del Gobierno y a enseñaros vuestros deberes.»

LA GUERRA EN ORIENTE

Con repique de campanas y músicas entra la columna del coronel Quirós de su expedición a Contramaestre.

GARCÍA MUÑOZ

3 de noviembre.—Toma posesión de la Comandancia General del Departamento Oriental el brigadier D. Fructuoso García Muñoz, y en su alocución a los habitantes del Departamento se lee el siguiente párrafo: «Si la más estricta justicia, la energía y la buena voluntad son las dotes que las actuales circunstancias exigen a un gobernante, si son las que hoy se necesitan para sostener la paz y protejer vuestros intereses y llevar la tranquilidad al seno de vuestro hogar, no omitiré medios para llenarlos cumplida y satisfactoriamente.»

BANDO

El bando de Valmaseda publicado en Manzanillo dice en su artículo 2: «Pasado este plazo (ocho días), los que se aprehendan con las armas en la mano, los que se alzaren públicamente para destruir la Integridad Nacional, los que bajo cualquier pretexto se rebelen contra las autoridades constituidas por el Gobierno Español o trastornen de algún modo el orden público, los que redacten, impriman o circulen escritos o noticias subversivas, los que interrumpan o destruyan las comunicaciones telegráficas, los que destruyan o intercepten la correspondencia pública, los que destruyan las vías férreas o pongan obstáculos en los demás caminos públicos para perseguir a los revoltosos, los conspiradores y auxiliares, en fin, de todos estos delitos, sus cómplices o encubridores, serán pasados por las armas.»

La guerra en Oriente

Los insurrectos atacan a las Tunas.

Una columna al mando del coronel D. Francisco Abreu y Delmonte desaloja a los insurrectos del pueblo del Cobre, del cual estaban posesionados. La columna del coronel Abreu se componía de, además de la Infantería, dos piezas de Artillería de Montaña. Las fuerzas habían salido de Santiago de Cuba la víspera por la noche, y libertada la pequeña fuerza que se encontraba sitiada en dicho pueblo, se ordena lo siguiente:

«Asimismo se ha dispuesto que todos los pequeños destacamentos se incorporen a la columna de operaciones a fin de que el enemigo no se entretenga en la para él gloriosa empresa de atacar mil contra veinte.»

Albuerne

Fallecimiento del fiel de peso de la Aduana D. Nicanor Albuerne.

Mancebo-Valiente

Contraen matrimonio la señorita D.ª Lucía Mancebo y Escot y D. Enrique Valiente y Ruano.

Pastor Burgos

En el ataque a la población de Guantánamo por los insurrectos, al querer apoderarse de un cañón, muere el cabecilla Manico González y es hecho prisionero, herido en una pierna, el joven Pastor Burgos.

Vapores de guerra

Entran en puerto el vapor de guerra francés *Surcouf* y el americano *Penobscot*.

FERROCARRIL DEL COBRE

Queda suspendida la circulación del ferrocarril del Cobre.

«DIARIO DE LA MARINA»

Este diario de La Habana publica un artículo en nombre de los vecinos de la ciudad de Cienfuegos diciendo, entre otras cosas, que «el día que la Isla de Cuba dejara por desgracia de ser española se hundiría en un abismo insondable donde desaparecería su ilustración, su riqueza y su porvenir.»

VAPOR INGLÉS

Llegada del vapor de guerra inglés *Jason*.

EMIGRACIÓN

En el vapor francés *Tampico* emigran para Jamaica 150 individuos.

GODERICH

D. Francisco Goderich da gratuitamente para sopa de los pobres 50 libras de carne semanal.

POZO ARTESIANO

Para abastecer de agua a la población comienza a funcionar el pozo instantáneo de la calle de Santa Rita, entre San Félix y Carnicería.

PASEO MILITAR

Los dos batallones de Voluntarios y el escuadrón de Caballería de Santiago hacen un paseo militar por el camino del Caney. El jefe del escuadrón es D. Saturnino Fernández.

INCENDIO

Es consumida por las llamas la casa número 19 de la calle de San Basilio. Habitaba la casa el anciano colchonero, natural de Mahón, islas Baleares, José Guiala, y prendió fuego a la casa a eso de las siete de la mañana. Al pasar un soldado del Regimiento de Cuba y notar el humo, llamó a la puerta, y acudiendo Guiala le disparó un tiro, dejándolo muerto e hiriendo asimismo a un soldado de la Corona que había acudido al disparo, y continuó haciendo fuego contra los soldados que iban acudiendo hasta que, herido o muerto, desapareció entre los escombros del edificio destruido por las llamas.

TROPAS

En el vapor mercante *Pelayo* llegan de La Habana 656 soldados de Infantería.

EL «DIARIO DE SANTIAGO DE CUBA»

D. José Joaquín Hernández y D. Emiliano Martínez dan por terminado su contrato y cesan en la dirección del *Diario de Santiago de Cuba.*

LA GUERRA EN ORIENTE

La fragata de guerra *Carmen* dispara tiros de metralla contra grupos de insurrectos que parecía se dirigían al depósito de carbón de Cayo Duán.

ALOCUCIÓN

El primer jefe del primer Batallón de Voluntarios D. Manuel Arnaz dirije una alocución a sus subordinados por la recepción hecha a los soldados llegados en el vapor mercante *Pelayo,* y la cual contiene este párrafo: «La unión y la concordia os harán formidables y os alcanzarán el triunfo de la causa que sustentamos y por la cual también hemos hecho abnegación de vidas y haciendas».

Desde la entrada de San Antonio, los insurrectos tirotean las trincheras guarnecidas por tropas de línea y voluntarios.

POZO INSTANTÁNEO

Se abre un pozo instantáneo en la calle de la Marina, esquina al callejón de las Animas. Todos los pozos son debidos a los

4

esfuerzos y competencia de los hermanos D. Ignacio y D. Mariano Vaillant.

CROS

Fallecimiento del joven natural de Gerona D. Rafael Cros y Sarret.

SANTA CRUZ PACHECO

El joven y rico bachiller D. José María Santa Cruz Pacheco, de las antiguas familias de esta ciudad, se suicida disparándose un tiro.

MURILLO SÁNCHEZ

Deja de existir la señora D.ª Caridad Murillo de Sánchez.

BANDERA CUBANA

Desde hace días, frente a esta ciudad, en las montañas conocidas por Puerto de Bayamo, flamea constante y diariamente a la vista de la población la Bandera Cubana de la revolución, indicando lugar de reclutamiento. Las fuerzas revolucionarias se componían de 300 a 400 hombres mandados por los cabecillas Santiesteban, Máximo Gómez y el camagüeyano José Pérez.

DEMENTES

Son remitidos a La Habana los dementes D. Rafael Valdés y Martínez y Basilio Vargas.

CASERO

Llega la noticia de que «por su heroico comportamiento en la Revolución Española ha sido ascendido a teniente en el campo del honor el hijo de esta ciudad D. Francisco Javier Casero».

TEATRO

Se inaugura el teatro de verano *El Comercio* en la plazuela de su nombre, actuando la compañía de Bufos Habaneros, sien-

do aplaudida con furor la canción «El negro bueno», que se tuvo
como una especie de canto o proclama revolucionaria.

Capellán del Cementerio

El Capellán del Cementerio escribe al concejal inspector del
mismo establecimiento, D. Francisco Alvarez Villalón, de que:
«... en atención de las agravantes circunstancias de la época ha
hecho y hace cada día nuevos sacrificios para mantener sus compromisos, pero que, agotados ya los recursos de que puede disponer y careciendo de toda renta o sueldo, se ve obligado a pedir
de nuevo que le abonen los recursos necesarios para solventar
sus compromisos, pues de lo contrario se verá precisado a no
asistir al cementario hasta que le sean abonados los atrasos o
halle otro medio de proveer a sus necesidades.»

Médico del Cementerio

El Inspector Médico del Cementerio comunica que: «... desde el 23 del corriente se halla enfermo el celador y que tampoco
asiste a ese lugar el capellán hace ya como cinco o seis días a
pesar de tener aviso de la enfermedad del celador; que está pues
desempeñando sus obligaciones y las de los dos, y que como quiera que su calidad de médico inspector rechaza hasta la idea de
desempeñar las funciones de capellán y celador, so pena de quedar el cementerio abandonado a los sepultureros, y lo participa
para que se tomen las disposiciones que crean convenientes».

La Revolución en Oriente

Las fuerzas revolucionarias comienzan los ataques al pueblo
de las Tunas, teniendo que reconcentrarse en la casa del Gobierno las fuerzas del Regimiento de la Reina número 2 y los oficiales, soldados y bomberos voluntarios.

Línea telegráfica

Es cortada la línea telegráfica que comunica con la ciudad
de Bayamo.

Puente

Es destruido el puente del río Purgatorio y la cañería principal del Acueducto.

Fuerte Yarayó

Construcción del fuerte de Yarayó. Tiene dos pisos con paredes aspilleradas y a los lados N. E. y S. O. del segundo piso tiene matacanes para la defensa del pie del fuerte. Su planta cuadrada es de 5,70 metros, y admite de seis a ocho hombres.

Puente de Vargas

El jefe del depósito de máquinas de Sabanilla y Maroto participa al Gobierno que la noche anterio había sido incendiado el puente de Vargas.

Crespo Quintana

Con el nuevo Gobernador viene también D. Manuel Crespo Quintana con el fin de desempeñar interinamente el cargo de secretario del Gobierno Civil del Departamento.

Gómez de la Torre

El señor D. Silverio Gómez de la Torre cesa en su cargo de secretario del Gobierno de este Departamento.

Marchesi

El señor D. José Marchesi hace entrega de la Jefatura de Policía al Comisario del segundo distrito señor D. Joaquín Ros, interín se presente en ésta el señor D. José Pascual Bonanza, nombrado para reemplazarle.

Libre plática

Se dispone se admitan a libre plática los buques procedentes de Manzanillo, cesando la cuarentena establecida.

«Eclipse»

Entra el vapor de guerra inglés *Eclipse,* montando seis cañones, procedente de Jamaica.

NOVIEMBRE 1868

«NIOBE»

(Noviembre).—El vapor de guerra inglés *Niobe* entra en puerto procedente de Jamaica.

EMIGRACIÓN

En el vapor mercante que sale para Jamaica, embarcan con destino a Kingston varias familias pudientes de nuestra ciudad.

FUSILAMIENTO

Es fusilado en Palma Soriano, Isaac Borges, cubano, por las fuerzas revolucionarias, por el asesinato cometido en la persona del español Manuel de Jesús Colza, natural de Santander. La sentencia del consejo de guerra fue aprobada por el general del Ejército Libertador Luis Marcano.

RAVENET

Habiendo cesado en su cargo de comandante general D. Joaquín Ravenet, embarcó para La Habana, con objeto de tomar posesión del cargo de Segundo Cabo de la Isla.

ROTURA DEL ACUEDUCTO

Una de las partidas insurreccionadas en los campos, se apodera del acueducto, y rompe la cañería principal exterior e interiormente, según informe de los mecánicos D. Emilio Sarlabous y D. Juan Bergen, quienes se ofrecieron gratuitamente a reconocer el daño en vista de no abastecer de agua a la ciudad.

COMISIÓN PARA AGUA

Se forma una comisión compuesta del segundo teniente de alcalde, D. Manuel Arnaz, y concejales, D. Andrés Vaillant, don Eusebio F. Capaz y síndico D. Francisco Mancebo, para «que escogiten los medios de abastecer de agua a la ciudad».

PROTESTA

Por unanimidad se inserta en el acta de la sesión del Ayuntamiento del día de hoy, la siguiente proposición, acogida con entusiasmo y presentada por el concejal Sr. D. Capaz: «El Ayuntamiento de Santiago de Cuba, en la plena conciencia de los derechos de sus representados, y en la convinción íntima de su ciudadanía española, rechaza unánime toda idea y partido contrario a su nacionalidad; y que amante del orden y obediente a las leyes, dentro de ellas quiere y pretende la igualdad constitucional en todo lo que sea compatible con la especialidad de estas provincias ultramarinas». Se incribieron estas palabras, según instancia firmada por el concejal Sr. Capaz, en dicha acta para que conste: «el voto solemne del Ayuntamiento de censura contra la bandera insurrecta antinacional, que alzada por algunos ilusos del Departamento y seguida por bandas de hombres de todo color de nuestros campos, flamea hace largos días en las cumbres de la sierra frente a la ciudad: Puerto de Bayamo».

APUROS

El Alcaide de la Cárcel manifiesta que «por las circunstancias no entran viandas en la ciudad y por lo tanto hay que dar pan a los presos pobres; los panaderos se niegan a suministrarlo, los empleados amenazan dejar sus puestos; que por la situación violentísima en que se encuentra el país de día en día aumenta el número de presos por los prisioneros de guerra».

COMERCIO

Se inscriben como comerciantes D. Pablo Deymier y D. Antonio Aldrich.

OLLAS

«En vista del excesivo número de presos existentes en la Cárcel Pública, el Ayuntamiento compra ollas y demás útiles necesarios para los presos que habrán de trasladarse al Hospital Militar.»

PORTUONDO

D. Juan Portuondo es nombrado director de una escuela pública de niños de color.

PROFESORES

Los maestros de las escuelas públicas «solicitan se les abone un mes siquiera de los diez que se les debe».

VALMASEDA

Comienzan las medidas de una intransigencia llena de barbarie y crueldad; bando draconiano del general Valmaseda:

«Comandancia General del Departamento Oriental de la Isla de Cuba.—Estado Mayor.—El Excmo. Sr. Comandante General de las tropas en operaciones se ha servido expedir el siguiente bando:

»Comandancia general de las fuerzas en operaciones.—Estado Mayor.—D. Blas de Villate y la Hera, Conde de Valmaseda, Caballero Gran Cruz de la Orden Americana de Isabel la Católica, condecorado con la de San Fernando y otras por méritos de guerra, Mariscal de Campo de los Ejércitos Nacionales, Segundo Cabo de la Isla de Cuba, Comandante General de las tropas en operaciones de los Departamentos Oriental y de Puerto Príncipe.

»Nombrado para estos cargos por el Excmo. Sr. Capitán General, y aunque decidido a proceder con mano fuerte contra los individuos que, faltando a sus más sagrados deberes, han tomado las armas contra el Gobierno de su patria, convencido, sin embargo, de que muchos de ellos lo han verificado hostigados o forzados por los cabecillas, y otros por un error o ilusión de que pueden haberse arrepentido, en virtud de las facultades de que estoy investido, ordeno y mando:

»Artículo 1.—Concedo indulto amplio a todos los rebeldes que en el plazo de ocho días contados desde que se publique en cada punto por la respectiva autoridad militar, se presenten a mi autoridad o a los comandantes generales, comandantes militares o de armas, siempre que lo verifiquen con las armas con que hayan combatido en la Insurrección. Estos individuos, después de concedido el indulto, podrán retirarse a sus hogares.

»Artículo 2.—Pasado este plazo, los que se aprehendan con

las armas en la mano, los que se alzasen públicamente para
destruir la integridad nacional, los que bajo cualquier pretexto
se rebelen contra las autoridades constituidas por el Gobierno
Español, o trastornen de algún modo el orden público, los que
redacten, impriman o circulen escritos o noticias subversivas,
los que interrumpan o destruyan las comunicaciones telegráficas,
los que detengan o intercepten la correspondencia pública, los
que destruyan las vías férreas, o pongan obstáculos para perseguir a los revoltosos, los conspiradores o auxiliares, en fin, de
todos estos delitos, sus cómplices y encubridores, serán pasados
por las armas.

»Artículo 3.—Los comprendidos en el artículo anterior, cuando fueren aprehendidos, serán juzgados por un consejo de guerra
verbal.

»Artículo 4.—Estas disposiciones cesarán tan luego como
terminen los motivos por los cuales se han dictado.—Manzanillo, 10 de noviembre de 1868.—Conde de Valmaseda.

»Lo que he dispuesto se publique en todo el territorio de
mi mando para su más exacto cumplimiento, debiendo contarse
en esta plaza desde esta fecha el plazo otorgado por S. E. y en
los demás puntos desde la publicación por la Autoridad. Cuba,
12 de noviembre de 1868.—El Brigadier Comandante General.—Fructuoso García Muñoz.»

INCENDIO

A las once y media de la noche del día 15, las campanas echa-
das al vuelo anuncian un gran incendio. La panadería y chocolatería *El Navío,* situada en la plaza de Dolores, esquina a la calle
de San Tadeo, y la tienda de ropas *El Globo,* son presas de las
llamas, quedando completamente destruidas, y muy lastimadas
las casas vecinas, la de la calle de San Tadeo que habita el concejal
D. Andrés Vaillant y la de la plaza de Dolores que ocupaba la
antigua chocolatería de Nuviola.

RETRETAS

La población continúa vivamente impresionada por los sucesos que tienen lugar en sus inmediaciones. Las retretas menudean
en la plaza de Armas, pero, la concurrencia no es muy nume-
rosa.

El Cobre

Causa honda impresión la acción del Cobre, en la que toman parte, además de la guarnición de dicho pueblo, una columna de cuatrocientos hombres mandada de esta plaza.

Los insurrectos causan daños al acueducto que abastece de agua a esta ciudad, por lo cual los vecinos tienen que recurrir a los pozos y aljibes. Varios puentes del ferrocarril de Sabanilla y Maroto son incendiados.

DICIEMBRE 1868

Indigentes

(Diciembre).—Son muchos los indigentes que hay en esta ciudad, con motivo de haber buscado refugio en ella los que han huído de los lugares invadidos por la insurrección. Por medio de colectas voluntarias entre los pudientes se logra socorrer a los necesitados, repartiendo diariamente en tres puntos distintos de la ciudad sopas con carnes.

Ferrocarril del Cobre

La Compañía del Ferrocarril del Cobre suspende los trenes de pasajeros, con motivo de tener que sufrir reparaciones el vapor *Cobrero*, que hace el trayecto de esta ciudad a Punta de Sal.

Voluntarios

Los voluntarios de Santiago de Cuba responden al saludo que les dirigieran los de La Habana, haciendo protestas de españolismo.

Carestía

Siguen los insurrectos ocupando fincas. Ni los ingenios muelen, ni se pueden recoger las cosechas de los cafetales, ni los sitieros pueden mandar aves y legumbres a esta plaza. Como es

natural consecuencia escasean y se encarecen notablemente los
artículos de primera necesidad, y no pocas familias se trasladan
a Kingston, Jamaica, donde la subsistencia es mucho más barata.

ALGARADA

(4 de diciembre).—La música del Regimiento de Cuba, al
concluir la retreta que tocaba en la Plaza de Armas, como era
uso y costumbre, al salir de la plaza y detenerse frente a la
Casa de Gobierno, y desfilar tocando una marcha militar, toca
el Himno de Riego como lo había efectuado la noche anterior.
Se dan vivas, y la caballería de voluntarios entra en la plaza y
la despeja. Lo sucedido fue lo siguente: Puestos de acuerdo
Emilio Bacardí con el arquitecto municipal José D. Pullés, con-
vinieron —cándido atrevimiento— de que promulgando la Constitución y las libertades declaradas en España por la Revolución
de Septiembre, podría detenerse la Revolución Cubana, evitando
con eso el derramamiento de sangre. Para conseguir esto era
menester un golpe de fuerza, constituir una junta de Gobierno
y deponer al Gobernador Jefe del Departamento Oriental. La
ejecución debía realizarse de la manera siguiente: que la banda
militar tocaría el Himno de Riego y que con esa música se entu-
siasmaría el pueblo y se uniría al movimiento; se podía contar,
secundando al movimiento, con la misma banda militar y con el
cabo y la escuadra de soldados gastadores del Regimiento de Cuba.
Vicente Mestre, capitán, comandante de Marina, jefe del puerto,
de acuerdo con ellos, manifestó que la oficialidad de la fragata de
guerra *Carmen,* de estación en la bahía, se pondría al lado del movimiento. Colocados los gastadores y la banda de música en la calle
de la Marina, frente al Palacio, rompió con el himno, no poniéndose en marcha como era costumbre. En la plaza de Armas, frente a
los balcones de palacio, en uno de los cuales se encontraba el gobernador García Muñoz, se colocaron *Emilio y Facundo Bacardí* y
Angel Suárez; en los escalones de salida de la Plaza, frente a la
puerta de entrada de la Casa de Gobierno, el artesano asturiano
Domingo Monteavaro, con un amigo, y en la esquina frente al
Ayuntamiento y al Club de San Carlos unos carabineros aduaneros,
de acuerdo con Monteavaro. A los primeros acordes, la gente,
sabedora de lo que se proyectaba, echó a correr, los voluntarios
de caballería, mandados por Frasquito Baralt invadieron la plaza
quedando en ella sólo los grupos que pudieran denominarse
jefes del movimiento. Se dieron gritos a la «libertad y a Cuba

Libre unida a España». El coronel Lazo de la Vega, jefe de uno de los batallones de guarnición en la ciudad, se puso a escuchar lo que se proclamaba por los *Bacardí,* quienes, ante la soledad o fracaso, abandonaron la Plaza de Armas. Fueron detenidos dos carabineros que llevaban una pistola. El jefe de Estado Mayor, Pezuela ,agarró a Facundo Bacardí por un brazo al salir éste de la plaza, pero, a un tirón se le escapó. En la esquina de la confitería *La Venus* con la calle de la Marina, un soldado de caballería, con el sable desenvainado, hacía molinetes amenazando al que se le acercaba: un caballero de levita cruzada y sombrero de copa, pasó a gatas debajo del sable amenazador. La oficialidad de la fragata de guerra *Carmen* llegaba tarde: fue encontrada dirigiéndose al lugar, en la calle de la Marina, frente a la confitería *La Aurora,* de Esteban Copelo; llegaba en masa para la plaza, pero ya todo había terminado.

VILLASANA y PEÑA

Marchan para la insurrección el director y el ayudante de la escuela de Instrucción Superior, D. José Villasana y D. Manuel de J. de Peña y Reinoso.

POZOS INSTANTÁNEOS

El concejal D. Andrés Vaillant, coloca con resultados satisfactorios, los siguientes pozos instantáneos en la población: Jagüey, esquina a Hospital; Santa Rita, entre San Félix y Carnicería, y otro en la plaza de la Trinidad.

CAPELLÁN

Es separado del servicio del cementerio, el capellán D. Abrahán Sánchez, y se envían los antecedentes al señor Vicario Capitular, por decir en un oficio dirigido al Ayuntamiento: «que le ha extrañado en gran manera que este Ayuntamiento haya tomado una resolución que no está en sus atribuciones».

RACIONES

Desde el principio hasta hoy, se llevan repartidas a los menesterosos 7,523 raciones de sopa, carne y galleta.

Voluntarios

Los voluntarios hacen ejercicios diarios y maniobras que presencia buen número de personas.

Tropas

En el vapor *Pelayo* llegan 658 soldados dispuestos a salir a campaña de seguida.

Pozos instantáneos

Como sigue cortado el Acueducto, la población continúa surtiéndose de agua de los aljibes y pozos. Para facilitar la distribución de agua se abren dos pozos instantáneos, uno en la calle del Jagüey, esquina a la del Hospital, y otro en la plaza de la Trinidad.

Cros

Fallecimiento de D. Rafael Cros y Sarret, natural de Gerona.

Murillo de Sánchez

Fallecimiento de la señora doña Caridad Murillo, esposa del Sr. D. Nicolás Sánchez.

Insurrectos

Siguen las partidas de insurrectos moviéndose alrededor de la ciudad.

General Dulce

Se comisiona al concejal D. Eusebio Faustino Capaz, para que pase a La Habana a felicitar al ilustre y benemérito general D. Domingo Dulce, que con tanto acierto y simpatía ha regido los destinos de esta Isla y que vuelve a encargarse del mando superior de la misma».

Pío Rosado

(24 de diciembre).—Entra en la ciudad, a caballo, acompañado de un soldado insurrecto, negro, con bandera de parla-

mento, el coronel insurrecto Pío Rosado. Le escoltan el comandante de caballería española Gázquez. Entran por la entrada de Santa Inés, recorren el paseo de Concha y calle de Santo Tomás, hasta la Casa Palacio, residencia del gobernador D. Fructuoso García Muñoz, quien no quiso recibir la carta que le presentaba. En la puerta del Palacio, los voluntarios de guardia cortaron los estribos de la silla de montar de Rosado. El Gobernador, después de ordenar al comandante Gázquez que «bajo su más estrecha responsabilidad llevara a los comisionados fuera de la población en libertad», le quitó a Pío Rosado dos estrellas, insignias que traía en las mangas del saco, junto a los puños. —«¿Me desnuda usted?» —preguntó Rosado, a lo cual contestó García Muñoz: —«No, lo salvo».

La comitiva tomó por la calle de la Marina, San Pedro, Paseo de Concha, llegando a la entrada de Santa Inés.

El jefe de la guardia de la entrada de Santa Inés, fue arrestado por un mes, por haber permitido la entrada del parlamentario. El arresto lo cumplió en la fortaleza del Morro.

Hubo alarmas, correrías, cierra puertas, etc.

CAÑONAZOS

A las nueve de la noche, unos disparos de fusil del otro lado de la bahía, da motivo a la fragata de guerra *Carmen,* para que destaque de su costado una lancha que se acerque a la playa y cañonee el lugar de donde partieron los tiros de fusil. A los cañonazos la alarma en la ciudad es estupenda; se cierran todas las puertas, hay pánico, pues se había propalado que los insurrectos entrarían en la población en esa Noche Buena.

AL CANEY

Una partida de insurrectos entra en el pueblo del Caney, llevándose víveres y caballos.

PUENTE PURGATORIO

Destrucción de parte del puente del ferrocarril denominado del Purgatorio, por una partida insurrecta.

PÍO ROSADO

Aclaración a la comisión del parlamentario Pío Rosado, entrado en esta ciudad el día 24. La comunicación de Carlos Manuel de Céspedes trataba: «sobre ejecuciones de prisioneros por el Gobierno español, lamentando dichos sucesos y amenazando con tomar represalias». El gobernador García Muñoz, contestó por escrito «que los cubanos eran unos rebeldes con quienes no podía el Gobiern español entrar en tratos, ni negociaciones». A esto, el día 18 de febrero de 1869, contestó Carlos Manuel de Céspedes: —«Todo prisionero de los que voluntariamente hayan tomado las armas para pelear contra los cubanos, después de declarada la Independencia, será pasado por las armas; los soldados del ejército regular podrán esperar benevolencia».

Obras publicadas

Se publican este año las obras siguientes:

Memoria sobre la conveniencia de reservar a las mujeres de ciertos trabajos, por Emilio de los Santos Fuentes y Betancourt.

Tratado de aritmética mercantil, por D. José Mayner, imprenta de Espinal y Díaz.

El Apuntador Cubano, poriódico literario, imprenta «El Comercio».

El Expreso, periódico literario mercantil, por D. Francisco Javier Vidal, imprenta «El Comercio».

Breves reflexiones acerca de la imagen de la Caridad, por Fabriciano Rodríguez, presbítero, imprenta de M. A. Martínez.

El Cobre

El ataque al pueblo del Cobre es como sigue: El jefe insurrecto D. Luis Marcano, se apodera del pueblo del Cobre. Don Julián González Parrado, comandante militar, con 250 hombres, se encierra en el Santuario. Los insurrectos, después de oída misa (1), comienzan el ataque a las fuerzas encerradas en el Santuario, cesando en el ataque por la llegada de refuerzos salidos de Santiago de Cuba, con dos piezas de Artillería, al mando del coronel D. Francisco Abreú y Delmonte. Llegaron por la vía de Punta de Sal.

(1) En la iglesia parroquial.—*Barrera.*

Ferrocarril

Los insurrectos levantan traviesas del ferrocarril de Sabanilla y Maroto, cerca de la estación de Boniato, e incendian el puente de Halcón.

Tiroteo

Por la noche del día 26, se oye un tiroteo en la avanzada del camino de San Antonio.

Tropas a campaña

El día 27 embarcan en los vapores *Andaluza,* de guerra, *Tomás Brooks* y *Guantánamo,* mercantes, una columna de más de mil hombres de Infantería, Artillería y Caballería y una compañía de obreros zapadores, al mando del coronel de Ingenieros D. José López y Cámara. Se dirigen a Guantánamo para pasar a atacar a los insurrectos en posesión de Sabanilla.

Simón de la Torre

Llega en el vapor *Cienfuegos,* el nuevo comandante general de este Departamento, D. Simón López de la Torre y Orzuaza.

Reunión

Se reúnen hacendados y comerciantes con el objeto de recaudar fondos suficientes para organizar un batallón de voluntarios movilizados. Fracasa el intento por no poderse reunir los fondos.

Agua

Para que el vecindario pueda proveerse de agua en el río, se dispone que en el lugar escogido se sitúe una furza de setenta soldado regulares y veinte voluntarios.

La Torre

(29 de diciembre).—El mariscal de campo de los ejércitos nacionales, D. Simón de la Torre, se hace cargo del Gobierno Civil y de la Comandancia General del Departamento Oriental,

diciendo entre otras frases que: «...el estado de cosas no podía ya durar mucho tiempo porque el Gobierno de la Nación no tardaría en mandar cuantos recursos puédase necesitar...».

REUNIÓN

(30 de diciembre).—Por citación del Gobernador, se reúnen los almacenistas de víveres, Sres. D. Juan Tarrida, D. Félix Marió, D. Manuel Solórzano, D. Francisco Galí, D. Jaime Casanovas, D. Pelegrín Carbonell, D. Gabriel Junco y D. José Fábregas, y se comprometen a facilitar, entre todos, por término de tres meses, las raciones que se necesiten para los presos de la cárcel.

SELLÉN

Con intención, o sin ella, se publica en ese principio azoroso de nuestra existencia patria, esta sentida poesía de Antonio Sellén.

EL SONIDO MAS TRISTE

(Imitación de Koener)
Cuando en la noche las campanas lloran
Tristemente suspira el corazón:
Tal parece que llega a mis oídos
De un ser amado el postrimer adiós.
Pero existe un rumor más penetrante,
Sordo rumor, difícil de explicar;
Al oírlo, mi rostro palidece,
Velado por las sombras del pesar.
Es la queja que exhala en las tinieblas
El fúnebre ataud —al resonar
En sus lúgubres planchas el martillo,
Que va dichas y glorias a encerrar.

Antonio Sellén

BETANCOURT

Los diarios de esta ciudad dan a luz la preciosa *Anacreóntica* de Luis V. Bentacourt.

Aquella tojosita,
La tojosita aquella,
Que en prueba de cariño
Me distes en la feria,
Ayer por la mañana
Al ver la jaula abierta,
Batió alegre las alas
Y se marchó a la selva.
Pero al partir me dijo,
Que un beso te trajera,
Y que en la frente blanca,
O en la mejilla fresca,
O en la pulida mano,
O en la boca pequeña,
O en fin, en cualquier parte
Yo mismo te lo diera.
Conque, ¿dónde te beso?
Dilo pronto, y no temas,
Que con tal de besarte,
Te beso donde quieras.

La Revolución

Iniciada la era revolucionaria en la Isla de Cuba, en ansias de libertad, pueblo que jamás tuvo en su historia, por decirlo así, más que fidelidad y sumisión a la Madre Patria, desconociendo por lo tanto cuanto a guerra se refiere, había de encontrar inmediatamente en sí mismo, en cada individuo, las energías, las habilidades y la astucia que viven y duermen en cada hombre hasta tanto no llegue el instante en que habrán de brotar, y que habían de hacerle apto para una nueva vida sembrada de cuantos dolores pudiera crear la mente humana en uno de esos momentos calenturientos de fiereza y de desprecio a la existencia y a cuanto se tuvo hasta entonces por bueno y por sagrado. Rotas las hostilidades al grito de «Independencia o muerte», echada la suerte, nada había que esperarse sino una lucha sin cuartel, y la ciudad vigilada y espiada, aislada del campo cubano rebelde, había de encontrarse en contacto con los que peleaban por las libertades patrias. ¿Como? Toda vía era aprovechada, y del extranjero como del campo insurrecto, llegaban, casi a diario, documentos, proclamas, escritos, partes de acciones para dar ánimo a los que encerrados en los muros del

5

hogar, hombres y mujeres, rezaban, hacían hilas, acopiaban municiones y enviaban medicinas a todo cubano con las armas en la mano.

Iremos copiando lo que, a pesar de los pesares, se leía y comentaba libremente, aunque a escondidas, en gran número de hogares, el periódico *El Cubano Libre,* impreso en Bayamo.

«Al honorable Mr. W. H. Seward, Secretario de los Estados Unidos de América, el General en Jefe del Ejército Libertador de Cuba, y los Miembros de la Junta Consultiva de su Gobierno Provisional hacen saber:

Que cansados los cubanos de la degradante opresión, con que por espacio de tres siglos han sido gobernados, defraudadas sus esperanzas de conseguir los derechos a que aspiran todos los hombres que tienen la conciencia de ser libres, humillados hasta el extremo de no poder ser francos en la extensión de la palabra, para reclamar un puesto en el banquete de la civilización, al que les llama su reconocida aptitud para el ejercicio de todas las carreras y todos los empleos públicos, han, al fin levantado en nuestra hermosa y desgraciada tierra la bandera de la libertad y se han agrupado bajo su sombra y a las inmediatas órdenes del primero, los que como nosotros sienta hervir en su pecho el santo y noble y nobilísimo deseo de conquistar nuestras libertades y constituir un gobierno libre, que asegure nuestro porvenir y abra nuestro ancho campo, para marchar por el sendero del progreso, hacia la meta de las aspiraciones que guían a la humanidad.

Animados por tan santa causa y animados a la voz de la patria que nos llama, nos lanzamos contra el gobierno de España, en el campamento Demajagua, jurisdicción de Manzanillo, muy cerca de quinientos hombres, si no aguerridos, dispuestos a morir defendiendo el estandarte que hemos levantado, hasta alcanzar el objeto de todos nuestros deseos, la cima de nuestras esperanzas, nuestra independencia en fin, el alejamiento para siempre de las playas de la tiranía y del despotismo español, que hasta hoy ha manchado el estigma de la esclavitud más degradante.

La providencia que ayuda siempre y guía a los hombres, que libran su existencia por conseguir autonomía, nos ha hecho marchar felizmente por el camino de la revolución, y los que sólo éramos quinientos hombres mal armados y peor disciplinados, perseguidos en una montaña por columnas bien organizadas del gobierno de España, que ha venido triunfante, derrotando siempre al enemigo, reclutando gente, porque a la voz de la libertad se levantan en esta tierra los hombres del seno de estos montes para combatir la tiranía, como se levantan y animan las plantas al primer rayo de sol, que tan duro es el brazo de la opresión, que hasta la ignorancia despierta del seno de sus tinieblas para combatirlo.

Mucho más de 50 leguas, del interior de esta Isla, en el Departamento Oriental, tenemos ya en nuestro poder, entre ellas se encuentran situados los pueblos de Jinguaní, Tunas, Baire, Yara, Barrancas, Dátil, Cauto, Embarcadero, Guisa y Horno, y las ciudades de Bayamo y Holguín, reuniendo todos juntos ciento siete mil ochocientos cincuenta y tres habitantes, que nos obedecen y han jurado derramar la última gota de su sangre por nuestra causa.

En la referida ciudad de Bayamo hemos establecido ya un gobierno provisional y hemos formado nuestro Cuartel General donde tenemos prisioneros más de 300 enemigos del ejército español, entre los cuales se encuentran Jefes y Gobernadores de alta graduación. Todo esto lo hemos llevado a cabo en sólo diez días, sin más recursos que los que nos ha prestado el país en el trayecto que hemos recorrido, sin más armas que las que le hemos quitado al enemigo; sin más pérdida que tres o cuatro muertos y seis u ocho heridos. ¿Qué indica esto? Indica que los cubanos no somos tan débiles ni tan cobardes como hasta aquí se ha repetido, indica que ya estamos preparados y en aptitud de derrotar al gobierno que nos oprime; indica que las injusticias no pueden durar eternamente, que llega un día en que se castigan los grandes crímenes, y que no tan fácilmente pueden ahogarse ni detenerse las aspiraciones de los pueblos que van siempre guiados por el deseo de la Providencia.

Sólo nos falta para llevar a cabo nuestro santo propósito, que las Naciones civilizadas y libres interpongan sus influencias, a fin de que reconocidos como beligerantes, hagan respetar el derecho de gentes y los fueros de la humanidad, para evitar medidas bárbaras, que no son de estos tiempos y que un Gobierno como el de España puede llevar a cabo muy bien, obligándonos a usar represalias que mancharían la limpidez y la nobleza de nuestra causa.

Por eso, al acordarnos que hay en América una Nación grande y generosa, a la cual nos ligan importantísimas relaciones de comercio, grandes simpatías por sus sabias instituciones republicanas que nos han de servir de norte para formar las nuestras, no hemos dudado un solo momento dirigirnos a ella por con-

ducto de su Ministro de Estado, a fin de que nos preste sus
auxilios y nos ayude con sus influencias para conquistar nuestra
libertad, que no será dudoso ni extraño que después de habernos
constituido en Nación Independiente, formemos, más tarde o
más temprano, una parte integrante de tan poderoso Estado;
porque los pueblos de América están llamados a formar una
sola Nación y a ser la admiración y el asombro del mundo
entero.

Nos permitimos remitirle a usted un ejemplar del manifiesto
que hemos publicado, y dos primeros números de nuestro periódico oficial *El Cubano Libre,* única publicación libre que ha
visto la luz en Cuba.

Somos de usted con la más distinguida consideración.

El General en Jefe, *Carlos M. de Céspedes.*»

La Revolución

Manifiesto de la Junta Revolucionaria de la Isla de Cuba,
dirigido a sus compatriotas de todas las naciones.

«Al levantarnos armados contra la opresión del tiránico gobierno español, siguiendo la costumbre establecida en todos los
gobiernos civilizados, manifestamos al mundo las causas que
nos han obligado a dar este paso, que en demanda de mayores
bienes, siempre produce trastornos inevitables, y los principios
que queremos cimentar sobre las ruinas de lo presente para felicidad del porvenir.

Nadie ignora que España gobierna a la Isla de Cuba con un
brazo de hierro ensangrentado; no sólo no la deja seguridad en
sus propiedades, arrogándose la facultad de imponerla tributos
y contribuciones a su antojo, sino que teniéndola privada de
toda libertad política, civil y religiosa, sus desgraciados hijos
se ven expulsados de su suelo a remotos climas, o ejecutados sin
forma de proceso, por comisiones militares establecidas en plena
paz con mengua del poder civil. La tiene privada del derecho
de reunión, como no sea bajo la presidencia de un jefe militar;
no puede pedir el remedio a sus males, sin que se le trate como
rebelde, y no se le concede otro recurso que callar y obedecer.

La plaga infinita de empleados hambrientos que de España
nos inunda, nos devora el producto de nuestros bienes y de
nuestro trabajo; al amparo de la despótica autoridad que el
gobierno español pone en sus manos y priva a nuestro mejores
compatriotas de los empleos públicos, que requiere un buen

gobierno, el arte de conocer cómo se dirigen los destinos de una nación, porque auxiliada del sistema restrictivo de enseñanza que adopta, desea España que seamos tan ignorantes que no conozcamos nuestros sagrados derechos, y que si los conocemos no podamos reclamar su observancia en ningún terreno.

Amada y considerada esta Isla por todas las naciones que la rodean, que ninguna es enemiga suya, no necesita de un ejército ni de una marina permanente, que agotan con sus enormes gastos hasta las fuentes de la riqueza pública y privada; y sin embargo, España nos impone en nuestro territorio una fuerza armada que no lleva otro objeto que hacernos doblar el cuello al yugo férreo que nos degrada.

Nuestros valiosos productos, mirados con ojeriza por las repúblicas de los pueblos mercantiles extranjeros que provoca el sistema aduanero de España para cortarles su comercio, si bien se venden a grandes precios en los puertos de otras naciones, aquí, para el infeliz productor, no alcanzan siquiera para cubrir sus gastos de modo que sin la feracidad de nuestros terrenos, pereceríamos en la miseria.

En suma, la Isla de Cuba no puede prosperar, porque la inmigración blanca, única que en la actualidad nos conviene, se ve alejada de nuestras playas por las innumerables trabas con que se la enreda, y la prevención y ojeriza con que se la mira.

Así pues, los cubanos no pueden hablar, no pueden escribir, no pueden siquiera pensar y recibir con agasajo a los huéspedes que sus hermanos de otros puntos les envían. Innumerables han sido las veces que España ha ofrecido respetarle sus derechos; pero hasta ahora no ha visto el cumplimiento de su palabra, a menos que por tal no se tenga la mofa de asomarle un vestigio de representación para disimular el impuesto único en el hombre, y tan crecido, que arruina nuestras propiedades al abrigo de todas las demás cargas que le acompañan.

Viéndonos expuestos a perder nuestras haciendas, nuestras vidas y hasta nuestras honras, nos obliga a exponer esas mismas adorables prendas, para reconquistar nuestros derechos de hombres, ya que no podemos con la fuerza de la palabra en la discusión, con la fuerza de nuestros brazos en los campos de batalla.

Cuando un pueblo llega al extremo de degradación y miseria en que nosotros nos vemos, nadie puede reprobarle que eche mano a las armas para salir de un estado tan lleno de oprobio. El ejemplo de las más grandes naciones autoriza ese último recurso. La Isla de Cuba no puede estar privada de los derechos de que gozan otros pueblos, y no puede consentir que se diga que no sabe más que sufrir. A los demás pueblos civilizados toca interponer su influencia para sacar de las garras de un bárbaro opresor a un pueblo inocente, ilustrado, sensible y generoso. A ellas apelamos y al Dios de nuestra conciencia, con la mano puesta sobre el corazón. No nos extravían rencores, no nos halagan ambiciones, sólo queremos ser librese iguales como hizo el Creador a todos los hombres.

Nosotros consagramos estos dos venerables principios: nosotros creemos que todos los hombres somos iguales; amamos la tolerancia, el orden y la justicia en todas las materias; respetamos la vida y propiedades de todos los ciudadanos pacíficos, aunque sean los mismos españoles, residentes en este territorio; admiramos el sufragio universal, que asegura la soberanía del pueblo; deseamos la emancipación, gradual y bajo indemnización, de la esclavitud, el libre cambio con las naciones amigas que usen la reciprocidad, la representación nacional para decretar las leyes e impuestos, y en general, demandamos la religiosa observancia de los derechos imprescriptibles del hombre, constituyéndonos en nación independiente, porque así cumple a la grandeza de nuestros futuros destinos, y porque estamos seguros que bajo el cetro de España nunca gozaremos del franco ejercicio de nuestros derechos.

En vista de nuestra moderación, de nuestra miseria y de la razón que nos asiste, ¿qué pecho noble habrá que no lata con el deseo de que obtengamos el objeto sacrosanto que nos proponemos? ¿Qué pueblo civilizado no reprobará la conducta de España, que se horrorizará a la simple consideración de que para pisotear estos dos derechos de Cuba, a cada momento tiene que derramar la sangre de sus más valientes hijos? No, ya Cuba no puede pertenecer más a una potencia que como Caín mata a sus hermanos, y como Saturno, devora a sus hijos. Cuba aspira a ser nación grande y civilizada, para tender un brazo amigo y un corazón fraternal a todos los demás pueblos, y si la misma España consiente en dejarla libre y tranquila, la estrechará en su seno como una hija amante de una buena madre; pero si persiste en su sistema de dominación y exterminio, segará todos nuestros cuellos y los cuellos de los que en pos de nosotros vengan, antes que conseguir hacer de Cuba para siempre un vil rebaño de esclavos.

En consecuencia, hemos acordado unánimemente, nombrar un jefe único que dirija las operaciones con plenitud de facultades, y bajo su responsabilidad, autorizado especialmente para nombrar un segundo y los demás subalternos que necesiten todos los ramos de administración mientras dure el estado de guerra, que conocido como lo está el carácter de los gobernantes españoles, forzosamente ha de seguirse a la proclamación de la libertad de Cuba. También hemos nombrado una comisión gubernativa de cinco miembros para auxiliar al general en jefe en su parte político-civil y demás ramos de que se ocupa un país bien reglamentado. Así mismo decretamos que desde este momento quedan abolidos todos los derechos, impuestos, contribuciones y otras exacciones que hasta ahora ha cobrado el gobierno de España, cualquiera que sea la forma y el pretexto con que lo ha hecho, y que solo se pague con el nombre de *ofrenda patriótica,* para los gastos que ocurran durante la guerra, el 5 por 100 de la renta conocida en la actualidad, calculada desde este trimestre, con reserva de que si no fuese suficiente pueda aumentarse en lo sucesivo o adoptarse alguna operación de crédito, según lo estimen conveniente las juntas de ciudadanos que al efecto deben celebrarse.

Declaramos que todos los servicios prestados a la patria serán debidamente remunerados; que en los negocios, en general, se observe la legislación vigente interpretada en sentido liberal hasta que otra cosa se determine, y, por último, que todas las disposiciones adoptadas sean puramente transitorias, mientras que la nación ya libre de sus enemigos y más ampliamente representada, se constituya en el modo y forma que juzgue más acertado.

Manzanillo, 10 de octubre de 1868.

El general en jefe, *Carlos Manuel de Céspedes.*»

AÑO 1868

SALCEDO

Circula este escrito del Lic. D. Pedro C. Salcedo:

«Lic. D. Pedro C. Salcedo, abogado de los Tribunales del »Reino y del I. Colegio de esta Ciudad, defensor de Antonio »Boza, Justo Ramos, Eusebia y José Hermenegildo Núñez, Por-»firio Fernández, Feliciano Jiménez, José Castillo y Juan N. Na-»varro, procesados por atribuírseles el delito de conspiración; »parezco ante V. S. en los autos criminales que se han formado, y por el recurso que sea más conforme a derecho digo: QUE des-

»pués de la lectura enojosa e irritante de un proceso tan volumi-
»noso, recibe, sin embargo, el espíritu investigador descanso y
»satisfacción al ver la acción de la justicia humana dirigida con
»tanto acierto, prudencia y tino, en pos de un delito altamente
»atroz en este país y desenvuelto el criterio judicial con tanta
»inteligencia e imparcialidad. Cuando las elucubraciones crimi-
»nales se llevan de este modo, todos encuentran en ellas las
»garantías más seguras, pero principalmente los pobres encau-
»sados, que tienen que pasar sin arbitrio por ese peligroso crisol
»y pagan esa deuda implacable a la sociedad.

      »Grandes y extraordinarias son comunmente las circunstan-
»cias que concurren en los delitos de esta índole; cuyo descu-
»brimiento casi siempre es providencial, y cuya plena probanza
»casi nunca se consigue; porque si en todos los delitos huye
»instintivamente de la luz el perpetrador, como decía un insig-
»ne orador romano, en los que tienden a perturbar el orden públi-
»co, procuran sus autores hundirse en el abismo más tenebroso,
»y oscurecer y cegar todos los caminos de la investigación judi-
»cial, que por desgracia es muy limitada, y tiene que luchar con
»dificultades, a veces insuperables. Sin embargo, en las causas
»que estoy examinando, veo con gusto, que la acción judicial se
»ha hecho superior a todos los obstáculos que se le han presen-
»tado, y ha conseguido establecer la verdad del conato de cons-
»piración de un modo palpable, que no es posible desconocerlo
»y no confesarlo. Pero esto mismo, que prueba y certifica haber-
»se agotado todos los recursos y los esfuerzos de una esmeradí-
»sima persecución, prueba también y certifica de un modo victo-
»rioso, que los que han sido comprendido en el procedimiento, y
»a quienes el procedimiento no ha podido convencer de culpa,
»pueden y deben proclamar su inocencia en altas voces; y su ino-
»cencia debe de ampararse y defenderse delante de la Ley, sin
»restricciones, ni reservas, y sin dejarla subordinada ilimitadamen-
»te al imperio del Juez; porque la deuda del encausamiento no se
»paga sino una vez, y la obligación de colocarse impasiblemente
»*sub judice,* queda extinguida desde el momento en que el Juez
»juzgó, máxime si el juicio es consecuencia de un proceso tan ri-
»guroso como el actual.

      »El ilustrado Promotor Fiscal del Juzgado ha hecho una
»exposición de la causa tan clara, tan metódica en cuanto cabe,
»tan luminosa y tan concienzuda que no puedo menos que aplau-
»dirla y aceptarla en todas sus partes; y puedo decir de ella con
»toda seguridad, que deja perfectamente sintetizadas las volumi-

»nosas páginas de la actuación; y debo decir del representante
»del Ministerio público en este Juzgado, que ha comprendido
»óptimamente su obligación; y obedeciendo, y ajustándose a
»aquella máxima del modelo de los fiscales, el Sr. D. Juan B.
»Larrea, de que ese funcionario "no es un mal necesario, sino
»un bien utilísimo, ni es un rayo que mata, sina una luz que
»alumbra", y atemperándose al magnífico principio sancionado
»en el artículo 169 de la R. Cédula orgánica, de 30 de enero
»de 1855, de que su ministerio "es tan imparcial como la misma
»Ley en cuyo nombre habla, y ha de auxiliar al acusador y al
»encausado, según creyere más justo", ha puesto la mano sobre
»su corazón y ha dicho con absoluta imparcialidad: éste es cul-
»pable, y éste no lo es.

» ¡La lástima ha sido que la gravedad de la causa o los es-
»crúpulos de su desmedido celo por la justicia, no le hayan
»permitido ser más franco, y le hayan obligado a encerrarse en
»una reserva, que, a la verdad, no veo muy fundada...

»Los procesados, a quienes defiendo, son inocentísimos, se-
»gún la misma historia que el promotor fiscal enarra con tanta
»viveza como verdad. ¿Por qué pues, no se les absuelve libre-
»mente... ¿Por qué se les deja *sub judice*...? Se temen, acaso,
»las consecuencias de un error judicial. ¡Feliz error, aquel que
»salva y favorece la inocencia! El error temible y el que turbaría
»la conciencia de los hombres de buena voluntad, sería aquél
»que hiriese esa virtud inefable, que es la que protege y garan-
»tiza los actos humanos ante Dios, ante la Ley y ante los hom-
»bres, y a cuya sombra viven estos seguros, contentos y dicho-
»sos en la sociedad, y cruzan sin susto y sin sobresaltos sus pié-
»lagos peligrosos, sembrados de precipicios y de escollos.

»En realidad de verdad, no es humanamente posible apurar
»más la investigación judicial, principalmente habiendo desapa-
»recido de la escena los verdaderos autores de la conspiración,
»cuyas conciencias, perdidas ya para siempre, serían las únicas
»que podrían abrirse y venir de nuevo a esparcir más luz. Salvan-
»do quizás a los buenos y condenando a los malos, que tal vez
»han estado y están sosegados y tranquilos sin haber padecido
»ninguna persecución, o quizás obrando en sentido contrario
»porque no es nuevo en la historia de los hombres inícuos, que
»en la agonía de su iniquidad se desaten sus iras infernales cuyo
»soplo impuro alcance a los más inocentes: o esgrima el arma
»horrenda de la abominable calumnia; o echen mano a otros

»recursos más proditorios para buscar compañía en la siniestra
»soledad en que les coloca el crimen.

»Pero esos infelices a quienes defiendo, aunque vivieran los
»cabecillas, estarían exentos de todo temor para el porvenir,
»porque los mismos motivos que han determinado su encausa-
»miento, están persuadiendo que son incapaces de reproducirse
»nunca jamás, ni de adquirir formas más severas, ni de operar
»convicciones de mayor entidad.

»Con efecto: el acusador de Antonio Boza, en el papel infor-
»me, ridículo y despreciable del folio 25, obra evidente del em-
»busterísimo Cayetano Martínez, que sin duda alguna fue quien
»lo escribió, aunque los llamados peritos de Caligrafía hayan
»dicho otra cosa en el reconocimiento informal del folio 147;
»y lo escribió de *propio motu* sin coacción de ningún género, y
»sin que nadie se lo mandase, ni le obligase a ello; y cuyo objeto
»pudo ser una torpeza, o pudo ser una iniquidad, pero cuyos
»efectos son en sí de ninguna significación, si se examinan las
»cosas sin prevención; sin esa prevención, que es facilísima, y
»viene involuntariamente y se apodera del criterio más recto,
»firme y circunspecto, en causas de esta gravedad.

»La acusación de ese papel, se reduce a estas palabras:
»"Diríjase a Antonio Boza y pregúntele por Cayetano Martínez";
»palabras incoherentes y de sentido inconexo con las frases que
»les preceden; las cuales no pueden traducirse en perjuicio de
»Boza, aunque formasen directa ilación con la parte precedente,
»y ésta descubrise con claridad algún pensamiento subversivo.

»Cayetano Martínez, según sus propias confesiones, en la
»única parte que presenta alguna concordia, sostiene con tena-
»cidad que nunca entró en la conspiración y que si estuvo al
»lado de Agustín Da, fue de puro miedo y mientras pudo esca-
»parse y abandonar su peligrosa compañía.

»El papel susodicho no fue escrito, sin embargo, bajo nin-
»guna coacción física ni moral, porque el mismo Martínez dice,
»que lo escribió D. José Rabelo encima de una batea y en el
»estalage de Pantaleón Rodríguez; y aunque todo esto está
»plenamente desmentido con las declaraciones de Rabelo, con
»el reconocimiento pericial de la escritura, y con los atestados
»bien prolijos y circunstanciados del mismo Rodríguez y de su
»consorte Rufina Cruzata (folios 38, 39, 83, 86, 87, 92, 137,
»147, 184, 187 y siguientes hasta 191), para la defensa basta
»y sobra su confesión, por mentida que sea, pues en este último
»caso, la mentira averiguada es siempre argumento indestructi-

»ble contra la fe que quisiera atribuirse al papel consabido. Obra,
»por tanto de un individuo, que asegura que no era conspirador,
»es claro que la indicación que hace de Antonio Boza, ninguna
»relación podía tener con la conspiración, puesto que sólo se
»le indicaba para que dijese quien era el mismo Cayetano Mar-
»tínez y aunque éste hubiera sido en realidad conspirador, siendo
»como es conocidamente en el proceso, un muchacho muy em-
»bustero, travieso, mal educado, y de costumbres más bien inmo-
»rales y desparpajadas que subversivas, ningún cargo incluyen
»contra Boza el que este conspirador extravagante indicase la
»persona de un hombre tan honrado para que otro conspirador
»encontrara al compañero.

»Yo he visto en mi larga práctica otros casos muy parecidos
»a este, como, por ejemplo, en un instrumento notoriamente
»falsificado mencionarse personas de acreditada probidad y mez-
»clar e interesar en ellos a los Santos del cielo por medio de
»ofrendas y Sacristías del templo de Santa Lucía, de donde con
»razón debe llamarse *Escolano,* porque allí aprendió todo lo
»que sabe en el arte que profesa; y un hombre de estos ante-
»cedentes y de estas calidades era ciertamente el más a propósito
»en el pensamiento de un malhechor para esconderse detrás
»de él.

»Adviértese, además, en el papel del folio 25 que los nombres
»de los verdaderos culpables están escritos en cifra, o indicados
»con emblema, o con iniciales. "Por mandado de Manuel B. que
»reuna V. cuatro hombres buenos, hoy mismo sin falta y vaya
»al Cobre" para traer al cimarrón; pero el nombre de Antonio
»Boza está escrito con todas sus letras, como documento de que
»en esa persona nada había criminoso que debiera ocultarse...

»El acusador de Justo Ramos, de Eusebia, de José Herme-
»negildo Núñez, madre e hijo, y de Porfirio Fernández, es la
»herida de arma de fuego, que Ramos recibió en un costado; por
»la maldita coincidencia de asegurar D. Félix Mancebo, que por
»aquellos contornos y en los mismos momentos había sido asal-
»tado; hecho que se admitió sin examen y que no puede pasar
»como verdad legal, puesto que sólo consta por la declaración
»singular del mismo Mancebo, sin ningún otro adminículo, ni
»aún el reconocimiento del revólver que portaba, para averiguar
»si realmente hizo el disparo que declaró, contra los pretendidos
»agresores.

»Admitiendo, sin embargo el hecho, como dato incuestiona-
»ble, el menos imparcial reconocerá, que si D. Félix Mancebo,

»que aparece como un hombre inofensivo, fue asaltado, también
»pudo serlo Justo Ramos, que era igualmente inofensivo; y que
»pudo ejercitarse contra ambos la rabia de los agresores. Y como
»dice Mancebo, que los agresores dispararon contra él, nadie
»podrá poner en duda la posibilidad de que disparasen también
»contra Justo Ramos.

»El argumento contrario, queda, por lo tanto, reducido a
»un silogismo de cuatro términos, que en buena lógica es un
»evidente sofisma. Mancebo disparó un pistoletazo: es así, que
»Ramos, aparece herido de arma de fuego en el costado; luego
»Ramos fue uno de los agresores de Mancebo. La primera pro-
»posición, empero es un postulado que necesita justificarse, por-
»que no está justificado. La segunda proposición, presupone que
»el disparo alcanzó a algún agresor, y le hirió en el costado;
»término que no se encuentra probado en los autos y sin em-
»bargo, ha entrado en la argumentación como premisa presupues-
»ta; siendo así que el mismo mancebo en su declaración y al
»dorso del folio 240, confiesa que no sabía si había herido al
»que se le apersonó en ademán de tirarle con arma de fuego. En
»todo el proceso no consta tampoco que Justo Ramos tuviese
»armas de fuego a su disposición, antes bien aparece que no las
»tenía (folios 274 y 275). La inocencia de Ramos puede defen-
»derse victoriosamente de ese sofisma, hasta alegando su propia
»herida del costado, como testigo intachable.

»Los Núñez, madre e hijo, una anciana y un pobre lunático
»y valetudinario, me parecen personajes altamente ridículos en
»una conspiración. Su culpa, sin embargo, y la culpa de Porfirio
»Fernández consiste en haber ejercitado una obra de misericor-
»dia con un pariente herido y desamparado, que tocó a las puer-
»tas de la caridad, para pedir socorro. Los Núñez con efecto,
»solamente abrieron las puertas de su humilde choza al llama-
»miento que hizo Justo Ramos, que era sobrino de la madre y
»primo hermano del hijo; Porfilio Fernández no hizo otra cosa
»que dar el brazo a un pobre enfermo pariente suyo para ayudarle
»a pasar de un lugar a otro... La defensa se detiene aquí porque
»no encuentra recursos para seguir exculpando a estos reos de
»nueva índole... Las obras y los actos de este género no admiten
»defensa, porque ellos solos están defendidos por su propia virtud.

»Los acusadores de Feliciano Jiménez y de José Castillo, si
»no fueran los alambres rotos del telégrafo, no se sabría atinar
»con otra entidad, pues en todo lo demás referente al corte de
»leña de Santa Rita, y a la sublevación de los esclavos de varias

»haciendas circunvecinas (cuyo cargo quiso también hacerse ex-
»tensivo a Justo Ramos, Eusebia y José Hermenegildo Núñez
»y Porfirio Fernández) quedó plenamente clasificado de pura
»superchería o exceso de malicia de los mayorales y contra ma-
»yorales de ciertas fincas, y de los esclavos Diego y Valentín,
»de la dotación del ingenio San Felipe; gracias al fino tacto y a
»la exquisita imparcialidad y justificación de V. S.

»Los alambres del telégrafo se creyeron cortados por mano
»enemiga; siendo así que pudieron ser rotos por una acumula-
»ción de electricidad, en cierta situación de la atmósfera; sobre
»cuyo particular no se ha esparcido luz alguna en todo el dis-
»curso de la actuación, pero no siendo un fenómeno rara vez
»ocurrido, sino por el contrario, cosa muy frecuente en los hilos
»del telégrafo; no hay razón para atribuirlo a la intención daña-
»da, ni para imputársele a nadie en particular.

»Todas las haciendas de esta jurisdicción, estuvieron tranqui-
»las, antes del mes de junio, en el mes de junio, y después del
»mes de junio del año próximo pasado. Los esclavos que se
»huyeron de la hacienda Santa Rosa, han declarado que empren-
»dieron la fuga, uno por uno, sin entrar en convivencias ni ser
»aconsejados ni movidos por ninguna persona de dentro ni de fue-
»ra de la hacienda; y casi todos han añadido, que huían del castigo.
»Los negros Diego y Valetín que dijeron mintiendo claramente,
»haber recibido propuestas de seducción, declaran a renglón
»seguido, como suele decirse, que nada participaron ni a su amo
»ni al mayoral, y éste y otros empleados de la hacienda San
»Felipe, certifican que todos los esclavos de su dotación eran
»encerrados en los barracones luego que se concluían los trabajos
»y a la hora precisamente en que dicen Diego y Valentín que
»quiso seducirlos Justo Ramos. Delante de estos datos, que in-
»cluyen una poderosa excepción coartada, es preciso que enmu-
»dezca hasta la sospecha más apasionada y que se reconozca la
»superchería.

»En fin: la acusación contra Juan Bta. Navarro, puede de-
»cirse que está contenida en las diez páginas que corren desde
»el folio 745 hasta el 755, y todos los cargos contra él se redu-
»cen a que encontrándose en el corte de leña de Santa Rita,
»de donde era mayoral D. Francisco Pérez, asustado éste, o cui-
»dadoso, creyó que se iba a sublevar la esclavitud y requirió a
»Navarro y a los otros trabajadores que estaban con él, para
»que aprestaran sus armas y se aparejasen a la defensa: y dice
»que Navarro se mostró indiferente, y aún él mismo lo confiesa

»en una de sus declaraciones, de lo cual se indujo que estaba
»en inteligencia con los pretendidos sublevados; y como en su
»primer atestado negó que Pérez le hubiese interpelado, el Juz-
»gado le increpó también el perjurio que había cometido. Pero
»el perjurio desaparece jurídicamente, desde el momento en que
»el Juzgado mismo ha comenzado a tratarle *como reo,* porque
»la legislación hoy vigente sanciona el principio de que nadie
»debe ser tratado como perjuro en causa propia; y por eso ha
»abolido el juramento en los actos instructivos de los procesa-
»dos, estando de antemano atenuada la culpa de este delito, en
»los que perjuraban en su propio pleito, y por una Ley de Par-
»tida sapientísima, la indiferencia que se echa en cara, al ser
»requerido por Pérez, pierde toda la malicia que se le atribuye,
»desde el momento en que se sabe y se ve que no hubo suble-
»vación, ni sublevados, ni acometimiento, ni necesidad de defen-
»sa; D. Francisco Pérez se alarmó, obedeciendo a sus conviccio-
»nes, o a su organización particular, pero Navarro, o porque era
»más confiado, o porque tenía más valor, o porque no podía
»darle crédito a la locura de un levantamiento semejante, se
»quedó tranquilo y sosegado, cosa que no es extraña en muchos
»hombres, aunque se encuentren en los peligros más inminentes;
»para quienes el miedo nunca existe, y la previsión, la precaución
»y la cautela llegan a ellos con muchísima pereza.

»Basta con lo dicho para que V. S. se persuada, que los
»procesados, a quienes defiendo, piden con justicia la absolución
»libre como consecuencia forzosa del procedimiento por donde
»han pasado. En cuya virtud, suplico a V. S. se sirva así deter-
»minarlo en definitiva, por ser de estricta justicia que imploro,
»jurando lo necesario.

»Otro sí:

»Estoy conforme con las declaraciones del sumario.

»Renuncio su ratificación y la prueba; y concluyo para sentencia.

                                        Lic. *Pedro C. Salcedo.*»

ENERO 1869

EL CUBANO LIBRE

<small>Primer periódico independiente
que se publica en Cuba</small>

<small>Periódico oficial</small>

Año 1   Bamayo, Viernes, 1.º de enero de 1869   N.º 47

A LOS HACENDADOS DE STGO. DE CUBA

Los C. C. Generales Donato Mármol y Máximo Gómez

Salud, Fraternidad y Libertad. Hermanos:

Vamos a dirigiros la palabra, y no dudéis que ambos tenemos derecho para ello. Verdad es que uno de nosotros no vió la luz en esta hermosa Isla, pero también es verdad que todos los hispanoamericanos tenemos la misma historia de sangre, y lágrimas, y luto, y desesperación. Todos los hispanoamericanos somos, pues, compatriotas por el sufrimiento, pero si no creyéreis que este indisoluble lazo nos hace conciudadanos, permitid a uno de nosotros esperar que le hará acreedor a esa honra la pura abnegación con que aspira a la libertad de este pueblo que sobre todas las fraternidades descuella la más noble de todas, la fraternidad de los hombres libres.

Vamos, pues, a dirigiros la palabra.

Ya sabéis que la existencia de la riqueza tiene tres períodos: la producción, la distribución y el consumo. Pues bien, el Gobierno Español en Cuba ha conspirado siempre —ya ciega, ya maliciosamente— contra la existencia de nuestra riqueza en sus tres períodos .Ha conspirado contra la existencia de nuestra riqueza en el período de la producción, porque su antieconómico, su ruinoso sistema de contribución ha pesado siempre de una manera insoportable sobre las tierras, sobre los brazos, y aún sobre los instrumentos de agricultura. Ha conspirado contra la existencia de nuestra riqueza en el período de la distribución, no sólo porque su antieconómico y ruinoso sistema de contribución ha pesado de una manera insoportable sobre el comercio y sobre las empresas de vías de comunicación, sino porque jamás

las ha fomentado él mismo, pudiendo asegurarse que nada ha
hecho jamás en este sentido durante sus cuatro siglos de opresión.
Ha conspirado contra la existencia de nuestra riqueza en el período de consumo, porque su antieconómico, su ruinoso sistema
de contribución ha pesado simpre de una manera insoportable
sobre los artículos de comodidad y lujo procedentes de manu-
facturas extranjeras, y todo con el exclusivista objeto de favore-
cer la industria nacional, perjudicándola, sin embargo, al privarla
de la emulación que inspira la competencia. Y ha conspirado
contra la existencia de nuestra riqueza en sus tres períodos a la
vez, porque vedando la libertad de reunión, la libertad de la palabra y aún la libertad de conciencia, ha alejado de nuestras playas
millares de artesanos y artistas extranjeros que hubieran dado
poderoso impulso a nuestra riqueza, cultura y bienestar.

Empero si el Gobierno Español en Cuba ha conspirado —ya
ciega, ya maliciosamente— contra la existencia de nuestra riqueza en sus tres períodos, vosotros cooperáis irreflexivamente a
esa odiosa conspiración en la actualidad, hermanos. En efecto,
vuestra indiferencia —no nos atrevemos a decir vuestra agresión— hacia la santa causa que nosotros defendemos, implica
las más funestas consecuencias. La indefinida prolongación de
esta guerra, prolongando indefinidamente la vida nómada de
las guerrillas, acabará por desmoralizar a nuestros soldados, y
éstos llevarán luego la desmoralización al seno de las familias,
dificultando la buena gobernación y aún la regeneración de este
país durante algunas generaciones, pues nos atrevemos a asegurar en esta proclama lo que nos hemos atrevido asegurar en otro
documento, es decir, que la mayor parte de los disturbios civiles
que suelen afligir a las repúblicas hispanoamericanas reconocen
por causa principal la desmoralización producida por la prolija
duración de sus guerras de independencia. ¿Y dónde iría a parar
nuestra riqueza entonces? Mas esto no es todo. La indefinida
prolongación de esta guerra daría lugar a que nuestros esclavos
se presentasen loca pero horriblemente en escena, dificultando
inmensamente una abolición rápida a la par que equitativa, una
abolición que concilie los intereses de los propietarios y del estado con los intereses de los siervos. Y no extrañéis este lenguaje.

No estamos en la época del disimulo, sino de la verdad, y
nos proponemos decirla en seguida a los esclavos, pintándoles en
su lenguaje los insuperables inconvenientes que tendría para ellos
la abolición repentina, y los inmensos beneficios que les traerá
la abolición gradual y rápida sin embargo, la abolición ennoble-

cida y ennoblecedora por el trabajo, la honradez y el bienestar.

Y no esperéis, hermanos, que el Gobierno Español en Cuba mejore nuestra delicada situación. Y lo hemos dicho en otra ocasión, y lo repetimos en ésta: los prohombres de la última revolución española no están a la altura de la situación que han creado en su patria, y lo prueba la debilidad con que dejan desarrollarse en ella la anarquía. Empero supongamos que lograsen organizar un gobierno estable: ese gobierno no podría ser otro que la monarquía, porque —como ya hemos dicho y repetimos ahora— la monarquía es tradicional en España, y España no puede romper aún con la tradición: y entonces apoyándose el nuevo gobierno en algún partido conservador, nos arrebataría bien pronto las pocas libertades que concediera por coacción en las circunstancias actuales, y entonces seríamos responsables ante nuestra conciencia, ante este país, ante el mundo y ante Dios mismo, de los nuevos y largos años de opresión que nos impusiéramos e impusiéramos a nuestra posteridad.

¡Valor, pues, hermanos! No vaciléis más. Poneos siquiera moral y económicamente de nuestro lado. Indudablemente seréis imitados por todos los hombres laboriosos que no estén aún con nosotros, y el gobierno español en Cuba soltará su presa y nuestra riqueza quedará salvada en los campos de batalla y asegurada en nuestras cámaras legislativas; y será nuestro el porvenir.—Campamento del Puerto de Bayamo, 31 de diciembre de 1868.—*Donato Mármol.—Máximo Gómez.*

El *Diario de Santiago de Cuba,* de hoy, entre otras noticias de la Península inserta la siguiente: «Se ha desmentido, es verdad, los alborotos de Sevilla, pero las Capitales de las Provincias andaluzas se ven llenas de gentes acomodadas de los pueblos que huyen de las turbas que invocan el derecho al trabajo, y que quieren elevar por este medio de *indigna violencia* el jornal o salario, invocando máximas y doctrinas puramente comunistas. Agréguense a esto que multitud de personas, bien conocidas por cierto, se hallan hoy en Madrid, y no se atreven a regresar a sus casas por no verse envueltas en los *desastres* que lamentan y que quisieran ver concluidos para siempre».

Y si esto pasa en el país de la revolución *gloriosa,* de la revolución hecha *espontáneamente* por un pueblo de una misma raza, de la revolución preparada con alma, con estudio y con elementos, no vemos una razón, siquiera especiosa, para que se apostrofe al C. Carlos Manuel de Céspedes, porque a la sombra del alzamiento que acaudillase cometan algunos abusos, algunas depre-

6

daciones que lamentamos, que deseamos ver terminadas, y que
ignora el apostrofado, pues que los constantes a no dudarlo, tendrán buen cuidado de cubrirlo, con un tupido velo para eludir
la responsabilidad que el C. Jefe del movimiento se apresuraría
a exigirles, a la manera que lo ha hecho ya por los hechos de
que se ha apercibido y que ha sabido castigar con mano fuerte,
publicando su fallo en *El Cubano Libre*.

Lamentamos, repetimos, los desmanes de algunos que apar-
tados de los jefes subalternos de los patriotas que circundan esta
Ciudad y sin estar quizás afiliados en el Ejército Libertador, se
destacan por los caminos y fincas vecinas y ejecutan esas acciones
y otros actos punibles, que traducidos maliciosamente por los
aduladores del Gobierno opresor, ofrecen campo vasto a su
insultante locuacidad. Y lamentamos más que esto, que los
insultos se dirijan contra el caudillo Céspedes, tan digno, por su
elevado patriotismo, de nuestra veneración, respeto y reconocimiento, como blanco es de los tiros de la turba de españoles que
agradecidos a la protección del Gobierno, que acosados se anti-
cipan a sentir hondamente su derrota, si bien disfrazando su
pesar con baladronadas y críticas ridículas y despreciables. Para
esa pobre falange escribimos el presente artículo, y creemos
firmemente que en el fondo de su conciencia excluirán de toda
culpa al C. Céspedes por los abusos indicados, siquiera sea en
fuerza de lo que pasa en España, o en otro caso, tendrán que
confesar que a los jefes de la revolución *gloriosa* son también
imputables los desastres que por allá suceden con las *turbas* con-
sabidas.

Y hasta nos atrevemos a creer que los detractores del para
ellos antipático bayamés, en silencio, esto es, hablando en secre-
to con su conciencia serán con él más *caritativos* que con Serrano
y su comparsa, porque estos estudiaron y amasaron su *glorioso*
alzamiento que se llevó a término en ocho días, sin más contra-
riedad que las que les opuso en el puente de Alcolea el valiente
y pundonoroso Pavía, y nuestra insurrección ha sido *improvisada*
y viene siendo combatida, aunque inútilmente, desde su nacimiento hasta hoy, es decir, hace más de dos meses. Allá los
excesos son posteriores a la revolución; aquí tienen lugar a la
sombra de ella; allá son *dulzuras* de la paz; aquí, *demasías* de
la guerra.

Un corresponsal

COMANDANCIA GENERAL DEL DEPARTAMENTO ORIENTAL DE LA ISLA DE CUBA

De orden del General en Jefe del Ejército Libertador de Cuba, se publica para general inteligencia un oficio que le dirigiera anteayer el Jefe de Sanidad Militar y que a la letra dice:

«Teniendo noticia de la existencia de la epidemia del cólera morbus, tanto en los campamentos de nuestras tropas como en alguna de las poblaciones ocupadas por ellas, creo muy de mi deber y digno de atención de usted fijarlas sobre medidas profilácticas, que si bien no sean bastantes a contener la propagación y desarrollo del mal, por lo menos aminoren sus desvastadores efectos.

Sin embargo, de ser hasta el día desconocida la causa determinante de la enfermedad que nos ocupa y de atribuirse casi exclusivamente a un vicio de la atmósfera y como quiera que sus primeros y más alarmantes síntomas reconocen un trastorno en las funciones del aparato digestivo, veo una gran necesidad de que dirijamos nuestros esfuerzos a que evitemos en cuanto sea posible todo lo que pueda ocasionar tales trastornos, y siendo de esta clase los *ingesta,* en su consecuencia debe recomendarse todo celo y vigilancia en los alimentos y bebidas de que se haga uso, así, respecto de los primeros, procurar que se haga la elección entre los más sanos, carnes y viandas que merezcan esa calificación, excluyendo hasta donde sea dable los casos esos que tengan los condimentos necesarios y, sobre todo, que se hagan las comidas a las horas regulares, así como impedir el uso de ciertas frutas y el abuso de todas ellas, y de las segundas que no sean aguas recién llovedizas y en este caso que se le agregue alguna sustancia que evite la acción de su crudeza en el estómago, que éstas tengan las mejores condiciones de potables, tanto por su naturaleza cuanto por su aseo; a cuyo último logro debe prohibirse de una manera muy eficaz el imperdonable abuso que en todos tiempos se comete en la población de Bayamo de lavar la ropa en el río en todos los·puntos que circulan el poblado, en donde precisamente bajan a proveerse de agua todos los abastecedores de lo población; creo que no necesita comentarios el citado abuso, para comprender las graves consecuencias a que puede dar lugar.

Hemos sentado por principio que la causa determinante del mal reside en la atmósfera, por lo menos es la opinión más generalmente admitida, y por consiguiente en él debemos reconcentrar nuestra atención y así evitar toda causa de impureza en el aire, evitando todas las emanaciones que puedan tener esa tendencia, tales como la aglomeración de despojos vegetales y animales próximos a los poblados, la combustión de basuras u otros efectos de igual o semejante procedencia, según es también inveterada y perniciosa costumbre en las vegas del río de Bayamo, aconsejando por el contrario la de sustancias resinosas o aromáticas u objetos que puedan contener esos principios. Impedir la cría de cerdos en el seno de la población y hasta donde sea posible el uso de sus carnes, para evitar la reunión y acercamiento de personas en lugares que no estén suficientemente ventilados o que por su capacidad no lo permitan, renovar el aire con la frecuencia posible o por lo menos purificarlo con fumigaciones *ad hoc* y, en fin, recomendar tanto a los facultativos como a los gobernadores y dependientes de policía todo cuanto pueda relacionarse con el aseo. Igualmente está reconocida como causa predisponente del mal, que se deplora, las de naturaleza debilitante, y comoquiera que las pasiones deprimentes son las primeras en ese rango, no deben ser menos eficaces nuestros esfuerzos en ese sentido; así alejar y ocultar toda causa que pueda abatir el espíritu, permitir y aun recomendar toda clase de reunión o entretenimiento o que pueda traer consigo la expansión del ánimo, y sobre todo resultado que la sola denominación de la enfermedad inspira una idea aterradora.

Juzgo que sería conveniente hasta desterrarla de nuestra nomenclatura sustituyéndola con otra, tal como la de *indigestión de los campamentos* u otra cuya medida no sólo traería la ventaja de evitar el terror, sino que además pondría freno a la intemperancia de nuestros soldados y demás ciudadanos.

No debo pasar por alto el orden de las *applicata*, el cual lo constituyen los vestidos y demás abrigos. Debemos pues ocupar mucho la atención de los jefes y oficiales sobre la más rigurosa observancia de esta parte de la higiene; así el soldado debe siempre ir provisto, además de la ropa que lleva puesta, de otra muda a reserva para hacerlo cuando aquélla esté sucia o húmeda, tener cuidado especial con que la que releven se asee y seque convenientemente y oportunamente a fin de que nunca le falte ropa con que mudarse.

Igualmente deberá proveerse de un capote, frazada o en defecto de éstos una sábana de tela de cuerpo para que tengan con qué abrigarse durante el sueño y evitar así la acción del frío, una de las causas debilitantes más poderosas.

Estas y otras precauciones que omito enumerar por no ser difuso y creer de fácil inteligencia para aquellos que se sometan a estas prescripciones, llenan por lo pronto mi misión, y sólo me resta encarecer a usted, si lo juzga oportuno y cree digno, la circule a los funcionarios a quienes corresponda.—Patria y Libertad. Cauto.—Embarcadero y diciembre 22 de 1868.

Ramón Barrios.»

AL C. ESTEBAN ESTRADA

Hermano: Santa Rita y Jiguaní son abolicionistas. Los hacendados propietarios de esclavos en su mayor parte, los comerciantes, peninsulares y cubanos, y muchas personas distinguidas de estos pueblos, acogieron con entusiasmo y unánimemente el acta levantada en la libre y heroica ciudad de Bayamo. El poder se dividirá en político y militar, los esclavos serán libres según nuestro programa, tendremos fondos para aumentar el armamento del Ejército Libertador y gracias al espíritu humanitario de los amos, a la docilidad y sana intención de los esclavos y al tacto inteligente de los habitantes de la Isla, la libertad bien entendida se asentará para siempre en nuestra patria. ¡Viva la unión de cubanos, españoles y africanos! ¡Viva la república cubana!

Chicho Valdés

La Revolución

Anécdota que debe ser conocida y no olvidada jamás.

«Después de haber salido de Yara los oficiales parlamentarios estuvo en el pueblo una columna del Regimiento de la Corona pedida a Bayamo como refuerzo por el gobernador de Manzanillo. Informado el jefe de esta fuerza, comandante Villares, de que los patriotas se acercaban, repartió y atrincheró sus soldados en todas las casas que daban sobre la plaza: 100 infantes y 25 caballos formaban la columna a su mando. A las ocho de la noche entraban los cubanos por cuatro distintos puntos. Al llegar a la plaza dieron un entusiasta ¡Viva Cubra libre!, viva el cual repitió el enemigo oculto con una prolongada lluvia de balas.

Sorprendidos los patriotas, retrocedieron en desorden: sólo Céspedes y un corto número de valientes sostuvieron el fuego, retirándose después sin ser perseguidos. Respecto a este acontecimiento, dice el general Angel Maestre, cuyo escrito ratifica casi en todos sus detalles nuestra versión: «Con Céspedes permanecieron en el lugar doce hombres, y la bandera en mi poder; mas parece que alguno exclamó: «¡Todo se ha perdido!» Y Céspedes contestó en el acto: «Aún quedamos doce hombres: bastan para hacer la independencia de Cuba» (palabras textuales). De aquel grupo que entró en Yara sólo quedan cuatro. Los demás murieron como valientes en los campos de la patria llenos de honor por su santa causa.»

La Revolución

Copiamos de *El Boletín de la Revolución,* publicado en la ciudad de Bayamo, lo que sigue:

A LOS ASUSTADIZOS

No es posible que todos los hombres de un país tengan el mismo temple de alma para arrostrar la muerte con ánimo sereno olvidando todas sus afecciones e intereses para acudir a la voz de la patria que los llama al combate.

Se necesita tener un corazón no asustadizo y templado al fuego del sacrificio y un alma ansiosa de libertad para ser de los primeros que acudan a ese llamamiento santo.

Pero en las revoluciones como la nuestra, en que no solamente nos impulsa el sacro amor del patriotismo sino el deseo de conquistar nuestra independencia y de romper para siempre la cadena de un Gobierno opresor, en esas revoluciones no se necesita más que dar el primer paso: *ponerle el cascabel al gato,* como vulgarmente se dice, para que todos los hombres que tienen la conciencia de la libertad, que no sean abyectos ni serviles, se agrupen al lado de los valientes iniciadores y premien con sus ayudas y espontáneos sacrificios el valor y si se quiere la temeridad de tan decididos patriotas.

Nosotros no tenemos por qué quejarnos de que se nos haya dejado solos; el grito de ¡Viva Cuba Libre! que hoy resuena por casi todo este departamento indica bien claramente la espontaneidad con que se han agrupado bajo de nuestra bandera los

habitantes de las jurisdicciones conquistadas por nuestros soldados; hasta las mujeres nos ayudan con su valor y resignación,
pero no faltan individuos meticulosos, almas débiles, corazones
pequeños, que tiemblan al primer asomo de la tempestad, que
creyendo que las tropas españolas son como las legiones de Atila
se asustan a la primera noticia de que se acercan y no sólo se
asustan, sino que tratan de asustar a los demás, y en medio de
su espanto y su cobardía ven fantasmas y propalan noticienes
que producen alarmas infundadas entre los vecinos que más expuestos están a la barbarie de nuestros enemigos. A esos soldados del último día que tanto empeño toman por nuestra seguridad, supuesto que por dondequiera ven un peligro que nos amenaza, a esos decimos: que se oculten en la cueva más escondida
que encuentren hasta que pase la tempestad, que nosotros no te-
memos a las huestes españolas por aguerridas y numerosas que
fuesen, que nosotros estamos afiliados entre los soldados de la
libertad y que no podemos espantarnos nunca ante los desafueros
de la tiranía, que nosotros hemos jurado morir por la independencia de la patria y con ánimo sereno cumpliremos con nuestro
juramento. Cierren los oídos las mujeres y los ancianos y esos
asustadizos que todo lo ven por el lado malo y exagerado, les
aseguramos que nuestro ejército libertador no ha de ser nunca
derrotado por nuestro enemigo.

La Revolución

Copiamos de *El Cubano Libre,* publicado en Bayamo:
Honor a quien honor se debe.—Comoquiera que nuestra guerra es al mal gobierno que nos agobiaba, el ilustrado comercio
de Bayamo lo ha comprendido así y ha abierto las puertas de
sus establecimientos y aún más sus corazones a los jefes de nuestra cruzada; los comerciantes sólo han encontrado en la revolución garantías firmes y justas para prosperar a la sombra de
nuestra bandera, y nosotros hemos encontrado en ellos toda clase
de recursos para triunfar. Por eso debemos dar un viva a los comerciantes de Bayamo y a los jefes de la libertad, porque el Lugareño lo ha dicho: «Honor a quien honor se debe.»
Bayamo.—El aspecto que presenta este pueblo libre de Cuba
es encantador. Todo está alegre, animado. Nadie teme porque
desde el tierno niño hasta el provecto todos han jurado ante el
altar de la patria derramar su sangre gota a gota antes que consentir una cadena ni más ultraje ni más atrocidades. Bayamo se

ríe a carcajadas viendo a sus habitantes gozar de los beneficios de la libertad mientras otros pueblos de mayor importancia permanecen de rodillas lamiendo los pies a sus tiranos. ¡Oh mengua...! Pero no hay temor, nuestros caballos beberán las aguas del Almendares.

Llamamiento.—Juventud fuerte de Bayamo y su jurisdicción: cábenos la honra de llamaros a que toméis las armas en defensa de la patria para que con ella defendáis los santos fueros de la libertad y la independencia.

No nos andéis por más tiempo con *chanchamanzas,* como dice el intrépido Juan de Mena, y

> *¡Allons enfants de la patrie,*
> *Le jour de glorie est arrivé!*

Varias bayamesas

Pío Rosado

De una correspondencia de Santiago de Cuba publicada en el *Diario de la Marina* del día 31, hallamos lo siguiente:

«Anoche, que fue la antonomásticamente llamada NOCHE BUENA, ha estado esta ciudad muy animada, si bien la causa ha sido muy distinta de la que ordinariamente nos hace a todos en esta época del año salirnos de nuestras casillas. En primer lugar, a las seis de la tarde se apareció un parlamentario de los insurrectos por la entrada de Santa Inés, el cual fue conducido a Palacio. Este acontecimiento se supo al momento, y la Plaza de Armas se llenó materialmente de una inmensa concurrencia de curiosos. La excitación fue grande y tomó proporciones inmensas por la circunstancia de que a los pocos momentos de hallarse en presencia del gobernador el parlamentario se retiraba del ejercicio el segundo Batallón de Voluntarios desfilando por el frente del Palacio con aire marcial, tocando su hermosa banda de música el himno de Riego a los gritos de «Viva España» y «Viva Cuba Española». El caballeroso señor D. Fructuoso García Muñoz tuvo noticias de la indignación que sentía el pueblo amotinado a sus puertas por la presencia del parlamentario y acompañó a éste hasta la calle entregándole a un piquete de caballería para que le sirviera de escolta y salvaguardia contra los que pedían su detención. Su señoría arengó con breves y significativas palabras al pueblo y el parlamentario pudo retirarse tranquilamente con su escolta.

«Ya podrán ustedes figurarse los comentarios que se habrán hecho sobre este inesperado suceso, pero hasta ahora, como es natural en cosas de esta naturaleza, nada cierto se ha traslucido. El vapor que lleva ésta llevará también la comunicación oficial sobre el particular, y tal vez sepan ustedes allá primero que nosotros la misión del parlamentario. Este es un joven de esta ciudad, profesor de instrucción primaria, llamado Pío Rosado. Después de esto, y cuando las conversaciones de los círculos más conocidos no se referían sino a la cuestión palpitante, se oyó un cañonazo en la bahía. Pronto se supo que había sido tirado por una de las lanchas cañoneras de la fragata *Carmen,* que vigilaba la costa opuesta a la ciudad, contra una pequeña partida de insurrectos que desde tierra le había disparado algunos tiros de fusil. Una hora después hubo cuatro o cinco disparos más hechos por la misma lancha y por la referida fragata, pues claramente a favor de la luna se veía a los insurrectos que se dirigían al depósito de carbón para incendiarlo tal vez. Los disparos fueron de metralla, y una gran gritería respondió a ellos; hoy hemos sabido que en un reconocimiento practicado se han encontrado siete cadáveres y un largo rastro de sangre.»

«LABORANTE»

La palabra *laborar, laborante,* «trabajar», «trabajador», toma distinta y más precisa significación. Se convierte en un «cubanismo» puramente insurrecto que quiere decir *trabajar por la revolución.* Es insulto en boca de los conservadores, partidarios de la Colonia, y es zozobra, entusiasmo o dolor según el momento a quien se le aplica.

El *laborante* hacía llegar noticias, periódicos, anónimos, cuanto servía para mantener palpitante la guerra que se sostenía en el campo. Se arriesgaba la vida, se era hipócrita, pero había que servir a «Cuba Libre»: una ventana entreabierta adrede o casualmente, el correo mismo por debajo de la puerta cerrada, eran los buzones por donde a pesar del terror llegaban toda clase de noticias.

El capitán D. Bartolomé Jaime comunica que había derrotado, por Ramón de las Yaguas, a los cabecillas Isidro Palacios, José Caridad Verdecia y F. Velázquez y Benavides.

La columna volante de D. Liberato Dalmau participa que

ha arrojado a los insurrectos por Ti-Arriba, habiendo sido muertos D. Manuel Abreú, coronel de las Reservas Dominicanas; D. Francisco Delgado, titulado capitán de Caballería; D. Francisco Abreú, teniente coronel. Todos naturales de Santo Domingo.

D. Manuel Arnaz, coronel de voluntarios, recorre con una columna el Caney y Marianaje sin novedad.

DOCUMENTOS INTERESANTES

Publicamos a continuación la correspondencia que medió entre los generales Céspedes y Dulce cuando los comisionados que envió este último al territorio de los insurrectos fueron a proponerle una transacción pacífica, y también la carta del Comité de Puerto Príncipe dirigida a los mismos comisionados al saberse la noticia del asesinato incalificable del ciudadano general Augusto Arango. Por estos documentos verán nuestros lectores que tanto el General en Jefe del Ejército Libertador como el Comité de Puerto Príncipe procedieron con la dignidad que era de esperar, y que en esto, como en todos sus actos, han estado a la altura de las circunstancias, cual corresponde a los defensores de una causa noble y justa.

SEÑOR CARLOS MANUEL DE CESPEDES

Habana, 14 de enero de 1869.

Muy señor mío: Deseoso yo de que cese una guerra que destruye todos los elementos de riqueza en esta privilegiada Antilla, he autorizado a D. Francisco Tamayo Fleites, que lleva mis instrucciones y mi confianza, para que celebre una conferencia con usted. Pena da la sangre que se derrama en esta lucha fratricida. «Ojalá se encuentre una solución honrosa para todos que devuelva a esta provincia española el sosiego que tanto necesita.»

Saluda a usted con la mayor consideración, su afectísimo

Q. S. M. B.,
Domingo Dulce

CAPITANIA GENERAL DEL EJERCITO LIBERTADOR DE CUBA

Excelentísimo señor don Domingo Dulce.

Cuartel General en el Ojo de Agua de los Melones, 28 de enero de 1869.

Excelentísimo señor: En mi poder la carta que V. E. ha tenido a bien remitirme por conducto del licenciado señor don Francisco Javier Tamayo Fleites, que en unión del otro licenciado D. Joaquín Oro y D. José Ramírez han llegado aquí encargados por V. E. para celebrar una conferencia privada conmigo.

Deploro tanto como V. E. que la guerra que los libertadores de Cuba estamos sosteniendo dé lugar a que se destruyan todos los elementos de riqueza de que dispone esta privilegiada Antilla, pero no es culpa mía, Excelentísimo Señor, que en los tiempos presentes se nos haya declarado una guerra de exterminio por el solo hecho de que hayamos enarbolado en nuestra patria la bandera de la libertad. Todos los medios los he apurado ya para no usar de represalias, pero los jefes españoles que han operado y están operando en este Departamento y en el Central, haciendo uso de un vano e incalificable orgullo no sólo no han atendido mis comunicaciones en absoluto, sino que han persistido en incendiarlo todo a su paso, destruyendo fincas, matando animales domésticos para dejarlos en el camino y apoderándose hasta de nuestras mujeres y de nuestros hijos. A esto hemos respondido poniendo fuego a nuestros hogares por nuestras propias manos para hacerles comprender a los que en nada tienen las prácticas más reconocidas de la guerra entre hombres civilizados que no hay sacrificio alguno que nos amedrente para llevar a debido término la campaña que hemos emprendido. Repito, pues, que no tengo yo la culpa, ni el ejército que mando, de que la Revolución Cubana concluya con los elementos de riqueza de este país. He conferenciado con los señores arriba citados, me he hecho cargo de las instrucciones que V. E. les dio, pero en los momentos de estarlos oyendo se me comunica desde Guáimaro haber sido asesinado por unos voluntarios movilizados, en el Casino Campestre de Camagüey, el distinguido y valiente ciudadano general Augusto Arango, que fue allí con un parlamento. Este hecho escandaloso produjo como es natural grande excitación entre nosotros y ha dado lugar a que ningún patriota se preste a entrar en tratos con el gobierno que V. E. representa. Sin embargo reuniré a los principales jefes, así militares como civiles de esta República a fin de dar a V. E. una respuesta decisiva después de oir la opinión de todos sobre el particular. Soy de V. E. con la más distinguida consideración, su afectísimo,

Carlos Manuel de Céspedes

Acabamos de dirigir a los emisarios del general Dulce una comunicación que dice así:

«El ciudadano Augusto Arango, confiando demasiado en una soñada libertad de los gobernantes españoles en Cuba, trató de entrar en Puerto Príncipe con el ánimo de conferenciar con aquellos que le dirigían falaces promesas de libertad y de paz; se presentó desarmado y con un solo compañero, y ambos han sido cobardemente asesinados por los que solemnemente le ofrecieron respetar su persona. Ustedes comprenderán cuál es la medida de represalia que correspondía tomásemos... Señores, vuelvan ustedes inmediatamente a Nuevitas, que ni aún en justa represalia olvidan los cubanos su fe empeñada. No cabe transacción entre los cubanos y los tiempos, y nuestra guerra la llevaremos hasta el punto de extinguir su opropio y funesta dominación en Cuba.

Después de leer ésta, los emisarios del gobierno español saldrán sin demora, y sin que se lo estorbe pretexto alguno, del terreno en que ondea el pabellón de la Independencia.—Patria y Libertad.—Imías, enero 27 de 1869.

El Comité Revolucionario del Camagüey.»

COPIADO DEL «BOLETIN DE LA REVOLUCION»

D. Manuel Abreú, coronel; D. Bernardo Delgado, comandante; D. Francisco Delgado, capitán de Caballería, y D. Francisco Abreú, teniente coronel, todos dominicanos, y los dos últimos jóvenes de dieciséis a dieciocho años de edad, se acogieron en el Cuartón de Ti-Arriba (Santiago de Cuba) al decreto de amnistía del general Dulce y fueron pasados por las armas en violación de una promesa que en cualquiera otra parte del mundo tendría algún valor, pero que en Cuba no es más que engaño para seducir a los incautos.

La Revolución

PARTE OFICIAL.—NOMBRAMIENTOS
ESTADO DE ORIENTE

Mayores generales.—Ciudadanos Francisco V. Aguilera, Donato del Mármol, Máximo Gómez, Modesto Díaz, Luis Marcano.

Generales de brigada.—Ciudadanos Luis Figueredo, José María Arrecoechea, Calixto García, Francisco Javier Céspedes.

Coroneles.—Ciudadanos Eduardo Suástegui, Carlos Manuel de Céspedes, Jesús Pérez, Marino Loño, Angel Barzaga, Isidro Benítez, Juan Hall, Manuel Calvar, Loreto Vasallo, Manuel Codina, Rafael Rufino, Luis Bello, Francisco Fortún, Juan Luis Pacheco.

ESTADO DE CAMAGÜEY

Mayores generales.—Ciudadanos Vicente García, Thomas Jordán, Manuel Quesada, Ignacio Agramonte, Manuel Boza.

Generales de brigada.—Ciudadanos Cornelio Porro, Bernabé Varona, Francisco Rubalcaba.

Coroneles.—Ciudadanos Francisco Vega, Pedro Recio, Magín Díaz, Julio Sanguily, Alejandro Mola, Cristóbal Mendoza.

ESTADO DE LAS VILLAS

Mayores generales. — Ciudadanos Federico Cavada, Salomé Hernández, Adolfo Cavada, Carlos Roloff, Juan Villegas, Mateo Casanovas.

Generales de brigada.—Ciudadanos Guillermo Lorda, Francisco Villamil, Luis de la Maza Arredondo, Antonio de Armas, José Inclán, Manuel Peña.

Coroneles.—Ciudadanos Jesús del Sol, José González, Juan Spotorno, Manuel García, Manuel Torre, Andrés Ustoa, Mariano Larralde.

Jefe Superior de Sanidad.—Dr. Serapio Ortega y Quesada.

Jefe de Sanidad de Oriente.—Dr. Antonio L. Luaces.

Jefe de Sanidad de Camagüey.—Dr. José Ramón Boza.

Jefe de Sanidad de las Villas.—Dr. José Figueroa.

Jefe de Farmacia de Oriente.—Pedro Maceo y Chamorro.

Jefe de Farmacia de Camagüey.—Manuel Valdés.

Coronel de Ingenieros de Oriente.—Eduardo Suástegui.

Coronel de Ingenieros de las Villas.—Mariano Larralde.

Inspector general del E. L. Mayor General.—Mateo Casanovas.

Preboste General del E. L.—Carlos Manuel de Céspedes.

CÉSPEDES Y AGUILERA

Carlos Manuel de Céspedes y Francisco V. Aguilera, estando en la villa del Cobre, decretan y sancionan la emancipación total de la esclavitud que fue proclamada.

ALOCUCIÓN

Reunido el Ayuntamiento en pleno, acuerdan todos los regidores unidos el que se inserte íntegra la alocución del general Dulce «para que en los tiempos venideros haya constancia de tan importante documento...». En la alocución se leen frases como ésta: «Cubanos, la revolución ha barrido una dinastía y arrancado de raíz la planta venenosa que emponzoñaba hasta el aire que respirábamos, y ha devuelto al hombre su dignidad de ciudadano, sus derechos...» «Lástima es que nuestra razón de ser y el respeto a los intereses creados no permitan el examen de ciertos sistemas y doctrinas en que tanto se interesan el progreso y la humanidad; hay palabras que manchan el papel en que se escriben y escaldan la lenguia que las pronuncia...» «Olvido de lo pasado y esperanza en lo porvenir».

PUENTE DE GORGOJO

Es quemado por los insurrectos el puente de Gorgojo, ferrocarril del Cobre.

CÓLERA MORBUS

Se declara oficialmente la existencia del cólera morbus en esta ciudad.

FUERTE YARAYÓ

Se construye un fuerte sobre el arroyo Yarayó, en la entrada del camino de la Isla.

LIBERTAD DE IMPRENTA

Decreto de cuarenta días de amnistía general y total libertad de imprenta ordenadas por el capitán general D. Domingo Dulce. Por este decreto se publican los semanarios *El Bejuco, El Ají,*

El Látigo, La Lechuza, El Guao, El Médico a Palos y *La Gresca,*
en catalán este último.

Vigilancia

«Para que el vecindario no carezca de inspección y vigilancia por las circunstancias de alarma e intranquilidad en que se encuentra el vecindario, por si faltare el personal necesario para hacer el servicio del cuerpo de policía y serenos se establecerán rondas y patrullas de honrados vecinos.»

Comisiones

Se constituyen las siguientes comisiones para tomar cuantas medidas sean necesarias para: «... socorro a los desvalidos, planteamiento de hospitales para el desgraciado caso de una invasión del cólera morbus, de cuya epidemia ha habido ya algunos casos en la jurisdicción.

Primer barrio.—Concejal D. Ignacio Pujol; vecinos D. Guillermo Schumann, D. Eligio Ros; médico, D. Enrique Lafont.

Segundo barrio.—Concejal D. Francisco Alvarez Villalón; vecinos, D. Jaime Esteva, D. Ernesto Broos; médico, D. Víctor de Rochas.

Tercer barrio.—Concejal D. Andrés Vaillant; vecinos D. Nicolás Salazar, D. Magín Massó; médico, D. Pedro Celsis.

Cuarto barrio.—Concejal D. Francisco Mancebo; vecinos don José Antonio Peralta, D. Manuel Beola; médico, D. Fernando Rosillo.

Quinto barrio.—Concejal D. Manuel de la Torre; vecinos don José Planas, D. José María Rodríguez; médico D. Magín Sagarra.

Sexto barrio.—Concejal D. Manuel Arnaz; vecinos D. Juan Mestre, D. José María Aguilera; médico D. Rafael Espín.

Séptimo barrio.—Concejal D. Manuel de Jesús Portuondo; vecinos D. Miguel Beringola, D. José Jacas; médico D. Luis Federico Perrand.

Octavo barrio.—Concejal D. Eusebio Faustino Capaz; vecinos D. Emiliano Odio, D. Luis Guerra; médico D. Jorge Giro.

Noveno barrio.—Concejal D. Alfredo Kindelán; vecinos, don Ambrosio Grillo, D. N. Rosich; médico D. José Joaquín Navarro.

Temblor

A las seis menos cuarto del día primero se siente un fuerte temblor de tierra. El movimiento fue oscilatorio y produjo bastante alarma.

Faustino Capaz

Sale para La Habana el concejal D. Eusebio Faustino Capaz con la misión de felicitar, en nombre de la Corporación Municipal, al gobernador capitán general D. Domingo Dulce y Garay, marqués de Castell-Florite.

Raciones

Se hace público que durante el mes de diciembre la Comisión de la Parroquia de la Santísima Trinidad ha repartido 10,837 raciones de sopa y carne.

Revista

El comandante general D. Simón de la Torre pasa revista a las fuerzas de voluntarios.

El Caney

Los cubanos en armas abandonan el pueblo del Caney, hacia donde se dirige una columna compuesta de soldados de línea y voluntarios.

Partidas volantes

Se organizan partidas volantes pagadas por los hacendados que ocuparán los barrios de la jurisdicción y estarán en combinación con las tropas destacadas en los puntos principales.

Tropas

En el vapor *Pájaro del Océano* llega tropa de Ingenieros y Artillería.

BLÁZQUEZ

El coronel D. José López y Cámara ataca las trincheras del Puerto de Bayamo, las que son abandonadas por los insurrectos con poca resistencia, y desaparece la bandera cubana que hasta este momento venía ostentándose a la vista de Santiago de Cuba. En la toma del puerto muere de un balazo en la frente el comandante de Caballería destacado en esta plaza D. Pedro Blázquez, cuyo entierro se efectúa con los honores militares y gran solemnidad y concurrencia por ser hermano masón y tener innumerables amigos en esta ciudad.

PRISIONEROS

Custodiados por los voluntarios del pueblo del Cobre entran en la ciudad 25 prisioneros hechos por la columna del coronel López y Cámara. Entre ellos viene un sacerdote. El pueblo se aglomera en las calles para verlos pasar.

SALVO CONDUCTO

Creación de documentos llamados «salvo conductos» para poder extraer de la población víveres, ropas y otros efectos.

CÍRCULO ESPAÑOL

Se instala la sociedad de beneficencia y recreo «Círculo Español», tomando por morada el Seminario de San Basilio. La primera junta directiva de socios fundadores la formaron D. Juan Tarrida, D. Diego López de Quintana, D. Jaime Ribas, D. Cástulo Ferer y Torralbas, presbítero D. Pantaleón Escudero, D. Gabriel Junco, D. Ignacio Pujol, D. Juan Mestre, D. Saturnino Fernández, D. José Galofré, D. Demetrio Quirós, D. Manuel Masforroll, D. Joaquín Riera y Riera, D. José Cros, D. Manuel Pascual, D. Dionisio Villar, D. Manuel Arnaz, D. Ramón Carulla, D. Pedro Catasús, D. Pablo Vallhonrat y D. José Bosch. A los pocos días varios de los fundadores se separaron, quedando transformada la sociedad en un club político después de triste recordación para Santiago de Cuba. Trasladóse dicha sociedad a la casa de la calle de Santo Tomás, frente a la Plaza de Armas.

«Guías de la Torre»

Creción de una compañía de soldados voluntarios denominada «Guías de la Torre».

Cólera Morbus

Repetidos casos de la epidemia del cólera morbus en la ciudad causan pánico, y se trata del inmediato establecimiento de un hospital en la casa calle de Cristina, perteneciente al señor conde de Duany, cedida gratuitamente por el apoderado, D. Rafael, hermano del conde, ofreciéndose al mismo tiempo como director gratuito de dicho hospital y prestando sus servicios en él sin retribución de ninguna clase.

Medidas urgentes

Ante el desarrollo del cólera morbus, el Ayuntamiento se declara en sesión permanente y toma las siguientes determinaciones:

Primera.—Adquirir un tramo de terreno igual al del actual cementerio para enterramiento de coléricos. El dueño, D. Manuel María Bravo, «cede el terreno, el cual le será pagado cuando haya fondos».

Segunda.—Que se desmonte y cerque dicho terreno. Y los señores viuda de García, D. Emilio Cutié, D. Sebastián Giro, don Tranquilino Castillo y D. Urbano Soler «facilitan los janes y tablas que se necesiten, lo cual será pagado con los fondos que se puedan reunir».

Tercera.—Necesitándose adquirir sábanas, frazadas, fundas de catre y otros artículos para el hospital «para asistencia de los pobres desvalidos, llamados los almacenistas de ropas señores Vidal y Martínez, Ferret Vidal, Villar y Sánchez, Servet y Hermano, Cabanach y Arias, Raventós y Compañía, Catasús y Ferrer, Galofré y Compañía y Vía y Compañía, manifestaron que están dispuestos a facilitar lo que se necesitare, a reserva de que se les pague cuando haya fondos, con excepción de los señores Galofré y Compañía, Vía y Compañía y Catasús y Ferrer, quienes manifestaron que «por su parte cedían gratuitamente a favor de los pobres los efectos que les correspondía suministrar».

Cuarta.—Seguidamente se convoca a los señores Catasús Hermanos, dueños de una ferretería; D. Juan Tarrida, almacenista de víveres; D. Manuel Marqués, dueño de una ferretería, y a don Ramón Correa, dueño de una hojalatería, «quienes están dispuestos a facilitar cuanto precise para el hospital de coléricos con las condiciones de pago que están indicadas».

Quinta.—Aunque D. Joaquín Corominas, farmacéutico, ofrecía facilitar los medicamentos que se pudieran necesitar para el hospital, se citaron a los demás, compareciendo D. Julio Trenard, D. Jaime y D. Tomás Padró, D. Francisco Duffour y D. Luis Carlos Bottino, y se acordó que Bottino, Trenard y Corominas turnaran en el despacho de medicinas para el hospital, y que todos sin excepción despacharan las recetas a las personas indigentes, bastando la firma del facultativo médico y el nombre, calle y número del domicilio del paciente.

Sexta.—D. Bernardo Lageire y D. Pedro Serres, dueños de establos, se comprometen a conducir los enfermos al hospital por dos escudos por persona a cualquier hora del día como de la noche, a pagar cuando haya fondos, comprometiéndose a tener constantemente cuatro carruajes a disposición de los enfermos: uno en la plaza de la Catedral, otro en la de Santo Tomás, otro en la de Dolores y el otro en la de la Trinidad.

Séptima.—Los trenes funerarios de D. Angel Miqueli, D. Manuel Castillo y Pedro Celestino Solís se comprometen a la conducción de cadáveres en las condiciones de pago cuando se pueda con tal de que la papeleta de defunción diga «pobre».

Octava.—Que se compre cal viva en abundancia para el blanqueo de las casas de los pobres que fallezcan.

SIMÓN DE LA TORRE

El alcaide de la cárcel D. Gabino Izquierdo y Romaní, por excitación del jefe de Estado Mayor D. Constantino del Villar, acompañado del capitán de voluntarios Morlote, extraía o permitía fuesen extraídos de la cárcel pública, sobre las once de la noche, presos políticos, quienes, llevados a las afueras de la ciudad, eran ejecutados macheteándolos. En la noche del día 24 bajaban por la calle del Hospital los susodichos con unos presos cuando se encontraron con uno o dos oficiales de la Marina Nacional de la dotación de la fragata de guerra *Carmen,* anclada en la bahía.

Llamóles la atención aquel grupo tan a deshoras y se les preguntó que «a dónde iban». A las contestaciones vacilantes y no precisas respuestas que les pareció sospechosas a los oficiales de Marina, ordenaron al que hacía de jefe que volviese con los pre-

sos para la cárcel inmediatamente en tanto iban a Palacio a darle
cuenta al gobernador de lo que ocurría puesto que no presentaban
documentación alguna que les autorizara la conducción de aquellos presos, El gobernador D. Simón de la Torre, arrebatado de
cólera a la noticia, pasó *incontinenti* a la cárcel, increpó duramente al alcaide (se cuenta que le dio de patadas) lo echó a la calle,
puso fuerzas de Artillería de Plaza para custodiar la cárcel en vez
de voluntarios y nombró alcaide de la cárcel al coronel teniente
coronel retirado D. Liberato Dalmau y Serrano.

Pocos días despés murió del cólera el capitán de voluntarios
Morlote, y más tarde el jefe de Estado Mayor Villar de tisis, enfermedad de la cual hacía tiempo venía sufriendo. A la muerte
de Villar aparecieron pasquines en algunas casas en los cuales se
le hacía decir a Morlote que Villar había llegado a los infiernos,
en donde se hallaba él tiempo hacía, y que aguardaba a otros cuyos nombres indicaba en su misiva.

MANCEBO

Desfile de las fuerzas de voluntarios por frente de Palacio en
columna de honor. El primero y segundo batallón y la compañía
de «Guías de la Torre». Presenciaban el desfile desde el balcón
principal el gobernador D. Simón de la Torre acompañado del
regidor síndico del Ayuntamiento D. Francisco Mancebo, iguales
en edad y quienes habían congeniado y estaban ligados por franca amistad.

Al pasar las compañías en orden de parada, a la voz de mando del capitán «¡Vista a la izquierda!» contestaban los voluntarios «¡Viva España!» A una de las aclamaciones, contestadas
siempre por D. Simón de la Torre, volvióse éste rápido y le dijo
a Mancebo: «Doctorcito, diga ¡viva España, ...ajo!», a lo que
contestó *incontinenti* Mancebo en el mismo tono y por el mismo
estilo: ¡...ajo, no me creen!, a lo que agregó el gobernador rién-
dose: «¡... ajo!, tienen razón. No diga usted nada». Y los dos
amigos continuaron viendo desfilar a los voluntarios y sin que
esa amistad variase mientras estuvo de gobernador en ésta el mariscal de campo D. Simón de la Torre.

REUNIÓN

El comandante general reúne en la Casa de Gobierno a los jefes y oficiales de los dos batallones de voluntarios con objeto de

recomendarles la necesidad de conservar por sus subordinados el orden como guardianes de la tranquilidad pública, en quienes para ese objeto deposita su confianza el Gobierno de la Nación, y mantener y hacer mantener el respeto a las leyes y a los mandatos de las autoridades.

Inmigración

A bordo del vapor francés procedente de Kingston, Jamaica, regresan muchos particulares y varias familias que habían emigrado a aquella isla.

Calvo y Lope

El 22 de enero, el vapor *Pájaro del Océano* trae el cadáver de D. Primo Calvo y Lope, arzobispo de esta Archidiócesis. Sus restos son depositados en la iglesia parroquial de Santo Tomás, quedando tres días expuestos a la curiosidad de los fieles, verificándose luego su conducción a la Catedral, donde fueron inhumados el día 25.

Armas y Céspedes

Regresa a esta ciudad el señor D. José de Armas y Céspedes después de haber tenido una entrevista con algunos jefes de las fuerzas insurrectas que se hallan alrededor del pueblo del Cobre.

Acueducto

Regresan las brigadas de Bomberos que estaban ocupándose en la composición del Acueducto, habiendo logrado dar feliz término a la difícil labor que se les encomendó. Salen a recibirlos las bandas de música del Cuerpo de Bomberos y del segundo Batallón de Voluntarios.

«Semíramis»

Visita este puerto el vapor de guerra francés *Semíramis,* de 32 cañones y 419 individuos de tripulación.

Tropas

En el vapor *Pelayo* llegan procedentes de La Habana un capitán de Caballería, un teniente, 31 lanceros, 239 soldados de Infantería y 26 artilleros.

López y Cámara

A las órdenes del coronel de Ingenieros D. José López y Cámara sale una columna de 600 hombres y dos piezas de Artillería
de Montaña. Se rumorea que va en busca de las fuerzas insurrectas que manda el general cubano Donato del Mármol.

Libertad de imprenta

Concluidos los sesenta días de la Amnistía General, publicada
por el capitán general D. Domingo Dulce, cesa la publicación de
los periódicos nacidos a su sombra, continuando en su publicación solamente los diarios *El Redactor* y el *Diario de Santiago
de Cuba.* Los periódicos que cesaron fueron los semanarios *El
Bejuco,* director Emilio Bacardí; *El diablo suelto,* de Fidel Pierra;
El Ají, de Francisco Robles; *La Pica-Pica,* de Francisco Javier
Vidal; *La Campanilla,* de Francisco Blanche; *La Gresca,* de Francisco Tintoré; *El Médico a palos,* de Gil Blanco; *La Lechuza, El
Látigo* y *El Guao,* de Juan Agustín Mariño; *La Unión* y *La Luz,*
de Lorenzo Bou; *La Revista de la Isla de Cuba,* de los presbíteros Emilio de los Santos Fuentes y Betancourt y Ricardo Arteaga
y Montejo.

«La Unión»

Empieza a publicarse en esta ciudad un periódico titulado *La
Unión* y cuyo objeto es conseguir lo que su nombre indica. Propone la formación de un Directorio o Junta de Salvación que
«inspirando la confianza en todas las secciones de nuestra sociedad
tienda a crear los recursos necesarios para la acción ilustrada de
nuestra dignísima primera autoridad, manteniéndose a la vez en
la más estrecha y franca relación con la política que se fije en la
capital». Para formar dicha junta señala *La Unión* las siguientes
personas: cubanos, señores licenciado Francisco Sorzano, Juan Kindelán, Juan José Colás, Gonzalo Villar, Eligio Ros y Calixto
Duany; peninsulares Diego Quintana, Cástulo Ferrer, José Fabré, José Vidal, José March y Gabriel Junco.

La guerra en Oriente

El coronel de Ingenieros D. José López y Cámara sale para
Guantánamo con una columna de distintas armas para operar
sobre el ingenio *Sabanilla.*

Una columna compuesta de 60 soldados y 100 voluntarios marcha sobre el demolido ingenio *Sevilla,* haciendo 13 prisioneros, entre ellos a D. Emilio Rivery, apoderándose de los víveres y de unos armamentos viejos.

TEMBLOR

Se experimenta un regular temblor de tierra a eso de las seis de la tarde.

COMISIONADOS

Llegan a Nuevitas, pasando luego al campo de la Revolución y a la ciudad de Bayamo, los comisionados por el general Dulce D. José de Armas y Céspedes, D. Hortensio Tamayo Fleites y D. Ramón Rodríguez Correa.

LA GUERRA EN ORIENTE

Llega de Guantánamo, adelantándose a la expedición del coronel López y Cámara, la partida de voluntarios guerrilleros de Guantánamo al mando de su jefe D. Miguel Pérez y Céspedes.

Una columna de Voluntarios, a las órdenes del capitán de los mismos D. Félix Rodríguez de Mena y del capitán de Infantería del Regimiento de la Corona D. Francisco de Lima y López, efectúa sin novedad un reconocimiento por el camino de San Antonio.

TORIBIO LINARES

El voluntario del Caney, el anciano D. Toribio Linares, fallece de las heridas recibidas en el ataque al demolido ingenio *Sevilla.*

LA GUERRA EN ORIENTE

Al mando del coronel de Artillería Macanaz sale una columna de diferentes armas rumbo al Cobre, Caney del Sitio y Palma Soriano, habiendo tenido en la excursión tres muertos y 13 heridos.

Los ingenios incendiados hasta la fecha son: *Demajagua* y *Gertrudis,* cuyos incendios fueron ordenados por sus respectivos dueños Carlos Manuel de Céspedes y Francisco Vicente Aguilera.

Los incendiados por los insurrectos fueron: *Santa Ana, Giro, Hurtado, Pérez, Chivas, Vega Grande, Hatillo, Yarayabo, San Juan, Cupey, Santa Cruz, Santa Isabel, San Felipe, Río Grande, Caridad, Resurrección* y *Sitio*.

Una columna de fuerzas españolas mandada por el coronel Loño, después de varios días de operaciones llega a Manzanillo trayendo a D. Julián de Udaeta, gobernador que capituló en Bayamo ante las fuerzas cubanas. Llegaron también el comandante Mediavilla, jefe que fue de la guarnición de Bayamo, y la esposa e hijos del coronel Villares, cuya señora había salvado de que cayera en manos de los cubanos la bandera del Batallón Cazadores de Bailén número 1.

De Manzanillo sale a operaciones el Regimiento de la Corona, batiéndose con fuerzas insurrectas atrincheradas en Macaca, tomándoles una bandera y haciéndoles cuatro muertos. Las tropas, entre muertos y heridos, tuvieron 18 bajas.

SEPULTUREROS

Es tanto el aumento de las defunciones por la epidemia de cólera que hay que aumentar el número de los sepultureros en el cementerio para la regularidad de los enterramientos.

ARNAZ

Se hace cargo de la Alcaldía Municipal interinamente don Manuel Arnaz por enfermedad del jefe militar a quien se había confiado, D. José López y Cámara.

ACÉMILAS

Haciendo falta acémilas para los convoyes de las fuerzas del ejército en campaña, se nombra a los señores regidores D. Manuel de la Torre, D. Alfredo Kindelán y D. Francisco Alvarez Villalón para que se ocupen del asunto, y los concejales unen a dicha comisión a los hacendados D. Juan José Colás, D. Antonio Norma y D. Vicente Salazar.

POLICÍA

Va quedando sin guardias el cuerpo de policía por las continuas renuncias de los guardias, a quienes no se paga sus haberes hace meses.

Capaz

El concejal D. Eusebio Faustino Capaz da cuenta de su vuelta de La Habana después de felicitar al capitán general, excelentísimo Sr. D. Domingo Dulce, gobernador general de la Isla de Cuba por el Gobierno Provisional de la Nación. Entre las manifestaciones que le hizo el general Dulce dijo esta frase: «Que traía el decidido empeño de difundir la libertad, la paz y la ventura a que es acreedora esta provincia española.»

Comerciantes

Se inscriben en la matrícula de comerciantes D. Baldomero Mario y D. Miguel Giró e Ibarra.

La guerra en Oriente

El capitán del Regimiento de Cuba D. Rafael Suero, comandante de armas del pueblo de San Luis, asalta un campamento en aquella jurisdicción.

Sale un convoy de víveres para Jiguaní para las fuerzas del general Valmaseda en Bayamo. Va custodiado por fuerzas de Voluntarios hasta alcanzar las de Infantería al mando del coronel Velasco.

Llega de Bayamo la columna del coronel Velasco.

El voluntario Pedro Rojas, natural del Caney, herido en el ataque de *Sevilla,* fallece de resultas de las heridas recibidas.

(11) La ciudad de Bayamo es incendiada por las fuerzas revolucionarias y abandonada, efectuando su entrada en ella el general Valmaseda.

LA TOMA DE BAYAMO

PINTURA IMPARCIAL Y EXACTA ESCRITA POR FERNANDO FIGUEREDO SOCARRAS

I

ENERO 1869

(Enero).—El grito de independencia lanzado por Carlos Manuel de Céspedes (1) en el batey de su ingenio *La Demajagua*

el 10 de octubre de 1868 halló eco simpático en el pecho de
todo buen cubano y conmovió todo el Departamento Oriental,
que resueltamente se prestó a secundarlo.

Bayamo, Holguín, Manzanillo, Jiguaní y Tunas, de acuerdo
con el Camagüey, iniciados con anterioridad en la conspiración,
debían levantar el estandarte de la libertad en época fijada tan
pronto como, obligado por las circunstancias, cualquiera de estos
pueblos se adelantara a romper el yugo opresor.

Al primer rumor del pronunciamiento, el Comité revolucionario de Bayamo empezó a funcionar con la actividad y cautela
dignas del momento. Sucedíanse sin interrupción las sesiones secretas, y después de fluctuar entre el anhelo de secundar el movimiento libertador, el deseo emitido por algunos de que los sublevados se embarcasen al extranjero y retornaran en expedición
bien pertrechada de armas para que el triunfo fuera pronto y
seguro, optóse por la lucha inmediata, distinguiéndose entre los
conjurados Pedro Figueredo (2), que exclamó con la entonación
del heroismo:

—Marcharé con Céspedes a la gloria o al cadalso.

Seguidamente Donato Mármol (3) se puso al frente de su sección de campesinos de Jiguaní denominada «La Rusia» por ser
de la burda tela de este nombre el traje de que vestían; casi todos llevaban rifles de rotación. Eran los soldados de la patria
mejor armados.

La división de Bayamo llamada «La Bayamesa», al mando de
Pedro Figueredo, se había organizado en el ingenio *Mangos,* de
la propiedad de los caudillos Julio y Belisario Peralta (4) y los
hermanos Alvarez (5), abogado uno y médico el otro, debían ca-
pitanear en Holguín a los soldados de esta jurisdicción.

Luis Figueredo (6) tenía a sus órdenes, en el campo, a 300
hombres avezados a las rudas faenas agrícolas.

Vicente García (7), Rubalcaba (8) y Ramón Ormuño (9) man-
daban la división de las Tunas.

El millonario Francisco Vicente Aguilera (10) dirigía las fuerzas de Cabaniguán, al Sur de las Tunas, y Francisco Maceo (11)
las de Guisa.

Todas las piezas de aquel ajedrez estaban debidamente colo-
cadas apenas resonó el clamor de la indignación de la Patria en
el ingenio de fabricar azúcar *La Demajagua.*

El gobernador de Bayamo, coronel Julián Udaeta, ayudante
en Africa de Prim, ordenó al comandante Villares que con 100
infantes y 25 jinetes marchase a reforzar a Manzanillo, donde

desde dos días antes de la rebelión armada cundía la mayor alarma. Villares sale de la ciudad bayamesa al amanecer del 13 y entra por la noche, bajo un aguacero torrencial, en el poblado de Yara, a diecisiete kilómetros de Manzanillo.

Al mismo tiempo hacía su entrada Carlos Manuel de Céspedes. Las dos fuerzas enemigas se encuentran. Sorprendidos los cubanos por las descargas de los españoles, se dispersan, y el héroe de *La Demajagua,* como Napoleón en Waterloo, se encuentra en tan memorable noche rodeado de un grupo de oficiales con quienes atravesó a la luz de los relámpagos la inmensa sabana de Yara hacia la Sierra Maestra, pernoctándose en Cabazán, hacienda de crianza a pocas leguas de Yara.

Desde el amanecer del día siguiente empezaron a reunirse los grupos dispersos, apareciendo por último en la citada finca el general dominicano Luis Marcano con multitud de patriotas.

Por la tarde celebróse consejo de oficiales. La mayoría se inclinaba al asalto de Manzanillo, pero prevaleció el dictamen de Luis Marcano, con multitud de patriotas, porque como él observaba, Manzanillo, reforzado por Villares, que nos ha dispersado, puede rechazarnos, mientras los patriotas de Bayamo, preparados para recibirnos, nos esperan impacientes.

—¡A Bayamo! ¡A Bayamo! —exclaman todos vibrantemente al acento de la patria enardecida. En otro consejo de oficiales celebrado por la tarde decidióse marchar al otro día sobre Bayamo.

Al alborear el 12 movióse Céspedes con su ejército hacia dicha ciudad pernoctando en Yara, pueblo que desde entonces ha adquirido renombre histórico por ser la cuna de la insurrección que durante once años paseó la bandera de la independencia cubana por la mayor parte de los campos.

Allí el caudillo situó el cuartel general y se puso en comunicación actica con Jiguaní, Bayamo y demás distritos revolucionarios.

Tres días después, el 15 de octubre, Donato Mármol invadió la villa de Jiguaní con 200 hombres dando vítores a Cuba Libre y haciendo prisionero al gobernador de dicha villa, D. Federico Mogurusa, capitán del Ejército y sobrino del general Lersundi, que reaccionariamente gobernaba la Isla.

El 16 siguió Céspedes su marcha, presentándose el sábado 17, a las tres de la tarde, en el ingenio *Santa Isabel,* de Francisco Vicente Aguilera, situado en la ribera opuesta del río Bayamo. Los soldados de la patria fueron vitoreados por el pueblo bayamés, que llenaba las azoteas, tejados y también las avenidas que conducían a la ciudad.

Algunos jóvenes, ya solos ya formando pequeños grupos, se destacaban de la masa del pueblo cruzando el río, y al unirse al ejército libertador saludaban con el sombrero a la muchedumbre, que desde la ciudad aplaudía con los arranques de frenesí la patriótica acción.

Las estruendosas aclamaciones a la Libertad lanzadas entre transportes de indescriptible entusiasmo por el ejército cubano acampado en la proximidad del río llegaban a la ciudad, que correspondía con los mismos vivas arrebatadores.

El gobernador D. Julián Udaeta, esperando refuerzos, se encerró con 500 soldados y 100 caballos en el cuartel de Infantería, edificio capaz y de relativa fuerte construcción.

La cárcel pública, que quedó guarnecida por los milicianos de color mandados por el general de brigada de las Reservas Modesto Días (12) y el coronel del mismo instituto D. Francisco Heredia, procedente de Santo Domingo y entonces al servicio de España. Un simulacro de trincheras rodeaba la plaza de Armas, donde se hallaba la cárcel.

Tales fueron las defensas de los sublevados.

A las cinco de la tarde un heraldo de Céspedes cruzó el río, sube rápido la cuesta y entra resueltamente en la ciudad, El pueblo reconoce al bayamés Tamayo, que sin frenar el caballo, al galope tendido, atraviesa los grupos y se interna en las calles hasta llegar al cuartel, donde habla con el gobernador Udaeta.

Avisaba Céspedes su presencia; anunciaba la invasión de la ciudad a las siete de la siguiente mañana, y dadas las ventajas que favorecían a los sitiadores pedía la rendición para evitar inútil derramamiento de sangre.

Tamayo, después de dar al gobernador de Bayamo el mensaje de Céspedes, reaparece rápido, mudo, en las calles, atraviesa los grupos sin detenerse, vadea el río y comunica al caudillo la respuesta de Udaeta.

Las cornetas españolas y las campanas de las iglesias tocan a rebato. En las plazas y esquinas se pregona militarmente el bando que prohibe, bajo severas penas, prestación de auxilio a los insurrectos.

La Regeneración, diario de la mañana, publica aquel día el mismo bando y las disposiciones gubernativas dictadas por las circunstancias. La víspera de la invasión apareció *El Cubano Li-*

bre, órgano de la Revolución que llamaba al pueblo a las armas
y lo excitaba a la lucha por la Libertad.

III

Amaneció el 18 de octubre, día sereno, magnífico, adornado
con un sol brillante y un cielo salpicado de nubecillas que por
su blancura y reflejos parecían de nácar, formando lo que vulgarmente se llama cielo empedrado.

El sol ascendía con majestuiosidad cuando el ejército invasor
desciende, serpenteando y en perfecto orden, la cuesta que baja
al río. Cruza la corriente cristalina y hace alto en los bordes de
la ciudad.

El pueblo, radiante de frenesí, sale a su encuentro, lo vitorea
ensordeciendo el espacio, se le reúne y forma parte de aquel todo
grandioso lleno de heroismo.

El ejército cubano estaba dividido en tres columnas. En la
cuesta de Mendoza, el centro, donde se hallaba Céspedes, cuya
avanzada capitaneaban Juan Ruz y Angel Maestre (13). La derecha, en la cuesta de la Luz, a las órdenes de Juan Hall, mandando los hermanos Emiliano y Miguel García (14) la vanguardia, y en la cuesta de Lizana la otra ala, teniendo al frente a Tita
Calvar (15). Total, 1.500 hombres pobremente armados y peor
disciplinados.

Los exploradores de los milicianos que guardaban la cárcel
se encuentran en la callejuela con Ruz, avanza el centro y se
rompen los primeros fuegos. Ruz (16) cae sobre una de las trincheras de la plaza de Armas en el momento en que el abogado
Esteban de Estrada (17), enfermo y agobiado por los años, aparece a caballo entre las columnas invasoras, avanza con la dies-
tra alzada majestuosamente, como si levantase el estandarte de
la independencia, hacia la barricada que los milicianos de color
defendían en la entrada de la plaza de Armas, y dirigiéndose a
éstos exclama con acento enérgico y vibrante:

— ¡Muchachos! ¡Uníos a los libertadores de la patria! ¡Viva
la Revolución! ¡Viva Cuba!

— ¡Viva Cuba Libre! —gritan los milicianos de color, des-
cargando sus armas al aire, saltando la trinchera y rodeando al
ilustre abogado.

A la vez aparece Pedro Figueredo con su división «La Bayamesa» por el Norte de la ciudad, e inmediatamente a la columna
se une Tita Calvar; dirígense al cuartel, cuya tropa hace fuego

a través de las aspilleras, fuego que se sostiene con viveza por ambas partes.

A poco asoman por un ventanillo un banderín rojo. Leonardo Estrada (18), oficial de Figueredo, pica su corcel, corre a lo largo de la pared del edificio como el rayo veloz y se lanza sobre la enseña color de sangre; suena una descarga y el adalid y la bandera quedan envueltos en nube de humo. La atención de los sitiadores queda clavada en el lugar de la escena.

Pasados algunos instantes aparece Leonardo Estrada, con la gallardía del héroe, trayendo como trofeo el banderín arrebatado al enemigo con riesgo de su vida. Trocóse en victoria para los sitiadores la estratagema empleada por los sitiados para atraer con el banderín a los cubanos y hacerles morder el polvo con una descarga a quemarropa.

Mientras los del cuartel se defendían tenazmente, la guarnición de la cárcel, debilitada por la deserción de los exploradores de color que se habían unido a Céspedes, caía en poder de los invasores.

El general Luis Marcano se aparece en el corredor que defendían, además de los oficiales españoles, el general de brigada de las Reservas D. Modesto Díaz y D. Francisco Heredia, hijo como aquél de Santo Domingo; Marcano sorprende por detrás a Modesto Díaz y abrazándolo le dice: «Paisano, es usted mi prisionero».

Modesto se rinde y ordena cesar el fuego; flota un pañuelo blanco y los cubanos libertadores registran su primer triunfo en Bayamo.

Céspedes ocupa los altos de la cárcel, donde se encontraba la Casa Capitular; acoge a los rendidos y celebra en departamento reservado una entrevista con Modesto Díaz y Francisco Heredia, los jefes de importación hasta pocos momentos antes de las filas enemigas; entrevista de resultado feliz, pues en ella aceptaron los principios con que iniciaban los cubanos su titánica lucha.

La aceptación de Modesto Díaz fue sincera; no así la de Heredia, que casi no prestó ningún servicio a la causa cubana y a la primera oportunidad volvió a las filas españolas, coadyuvando a matar la independencia de un pueblo americano como ya había hecho con el suyo, hasta obtener el grado de brigadier.

Modesto Díaz, obedeciendo al caudillo, marcha al encuentro del coronel Campillo, que reforzado por Villares con fuerte columna de Infantería y Caballería corría hacia Bayamo.

El encuentro tuvo lugar el 20 a orillas del Babatuaba, pequeño río a cuatro leguas de Bayamo que corta el camino de esta
ciudad a Manzanillo. Los españoles son sorprendidos mientras
almorzaban. Díaz, escudado por una ceiba, que será por muchos
años el monumento de su victoria, disparaba una escopeta de
dos cañones y un fusil de los recién llegados a la ciudad bayamesa que su ordenanza cargaba. Ocúrresele ordenar una carga por
el flanco derecho a machetazos imaginarios. Su robusta voz de
mando es oída en las filas enemigas y éstas deciden retirarse.

Campillo, después de estar tocando a las puertas de Bayamo,
cede al empuje de un puñado de inexpertos guerreros guiados
por la habilidad y pericia de Modesto Díaz. Este guerrillero que
tan alto nombre alcanzó luego, prestó importantísimo servicio a
la causa de Cuba haciendo retroceder a Campillo y a Villares. De
su éxito dependió que la Revolución no fuese ahogada en su
cuna. Los militares españoles refugiados en el cuartel se defendían tenazmente. Las balas lanzadas por las aspilleras barrían el
viejo pueblo por los cuatro vientos.

Las turbas de cubanos, en su mayor parte a caballo, reco-
rrían las calles y plazas mientras Marte en su candente carro
recorría aquella pacífica ciudad de costumbres tan sencillas y pa-
triarcales. Las bayamesas, las hijas de aquel heroico pueblo, ador-
naban las puertas y ventanas con los colores de la libertad, con
su presencia hermoseaban aquel cuadro singularmente bello y horroroso a la vez, aplaudiendo con sus amigas a sus compañeros
del baile anterior y excitándolos con ardientes vivas y delirantes
aplausos o colocando puchas de flores en los bocas de los oja-
les a que continuaran en la gloriosa senda del honor por la que
habían empezado a marchar.

A las diez de la mañana, cuando la guarnición de la cárcel
se rendía, el gobernador Udaeta celebró Consejo de Oficiales.
Resolvióse que la Caballería combatiese en las calles con sus capitanes. Fortún, cubano, y N. Meoro, guajiro, se oponen y dejan
consignadas sus sentenciadas palabras: «Se les lanzaba a ser pas-
to de las turbas enfurecidas.»

Abrense las puertas, escúrrese la Infantería por las callejue-
las, llega por vía extraviada a la plaza del Cristo, hace algunos
tiros y vuelve al lugar de la partida: el cuartel.

La Caballería, espoleando sus corceles, se lanza sobre nuestra
hueste y persigue a los que encuentra. Los cubanos huyen por
calles transversales y preceden por las calles en la carrera a sus
perseguidores. Algunos son lacanzados y heridos con las aceradas

lanzas. Los obstáculos ceden al paso de la caballería, pero su empuje es detenido en la plaza próxima de Santo Domingo. Los cubanos, machete en mano, chocan con las lanzas enemigas. Se confunden, se hieren con las lanzas, otros cortan con el machete. Jinetes de ambos lados ruedan por tierra; corceles despavoridos se pierden en las calles; cadáveres de españoles y cubanos quedan en la plaza de Santo Domingo.

La Caballería regresa al cuartel. Había cumplido la orden del Consejo de Oficiales: había recorrido la ciudad, había arrollado a los insurrectos pero volvían todos tintos en sangre, heridos por el machete.

¿Y su jefe, el comandante Guajardo? Sosteniendo la cabeza por la mandíbula saludaba al gobernador diciendo con voz casi agonizante:

—Está usted servido; he batido a los insurrectos.

Un tajo horizontal por encima de la nariz le había casi dividido la cara, y para que no se le desprendiera la mandíbula inferior tenía que apoyarla en la mano. También ha sido herido en un muslo, pero no murió, prestando más tarde servicios pasivos en La Habana.

Ese machetazo dado por el joven Luis Bello decidió la jornada de la mañana y quizá la situación de los encerrados en el cuartel.

La división de Luis Marcano y la de Aguilera, llamada de «Cabaniguán», que acababa de llegar, ordenaron el ataque al cuartel formalizando el sitio, que hasta entonces no había estado organizado.

Escalando casas, saltando muros, atravesando patios, ocuparon todos los edificios inmediatos, que aspillearon.

A las dos de la tarde hicieron uso de una pieza de artillería colocada en una casa diagonalmente opuesta al cuartel, pero con tan pocas precauciones y desgraciado acierto que voló un barril de pólvora junto al cañón, desplomando el techo y descalabrando a los improvisados artilleros y a los moradores de las casas.

La esposa del gobernador, cubana, Lola Cárdenas, no estaba en el cuartel. Sostenía correspondencia con su marido dándole cuenta de todo lo que ocurría: el número de los sitiadores, la rendición de la cárcel, los recursos de los revolucionarios, la salida de Modesto Díaz, la derrota de Campillo, todas las impresiones eran transmitidas por la fiel compañera. Sabía que Udaeta se salvaría en manos de los cubanos, y lo que le importaba

era salvar la vida de su esposo. Por eso le aconsejaba la rendición.

El 20, por un parlamento habló a Céspedes y pactó que al día siguiente se formularían las bases de la capitulación. Suspendiéronse las hostilidades.

A las ocho de la mañana del 21, el capitán Meoro y el albéitar Panfil fueron los portadores de la notificación de parte del enemigo para la rendición. Acto continuo se formó un Consejo de oficiales que aceptó la honrosa capitulación basada en estas condiciones:

I.—Todos los individuos que están dentro del cuartel son prisioneros de guerra.

II.—Todas las propiedades del Ejército y del Estado pasan a poder del Ejército Cubano.

III.—Se respeta la vida a los prisioneros.

IV.—Los Oficiales y Jefes saldrán del cuartel con sus espadas, custodiados por oficiales cubanos, hasta el edificio que les servirá de prisión.

La capitulación se efectuó ordenadamente, prodigándose a los españoles vencidos toda clase de consideraciones. Escoltados por corto número de oficiales cubanos y algunos ciudadanos de los más notables de la ciudad, marcharon del cuartel al edificio que les servirá de prisión, a la antigua Sociedad Filarmónica, transformada en cárcel provisional. La población guardaba silencio absoluto. El respeto al caído fue uno de los caracteres distintivos del primer triunfo de la Revolución empezada por Céspedes en Yara.

El acta de capitulación se firmó por los oficiales españoles, por el consejo de militares cubanos que formuló las condiciones y por un notario público de la ciudad. 500 carabinas «Miniet», 300 tercerolas de Caballería, 100 caballos, gran cantidad de municiones y toda clase de elementos de guerra fue el botín del primer triunfo.

La rendición de Bayamo cimentó sólidamente la Revolución proclamada por Carlos Manuel de Céspedes, ínclito desde entonces y desde entonces coronado con la aureola de los inmortales.

En seguida armóse la columna que comandaba el general Santiesteban unida a Donato Mármol y a las órdenes de Luis Marcano, volaron a detener al coronel Quirós, que ya se lanzaba sobre Bayamo resuelto a abatir el pendón victorioso de los cubanos.

Quirós fue batido en Baire. Dirigida por Máximo Gómez,

sargento entonces, se dio aquella famosa carga al machete que
según los partes oficiales españoles duró siete cuartos de hora,
batalla que envolvió en un mar de gloria a aquellos soldados del
ejército cubano e hizo que la revolución dominara el Departamento Oriental.

Bayamo fue declarada capital provisional de la República,
asiento del Gobierno de la Revolución. Nombróse gobernador
civil al esclarecido abogado Jorge Carlos Milanés; organizóse el
Ayuntamiento, en el que figuraron tres peninsulares y dos hombres de color; terminó la organización del Ejército y el carro de
la guerra, empujado por el brillante triunfo, marchó formidable con orgullo hacia occidente.

FEBRERO 1869

Monzón

(1 de febrero).—Bruno Vicente Báez, alias «Vicente Monzón», natural de Canarias, brigadier del Ejército de Liberación
con sentimientos de bandido, asesinó por su propia cuenta, en
el poblado de Mayarí, macheteándolos, al cura párroco D. Ro-
mán Cachafeiro y Vispo, a D. Agustín Magaña, cura del Retrete,
y a los comerciantes D. Ramón Junco, D. Juan Manal, D. Santiago Balet, D. Feliciano Pérez, D. Martín Ramos, D. N. Artigas,
D. V. Nini, D. Bonifacio y D. Valentín Palmero y D. Juan La-
borde. A la noticia de esos asesinatos acude el general insurrecto Julio Grave de Peralta y castiga a «Monzón» haciéndolo fusilar «incontinenti».

Espín

El Dr. D. Rafael Espín ofrece gratuitamente sus servicios facultativos en todos los casos de cólera de personas pobres, asis-
tiéndolos en sus respectivos domicilios, haciéndose también cargo de la Casa de Beneficencia en las mismas condiciones.

Carne

Subida del precio de la carne de una manera desconocida
hasta este tiempo.

SORPRESA

Son sorprendidos y aprehendidos unos individuos que en una carretilla llevaban al campo insurrecto una gran cantidad de pólvora y tres cajas de municiones.

LA «CARMEN»

Se hace a la mar la fragata de guerra española *Carmen,* que durante largo tiempo estuvo estacionada en este puerto.

ALARMA

Se habla con insistencia de que puede ocurir dentro de esta ciudad un movimiento de carácter sedicioso. Ante tal rumor, la autoridad se cree obligada a tomar medidas extraordinarias, dando motivo a que la alarma se enseñoreara de la población el día 4.

EL CÓLERA

Habiendo aumentado los casos de cólera, el Ayuntamiento, escaso de recursos, dirige una circular a los demás pueblos de la Isla en solicitud de socorros con que hacer frente a los gastos que ocasiona el mantenimiento del Hospital de Coléricos.

INFIDENCIA

Se hace público un documento de la Secretaría del Gobierno Superior Político en el que se declara que bajo la palabra infidencia están comprendidos los delitos siguientes: traición o lesa nación, rebelión, insurrección, conspiración, sedición, receptación de rebeldes y criminales, inteligencia con los enemigos, coalición de jornaleros o trabajadores y ligas, expresiones, gritos o voces subversivas o sediciosas, propalación de noticias alarmantes, manifestaciones, alegorías y todo lo demás que con fines políticos tienda a perturbar la tranquilidad y el orden público o que de algún modo ataque la integridad nacional.

DONATIVO

El Colegio de Abogados remite al Gobernador 204 escudos con destino al alimento de los presos pobres de la cárcel.

GUILLOMET

Fallecimiento de D. Víctor Guillomet, cónsul de Francia.

SERRET Y CAPELLO

Fallecimiento de D. Juan Seret y Capello, capitán de partido del pueblo del Caney.

MARTÍNEZ

Toma posesión de la Alcaldía Mayor del Distrito Sur D. Julián Martínez haciéndole entrega D. Ramón María Araiztegui, que la estaba desempeñando hacía algunos meses.

TEMBLORES

A las diez y media de la noche del día 11 y a las seis de la mañana del 12 hubo dos temblores de pequeña intensidad.

«EL COBRERO»

El vapor *Cobrero,* acompañado de la goleta de guerra *Huelva,* con destino a Manzanillo, se va a pique en el trayecto por averías en el casco.

«EL LÁTIGO»

Empieza a publicarse un nuevo periódico titulado *El Látigo,* de carácter netamente españolizante.

ALVAREZ DE GODOY

Fallecimiento de la señora D.ª Concepción Alvarez, viuda del licenciado D. José Eulalio Godoy.

VÍCTIMAS DEL CÓLERA

Del 28 de enero, en que hizo su aparición, al 26 de febrero, se han enterrado en el terreno *ad hoc* preparado por el Municipio, 316 cadáveres.

Avila

Fallecimiento del anciano y virtuoso sacerdote fray José Antonio Avila, rayando en los cien años, último fraile superviviente del convento de San Francisco.

Esparraguera

Fallecimiento de D. Buenaventura Esparraguera, laborioso y honrado industrial natural del principado de Cataluña.

La guerra en Oriente

El alférez de las escuadras de Guantánamo D. Félix Pérez participa haber derrotado una partida insurrecta, fusilando a los prisioneros Parra y Anaya, que «intentaban fugarse».

Se forma una compañía de voluntarios con el nombre de «Guías de la Torre».

Sale una columna al mando del coronel Andriani con un convoy para el conde de Valmaseda, y es duramente atacada en el camino.

Son incendiados los cafetales de los partidos del Cauto y Hongolosongo.

Se reparten proclamas insurrectas en casi todas las casas de esta población.

Sopas

Desde el día 25 se están distribuyendo de nuevo sopas a los pobres en los lugares ya antes habilitados para ello.

Te Deum

El Redactor del día 27 dice, «en virtud de que la epidemia había decrecido notablemente debe celebrarse el *Te Deum* en acción de gracias al Todopoderoso que con tanta benignidad nos ha tratado.»

La verdad es que el trato hubiera pudido ser mejor no permitiendo que la epidemia se desarrollara.

El domingo 28 se cantó el *Te Deum*.

Incendio

Tres casas de paja situadas en el punto llamado *El Guayabito,* al Este de esta ciudad, son consumidas por las llamas.

El puente Gorgojo

Se da principio a la reconstrucción del puente Gorgojo, que fue quemado por los insurrectos.

MARZO 1868

«Diario de Santiago de Cuba»

Desde el día 2 se hace cargo de la dirección del *Diario de Santiago de Cuba* D. Francisco Javier Vidal, y de su administración D. Jaime Carbó.

Quiebras comerciales

La grave situación económica de esta plaza empeora con las quiebras de las casas de los señores Pons, Despaigne y Compañía, E. Schmitd y Compañía, Vaillant Hermanos y otras de menor importancia. Nada se vende a plazo y puede decirse que el crédito es hoy aquí desconocido.

Fondos municipales

Para aumentar los fondos municipales, la mayoría de los comerciantes y hacendados se muestra conforme en que se fije una cuota a los artículos de importación y de exportación, a semejanza del antiguo arbitrio municipal marítimo, para que el Ayuntamiento pueda atender al pago de una policía bien montada y tenga algún sobrante con que cubrir los sueldos atrasados que se deben a muchos empleados.

Hambre

El doctor en medicina D. Pedro Celsis y otros de su profesión dan cuenta de que muchas de las personas pobres curadas por ellos del cólera morbus «fallecen más tarde por falta del alimento necesario».

Condonación de contribuciones

El Ayuntamiento pide al Capitán General la condonación de las contribuciones por el triste estado en que se encuentra el país, pues «... Ya la ciudad de Cuba, sufriendo el malestar común que la Isla sentía por la combustión política de Europa, las guerras de la América en sus dos continentes y la antilla Dominicana, las crisis mercantiles de su propio comercio y la exacción del nuevo sistema tributario, gravóse en la manera y cuantía de su planteamiento, se hallaba agobiada en su riqueza individual cuando una bandera de revolución, de ruina y muerte vino a asomarse en Vicana en la jurisdicción de Manzanillo a dar el grito antinacional en la de Yara, que ha traído con él desde la fatídica fecha de 10 de octubre de 1868 la lucha, la sangre y los desastres».

Girona

Se inscribe como comerciante D. Esteban Girona.

«La Catalina»

La barca americana *Catalina,* al entrar en puerto se vara en Punta Diamante. Sale a prestarle ayuda el vapor *Monte Cristo,* sin que logre sacarla del punto donde está encallada.

Contribución

La penuria del Municipio es tanta, sobre todo para pago de guardias municipales y empleados de la cárcel, que obliga a la creación de un impuesto de 5 por 100 sobre las importaciones y la siguiente para las exportaciones:

Bocoy de azúcar, de miel o de ron y pipa de aguardiente, pagará cada uno 50 centavos.

Caja de azúcar: 50 centavos.

Barril de azúcar: 10 centavos.

Café o cacao, quintal: 10 centavos.

Fustete, tonelada: 50 centavos.

Cera amarilla, quintal: 25 centavos.

Tabaco, tercio: 10 centavos.

Cuero de res, uno: 02 centavos.

Esta contribución fue modificada por el subsidio de guerra que mandó establecer el Capitán General de acuerdo con los mayores contribuyentes, quedando eliminados de contribución el azúcar y el tabaco.

CÓLERA Y MISERIA

A pesar del *Te Deum* sigue el cólera causando estragos, aunque en menor proporción. Lo que no disminuye es la miseria. Cada día es mayor entre las clases trabajadoras, y que no basta a remediar la caridad pública.

MOVILIZADOS

Se forman dos compañías de movilizados al mando de los capitanes de Infantería D. Antonio Lazo de la Vega y D. Manuel Boniche embarcándose para el Asserradero, costa sur.

BUCETA

Llega en el vapor *Cienfuegos* el mariscal de campo D. Manuel Buceta y del Villar, su Estado Mayor y la división a su mando, compuesta de los batallones de León y Alcántara. Se obsequia a la tropa con un rancho extraordinario en la Plaza de Armas.

SANTA RUFINA

Es pasado por las armas, con varios más, en el punto Dos Palmas, partido de Brazo de Cauto, D. Antonio Santa Rufina, oficial del Segundo Batallón del Regimiento de la Corona, desertor a las filas cubanas.

LA GUERRA EN ORIENTE

Parte oficial de D. Simón de la Torre, comandante general del Departamento Oriental, anunciando la derrota por el coronel López y Cámara de los insurrectos reconcentrados en Mayarí, dice: «Oprobio eterno a estos bandidos cobardes que ni aún han tenido el valor para sostener un punto ventajoso que tanto les interesaba conservar. Nuestras pérdidas, un capitán de la Corona muerto y ocho soldados heridos. ¡Gloria eterna a este bravo oficial que, cargando denodadamente al enemigo, murió heroicamente defendiendo los sagrados derechos de su cara y amada patria!»

Una correspondencia de Santiago de Cuba a un periódico de La Habana dice:

«Sin soldados y sin dinero hemos estado y así seguimos; pero el patriotismo y la abnegación de estos leales vecinos ha bastado hasta ahora para salvar la situación. ¿Podrá seguir así?

Espíritu de la guerra

Se recibe copia de estos versos publicados un diario conservador rabioso de La Habana que indica el estado de ánimo bárbaro de aquellos fanáticos:

I

Espeñado nuestro honor
En este país se encuentra,
Y cada vez más se aumenta
Nuestro excesivo dolor.
Pro extenso es el ardor
Que se inflama en nuestros pechos
Al ver que nuestros derechos,
Corren peligro, señores,
Por causa de esos traidores
Y cobardes... insurrectos.

II

Cobardes..., cobardes son
Todos los que en esta Antilla
Contra el Pendón de Castilla
Corren en bélico son.
Pues no merecen el Don
Si ese ser que prodigiosa
Les dio nuestra España hermosa,
Después que el bravo Colón
Enarboló su Pendón
En esta tierra preciosa.

III

Aunque así no sucediera,
El triunfo nuestro sería,
Que es mucha la bizarría
Que en nuestra Patria se encierra,
Pues toda la España entera,
La cuna de tantas glorias,
Da muestras satisfactorias
De no abandonar los hijos
Que hoy le brindan prolijos
Sus vidas por sus victorias.

IV

Y aunque se hunda el abismo
Hagamos saber al mundo
Que en nuestro seno profundo
Hay honor y patriotismo,
Desde la América al Istmo
Trinarán nuestros acentos,
Y hasta... los Elementos
Sin duda se admirarán,
Y entusiasmados dirán:
Españoles... y portentos.
      ¡Hermanos: que viva España
Por siempre llena de gloria!
¡Brindemos por la victoria
Y el triunfo de nuestras armas!

Copiamos estos renglones cortos, destartalados y tontos para
que se perpetúen las muestras del cúmulo de disparates y bru-
talidades que se desarrollan bajo la capa y el nombre de Patriotismo.

CAMPRODÓN

Recibimos por correo este brindis de Camprodón en un banquete celebrado en la Capitanía del Puerto de La Habana, brindis al cual podemos titular con este epígrafe: *Cosas veredes
el Cid.*
He aquí el brindis:

Caballeros permitid
Que vuestro arranque conforte;
dice quien sois vuestro porte,
Sois de la tierra del Cid.
Sé que de fuego sagrado
Ebrio el corazón os late,
Ansiando os guíe al combate
Ese valiente soldado.
Y brindo a que en la campaña
Que hoy empieza en esta tierra,
Nos una un grito de guerra,
¡Nuestra Patria! ¡Viva España!
Nuestro valor decidió
Que aquí sólo sean huéspedes
Los compañeros de Céspedes;
Los hijos de España, no.

Y el brindis trae la siguiente coletilla: «Y tiene razón el poeta; los hijos de España no pueden ser huéspedes en tierra española, mal que le pese al mundo entero.»

Más brindis

Continúan llegándonos disparates patrioteros; otro brindis de los «calientes» en un banquete de Occidente:

Pena de muerte al ladrón
los hombres honrados claman;
los que insurrectos se llaman
infames ladrones son.
Así con justicia y sin dudar
se debe al insurrecto matar.
Brindo a todos los presentes,
y si no hay quien me desdiga,
porque la sangre enemiga
se vierta toda a torrente.
Mi mayor orgullo fuera
encontrarme en un festín
en que la muerte se diera
de enemigos hasta el fin.
¡Muera Céspedes! ¡Muera Aguilera!
¡Muera Quesada y quien los quiera!

APRESAMIENTO

El vapor *Guantánamo,* que acaba de entrar, trae la noticia de que la goleta de guerra *Andaluza* ha apresado en Cayo Sal un bergantín-goleta con un cargamento de armas y municiones para los insurrectos.

TEMORES

En la noche del Viernes Santo, 26, temiendo las autoridades que pudieran ocurrir desórdenes premeditados, tomaron grandes precauciones.

Los gritos de una señora a quien se le incendiaron los vestidos provocan una gran alarma. El suceso, abultado de boca en boca, causa bastante agitación.

ALBOROTO

(Viernes Santo, 26).—Al llegar la imagen de la Virgen de Dolores a la plaza de Serrano, calle de las Enramadas esquina a San Bartolomé y Carnicería, se forma un tumulto, echando a correr la gente y quedando casi abandonada la imagen, sólo con la custodia de la tropa de línea que marchaba detrás de la procesión. Restablecida la tranquilidad, continuó la procesión del Retiro hasta depositar la imagen en su templo, cual era la antigua costumbre.

CORNELIO ROBERT

Es pasado por las armas a las diez de la mañana, Sábado de Gloria 27, después de cantada ésta por la Iglesia, el negro esclavo Cornelio Robert por acusársele de que había sido el autor del tumulto de la noche anterior, Viernes Santo, gritando en la Plaza de Dolores «Viva Cuba Libre». Las crónicas cuentan que el castigo por el dicho de «Cuba Libre» fue un pretexto, que no hubo tal grito subversivo, y que la cuestión consistió en que se quería obligar al negro esclavo que denunciase o declarase contra sus amos D. Juan y D. José Robert. Fue la primera víctima ejecutada en Santiago de Cuba por la guerra de la Independencia.

Tejada y Castillo

(Día 29).—Son fusilados el joven D. Félix Tejada y Texidor, blanco, de veintiún años, y Aurelio Castillo, mulato, de cincuenta años. El primero había llegado hacía poco de España y el segundo se encontraba en el Hospital Civil aún convaleciente. Estos señores fueron pasados por las armas en las tapias del cementerio de Santa Ana.

La guerra en Oriente

Los insurrectos, en número considerable, se reconcentran en Mayarí, saliendo de esta ciudad una fuerte columna para desalojarlos.

Una partida de movilizados al mando de D. Joaquín Campillo ataca una partidita insurrecta sin novedad.

El corresponsal de Mayarí dice:

«Noticias positivas tenemos de que los insurrectos, después de haber sido desalojados de los puntos que ocuparon en esta jurisdicción y la de Guantánamo se han corrido hacia Mayarí, donde han hecho destrozos incalculables en los hatos, en las vegas y en el caserío, donde se ensañaron cruelmente hasta contra las mujeres, los ancianos y los niños. Cuéntanse aquí horrores: actos propios de caníbales y que prefiero no relatar por no herir la sensibilidad de los lectores.»

Montes

Fallecimiento del capitán de Infantería D. Domingo Montes, enlazado con apreciable familia cubana.

Fernández Ledón

Enlace de la señorita D.ª Catalina Hernández y Ferrer con el señor D. Eugenio Fernández Ledón, jefe de Obras Públicas.

Asencio

Se hace cargo de la Secretaría del Gobierno Civil D. Manuel Asencio por haber sido declarado cesante D. Silverio Gómez de la Torre.

«El Redactor»

Se leen en el diario *El Redactor* los siguientes párrafos:
«El que en el mes de agosto haya recorrido los campos de Hongolosongo y de Río Frío, cuya fertilidad se revelaba en el esmalte de todos sus vegetales y los promontorios de fragmentos y cenizas aquí y allá, no podrá menos que exclamar con Rioja: «Estos, Fabio, ¡oh dolor!, que ves ahora — campos de soledad, mustio collado — fueron un tiempo Itálica famosa.» Pero el visitador de las comarcas en cuestión diría no Itálica famosa, sino tierra de promisión, de donde hoy huyen tus moradores al terrible grito de cafres desalmados sin ley ni remordimientos de la conciencia; quieren mostrar su denuedo como viles incendiarios destruyendo el país, y como la horda vandálica de esos seres degradados muchos de ellos se alejan de aquellos cuartones y sus limítrofes, llamamos la atención del gobierno para lo que haya lugar en bien de los habitantes de los referidos cuartones.»

Periódicos

Como cosa curiosa de la libertad de imprenta y del estado de los ánimos, damos relación de periódicos u hojas volantes que llegaron a publicarse en la capital, cuyos títulos en gran número son expresión de rebeldía. He aquí los nombres:

El Espectador Liberal, El Gorrión, Los Bijiritas, El Alacrán Libre, La Tremenda, El Charlatán, El Sol del Trópico, El Gorro, El Fosforito o El Cubano Libre, La Opinión de Cuba o El Pueblo Liberal, La Tranca, El Artesano Liberal, El Estudiante Republicano, El Insurrecto, La Linterna, La Idea Liberal, La Verdad, El Eco de Ceja de Pablo, El Pueblo Libre, El Sopimpero, La Guillotina, El Jején, La Gota de Agua, La Pica-Pica, El Farol, El Machete, Eco de la Libertad, El Cucharón del Diablo, La Sopimpa, La Cotorra, El Riojano, Nuestra Estrella, El Diablo Cojuelo, La Voz del Pueblo. La Democracia, La Chamarreta, El Loro, La Tijera, La Fraternidad, El Dependiente Honrado, Los Negros Catedráticos, La Convención Republicana, El Moscón, La Mentira, El Pueblo Español, El Español Conservador, El Amigo del Pueblo, La Trompeta General, La Patria, La Patria Libre. El Nivel de Guanabacoa, La Revolución, El Día, La Exposición o El Eco Ibero, La Concordia, El Tribuno, El Ataque a la Verdad con rabo, El Imposible, Lo Fell de Pardall,

*El Polizonte, El Noticiero de La Habana, La Carabina de Am-
brosio, Febrero Tres, La Verdad con Careta, Pero Grullo, El
Gato de Guanajay, La Razón, El Centinela Voluntario, La Bandera Roja, La Voz de España, El Hijo de la Verdad, El Vómito Negro, Los Derechos del Pueblo.*

LA GUERRA EN ORIENTE

Una columna de 1.000 hombres con cuatro piezas de artillería al mando del coronel López y Cámara sale para Manzanillo.

El gobernador y comandante general, D. Simón de la Torre,
publica un bando dando cuarenta y ocho horas de término para
que toda persona que no tenga autorización para usarlas, entregue las armas que posea.

El capitán de Voluntarios D. Francisco O'Callaghan ataca a
los insurrectos en compañía del capitán de Infantería D. Rafael
Suero, por Río Grande, Las Chivas y San Luis.

«Las tropas eran unos 70 y los insurrectos unos 5.000, mandados por Máximo Gómez, Donato Mármol y Carlos Figueredo, huyendo todos.»

El teniente coronel D. Máximo Navidad salva por su conducta y comportamiento las haciendas de café y cacao de Brazo
de Cauto.

MARTÍNEZ

El viático es acompañado por numerosos amigos a la morada del anciano editor e impresor de muchas publicaciones, honrado
cubano de dilatada familia, don Miguel Antonio Martínez, propietario del *Diario de Santiago de Cuba.*

VINENT

El marqués de Palomares, D. Antonio Vinent, convoca una
reunión de hacendados y comerciantes para protestar de la rebelión y ofrecer al Gobierno sus servicios y recursos.

CAPAZ

El concejal D. Eusebio Faustino Capaz presenta una moción al
Ayuntamiento para pedir al Gobierno que deje sin efecto el cobro
de las contribuciones (por este año) y las atrasadas, que son impo-
sibles de cobrar.

INCENDIOS

Incendios de los edificios del potrero San Nicolás, de D. Antonio Norma, y del cafetal de D. Norberto Cuadras, en el partido del Cobre.

ROIG

Entre los que ayudaron al acto de piratería de apresar el vapor mercante *Comanditario* se encuentra el maquinista, hijo de esta ciudad, D. Antonio Roig.

MARTÍNEZ

Del antiguo tipógrafo D. Miguel Antonio Martínez se dice: «Desde sus primeros años se dedicó al arte tipográfico, y que por su comportamiento y probidad supo adquirir gran crédito, logrando, por su constancia y apego al arte, la propiedad de la imprenta donde se publica *El Diario de Santiago de Cuba.*

En 1833 el señor Martínez regentó *El Redactor* y lo tuvo a su cargo muchos años, pasando luego a publicar *El Orden.*

GARCÍA DE LUNA

Fallecimiento del coronel retirado D. Luis García de Luna.

LEYTE VIDAL

Fallecimiento del primer ayudante del primer Batallón de Voluntarios D. Victoriano Leyte Vidal.

ODIO

Fallecimiento del probo procurador público D. Miguel Odio.

CÍRCULO ESPAÑOL

En Junta General, de acuerdo con la marcha de intransigencia que se le va a imprimir y por la renuncia de los fundadores, se elige la siguiente directiva:

Director: D. Julián Martínez Muñoz (militar).
Vicedirector: D. Pantaleón Escudero (sacerdote).

Vocales:
D. Isidoro Macanaz (militar).
D. Antonio Franco y López.
D. Manuel Arnaz y Cobreces.
D. José Vidal.
D. Roque Núñez.
D. Manuel Solórzano.
D. Pablo Vía.
D. Juan Mestre.
D. Manuel Márquez.
Secretario: D. Eduardo Lecanda (medio racionero).
Vicesecretario: D. Dámaso Muñoz.
Tesorero: D. Manuel Masforroll.

TAMAYO

D. Hortensio Tamayo escribe una carta a don Ramón Rodríguez Correa protestando de frases que se achacan a D. José de Armas y Céspedes, compañero que fue de él en comisión para tratar con los insurrectos, y pone esta frase: «De hoy más, el que por detrás murmura de cualquiera de los dos es señal de que miente como un villano y de que es un cobarde, pues se oculta para hacerlo.»

LA GUERRA EN ORIENTE

Columna española, por el Aserradero, sostiene combate y toma un campamento en el cual, entre otros objetos, se encontró un copón perteneciente a la capilla del cafetal San Antonio, partido de Hongolosongo.

ABRIL 1869

PRESOS POLÍTICOS

(Abril).—Son conducidos a La Habana los presos políticos D. Juan de Mata Tejada, D. Francisco Alvarez y Fernando Rodríguez.

9

FESTEJOS

Se nombra una comisión compuesta de los concejales don Alfredo Kindelán, D. Eusebio Faustino Capaz, asociados del secretario del Ayuntamiento, licenciado D. Joaquín Fernández Celis, para que «... arbitre y colecte las cantidades posibles, que se entregarán oportunamente al depositario electo D. Roque Núñez, quedando contestado con esto el oficio suscrito por los señores D. Antonio García Escalona y D. Ramón C. Caamaño, que forman parte de la comisión de festejos nacionales, en el cual expresan que el objeto es proporcionar al ejército español todos los obsequios que las circunstancias permitan, siquiera no sean tantos cuantos a esos bravos son debidos, pero que basten sí a demostrar el profundo cariño y orgullo de haber nacido en España o aquí y de llevar como ellos sangre española en las venas.»

CRUZ

Es trasladado a Gibara el preso político José María de la Cruz.

GUMILA

D. José Gumila incendia la casa en la cual habita, calle de San Basilio número 19, perteneciente a D. Luis de la Torre. Desde una ventana se pone a disparar su fusil contra los que acudían a sofocar el incendio, matando a dos soldados del piquete que acudió a prenderlo y no cesando de disparar sino cuando terminó con las municiones, cayendo muerto a los disparos de los soldados. Fue un acceso de locura.

VIDAS Y HACIENDAS

El alcalde D. Manuel Arnaz presenta una moción, aceptada y apoyada por el Ayuntamiento, ofreciéndose al Gobierno en sus vidas y haciendas, en cuya moción se leen párrafos como éste:
«Siendo de todos conocida la insurrección que hace ya siete meses tiene levantada en este Departamento Oriental la bandera rebelde de Independencia de la Madre Patria, cuyo tema es negar los sagrados derechos que la nación española posee sobre la

Isla de Cuba después de una dominación de más de cuatro siglos, justificado por el reconocimiento unánime de todas las naciones del Viejo y del Nuevo Mundo..., apelando a la revolución para realizar sus injustos proyectos, no al derecho de la Razón y de la Justicia, sino a la fuerza de las armas, llegando su desvergüenza y su cinismo hasta el extremo de solicitar la protección de una poderosa nación extranjera..., y que la Municipalidad de Cuba haga un ofrecimiento espontáneo al Gobierno... poniendo a su disposición la vida y hacienda de todos sus individuos.»

Sierra

D. Eloy de la Sierra se hace cargo del destino de administrador de la Aduana de esta ciudad.

Cuadras

D. Joaquín Cuadras renuncia la dirección de la Academia de Dibujo.

Miyares Arcaya

Fallecimiento de D. Miguel Miyares Arcaya, «perteneciente a extensa familia de la América del Sur».

Banquete

En el hotel de madama Adella Lescaille, calle del Jagüey esquina a Escudero, se da un banquete al comandante general don Simón de la Torre por la oficialidad de voluntarios.

Rancho

Los voluntarios dan un rancho-banquete en la Plaza de Armas a los soldados del Batallón de León recién llegados.

Revólveres

El capitán del partido de la Enramada avisa de que a los guardias D. Francisco y D. José Cruz «les han sido quitados los revólveres que portaban por un grupo de insurrectos».

Domínguez Rodríguez

(Día 12).—Es pasado por las armas D. Leonardo Domínguez Rodríguez en las tapias del Rastro. Era natural del Caney, soltero, de treinta años de edad y del campo. Dio gritos de « ¡Viva Cuba Libre! » a un centinela al entrar en esta ciudad.

Sopas

Con ayuda del vecindario se siguen repartiendo sopas a los pobres en los distintos barrios de la ciudad.

Deuda

La Empresa del Gas cobra al Ayuntamiento la suma de pesos 27,114.18 centavos que se le adeuda por el suministro de dicho fluido desde el 14 de febrero último.

Deuda

El Cuerpo de Honrados Bomberos cobra al Ayuntamiento la suma de $ 849.09 centavos que se le adeuda.

Pensiones

Quedan suspendidas las pensiones que como estudiantes de arquitectura venían dispensándose a los jóvenes D. Eligio Callejas y D. Manuel Mestre, en Madrid, por la carencia de fondos.

Martínez

D. Tomás Martínez es nombrado interinamente director del Colegio Municipal.

«La Bandera Española»

Comienza la publicación del diario *La Bandera Española,* siendo su director el ilustrado jurisconsulto D. Vicente Bas y Cortés. Su programa es: «Por España y para España».

Martínez Muñiz

Renuncia la presidencia del Círculo Español D. Julián Martínez Muñiz.

MARCHESSI

Es repuesto en el destino de jefe de la Policía D. José Marchessi.

TELÉGRAFOS

Se da principio a las reparaciones de la línea telegráfica, por largo tiempo interrumpida.

NÁUFRAGOS

Arriba a este puerto un bote con seis tripulantes y el capitán del bergantín bremés *Germania,* que procedente de Nueva York, con destino a Veracruz, se perdió en la isla Inagua, salvándose únicamente los siete individuos expresados.

«D'ESTREE»

Sale con rumbo a La Habana el vapor de guerra francés *D'Estree,* habiéndose brindado su comandante al Gobierno para llevar la correspondencia pública y de oficio, servicio agradecido, pues hace dos semanas que está la población incomunicada del resto de la isla por falta de los vapores *Cienfuegos y Dulce.*

PORTUONDO MORENO

Fallecimiento de D. José María Portuondo Moreno.

TROPAS

Llega el vapor *Cienfuegos,* trayendo al Batallón de León.

SIMÓN DE LA TORRE

Acompañado de su Estado Mayor, sale el comandante general D. Simón de la Torre en un tren especial del ferrocarril de Sabanilla y Maroto. Su propósito es recorrer los puestos militares de este Departamento. Durante la ausencia del general queda hecho cargo del mando el coronel del Regimiento de León.

«LA LEALTAD»

Procedente de La Habana entra la fragata de guerra *Lealtad,* que monta 33 cañones y tripulan 406 hombres.

EMIGRACIÓN

Continúa la emigración de personas pudientes. Entre ellas figura el alcalde municipal, señor marqués de Palomares del Duero.

CRESPO DE QUINTANA

D. Darío Crespo de Quintana, catedrático del Instituto de Segunda Enseñanza, cede para gastos de la guerra la cantidad de 2.000 escudos de los 4.000 que le adeuda el Ayuntamiento.

INCENDIO DE INGENIOS

Al amanecer del día 28 empiezan a llegar a esta ciudad los empleados de casi todos los ingenios del valle de Maroto y Sabanilla, trayendo la noticia de que dichos ingenios habían sido incendiados por los insurrectos, lo que causa no poca alarma y azoramiento en las autoridades. Inmediatamente se dispone la salida de fuerzas en varias direcciones y el general la Torre llama a los hacendados para que acuerden lo que crean más conveniente al resguardo de sus intereses. Los ingenios incendiados son: *Santa Ana,* de los Sres. Pons, Despaigne y Compañía; *Santa Isabel,* de D.ª Carmen Miranda de Colás; *San Andrés,* del marqués de Villaitre; *Isabelita,* de E. Lassús; *La Abundancia,* de la sucesión de D. Salvador Alberni; *La Laguna,* de D. Nicolás Limonta, y otros más.

FELICITACIÓN

Los comerciantes de esta plaza felicitan en un documento al Comandante General por el «éxito de su expedición contra los insurrectos del *Ramón.*

LA GUERRA EN ORIENTE

El capitán de guerrillas D. Joaquín Campillo y González, con fuerzas movilizadas, «destruye tres campamentos, causando cuatro muertos al enemigo y apoderándose de víveres, caballos y cinco prisioneros».

FAMILIA ANAYA Y PORTUONDO

(Día 29).—A las doce del día son pasados por las armas don José Nicolás Anaya, de Cuba, vecino del Mamey, casado, del campo, y sus hijos D. Ambrosio, D. Fernando y D. Vicente, y D. Homobono Portuondo (yerno de Anaya). A las once del día escasamente habían sido detenidos por el guerrillero Campillo en su estancia por el puerto de Bayamo; traídos a la población fueron condenados por un consejo de guerra verbal.

AGUILERA

(Día 24).—Es pasado por las armas D. Delfín Aguilera, respetable hacendado natural de Holguín, de donde era vecino, casado y de cuarenta y un años de edad.

LA GUERRA EN ORIENTE

Expedición a *San Luis, Palma* y *Ramón,* de 1.500 hombres al mando del coronel D. Máximo Navidad. Se hicieron tres prisioneros que fueron pasados por las armas.

El comandante González Boet comienza a hacerse conocer por su ferocidad al frente de un cuerpo de guerrilleros titulado de Valmaseda, por la jurisdiccón de Bayamo.

EPIGRAMA

Dentro de los horrores de la situación aún hay espíritus que con un chiste pintan el estado del individuo:

> «Pregunté ayer a un cubano
> (hombre que fue y aún es rico)
> ¿usted es moro o cristiano?
> Y al punto, soltando el pico,
> díjome: —Señor..., ¡pagano! »

PROCLAMA DEL CONDE DE VALMASEDA A LOS HABITANTES DEL DEPARTAMENTO ORIENTAL

«Habitantes del Departamento Oriental:
La necesidad de hacer conocer el estado en que se encuentra

la revolución en este Departamento a fin de que los embauca-
dores y laborantes que propalan entre nosotros noticias falsas
no consigan tener en un estado de intranquilidad el sosiego de
vuestras familias, me hace dirigiros la voz, una vez más, para
que os sea conocido el verdadero estado de la revolución en la
parte de territorio que me está confiada.

En una de mis proclamas os tenía dicho que mis jurisdicciones de Manzanillo, Bayamo y Jiguaní disfrutaban de una completa paz; ésta continúa inalterable: en todas sus fincas y vegas
sus moradores se entregan a las labores agrícolas, y según los
partes oficiales que de allí recibo sus cosechas se presentan abun-
dantes y prósperas.

Sus caminos los recorren los comerciantes y arrieros con la
confianza, si cabe, que antes de estallar la revolución. La jurisdicción de Cuba pacificada ya de un todo alberga en algunas de
sus más elevadas montañas, en sus inmensos bosques, algunos
pocos negros cimarrones y criminales que huyen de la persecución de la justicia sin atreverse a salir de sus madrigueras. Los
movilizados de las fincas, las compañías de voluntarios de los
partidos rurales y los batallones de la Corona, Reus, Segundo de
Marina y León, divididos en pequeñas fracciones, se encargarán
de exterminarlos sin permitirles sus actos de bandolerismo.

Los ingenios y cafetales de esta jurisdicción recolectan sus
frutos, y las arrias conductoras de sus productos viajan con toda
seguridad de día y de noche.

En las jurisdicciones de Baracoa y Guantánamo hay una paz
envidiable, y hasta los negros alzados han vuelto a sus hogares
a disfrutar de los beneficios de su laboriosidad en vez de la amargura que sentían viendo amenazadas sus vidas por la espada de
la ley.

Para completar la pacificación de este Departamento sólo me
falta la de Holguín, y esto lo he de conseguir en breve plazo.»

MAYO 1869

INCENDIOS

(Mayo).—A la lista de ingenios incendiados hay que añadir:
Hatillo, de D. Mariano Vaillant; *Guanabacoa,* de D. José M.

Portuondo Bravo; *San José,* de D. Roquel Núñez, y además 14 ó 16 cafetales del partido del Cobre.

RODRÍGUEZ

(Día 4).—D. Antonio Rodríguez, natural de Holguín, vecino de Mayarí, casado, de cincuenta y cinco años y del campo, es pasado por las armas.

«LA VICTORIA»

Procedente de La Habana entra en puerto la corbeta de guerra *Victoria,* de 10 cañones y 220 tripulantes.

EMBARGO DE BIENES

Se forma una comisión para el embargo de los bienes pertenecientes a personas comprometidas en la rebelión. Se compone dicha comisión de los señores D. Manuel Arnaz, alcalde municipal interino, del jefe de Policía y del secretario del Gobierno.

NÁUFRAGOS

Entra en puerto un bote con seis individuos de la tripulación perteneciente a la fragata inglesa *William Weatley,* que naufragó a barlovento de Guantánamo.

FERROCARRIL

Se halla completamente reparado el ferrocarril de Sabanilla y Maroto, recorriendo los trenes todo el trayecto, que es de unas doce leguas.

PERIODISMO

Deja de ser director de *El Redactor* el Lic. D. Joaquín Mariano Manzano, reemplazándole D. Juan F. Collazo.

Es nombrado director interino de *La Bandera Española* don José Antonio Peralta y Zayas, hijo de Holguín, que sustituye a D. Vicente Bas y Cortés.

«Vasco Núñez de Balboa»

Procedente de la mar entra el vapor de guerra *Vasco Núñez de Balboa,* de seis cañones y 159 tripulantes.

Reunión

Se efectúa una reunión de comerciantes, hacendados y autoridades para tratar de la pertinencia de que los comerciantes intervinieran en los negocios de Aduana. Se nombra una comisión que entienda en el asunto.

Bueno

(Día 14).—Muere el Sr. D. José Dámaso Bueno y Zayas, rico hacendado y comerciante.

Regresan

El vapor *Tampico,* procedente de Kingston, Jamaica, trae muchas familias que se encontraban en aquella isla.

Rubio

Fallecimiento de D. Ramón Rubio, hacendado de Palma Soriano.

Buceta

Llegan, procedentes de Cienfuegos, el general D. Manuel Buceta y los brigadieres D. Carlos Detenre y D. Gabriel Pellicer. Llega con ellos el Batallón Cazadores de Reus, que fue banqueteado en la Plaza de Armas.

Aduana

Se crea una «Junta Interventora de las Aduanas» con el nombre de «Consejo de Vigilancia del Comercio» (para tratar de impedir los contrabandos). El presidente era D. Juan Mestre, y el secretario D. Miguel Triedu.

La guerra en Oriente

Alcanza a los insurrectos, en el cafetal *Refugio,* una columna compuesta de soldados y voluntarios al mando del alférez don Enrique García.

En operaciones del coronel López y Cámara, son hechos prisioneros D. Miguel Antonio Ruiz y un hermano, D. Francisco Rizo, D. Joaquín Estrada, Juan de Dios Borrero, Fortunato Peñón, Isidro Castro, Juan Francisco Borrero, Ventura Maceo, Secundino Hurtado, Pancho Caridad Usatorres, Tomás Hechavarría y José María Castro, «que deberán ser juzgados severamente por hallarles documentos del cabecilla Figueredo ordenándoles la destrucción de las fincas».

El Ayuntamiento

Exposición del acuerdo tomado por el Ayuntamiento de Santiago de Cuba:

Excmo. Sr. Gobernador Comandante General: El Ayuntamiento de esta Muy Noble y Muy Leal ciudad de Santiago de Cuba, que en 26 de noviembre del año próximo pasado, por acuerdo unánime, estampó en sus actas un voto solemne de censura y reprobación a la bandera insurrecta que ondeaba insolente en las cumbres de la sierra, queriendo que constase como testimonio perenne que: en la plena conciencia de los derechos de sus representados, y en la convicción íntima de su ciudadanía española, rechazaba decidido toda idea y partido contrario a su nacionalidad y que, amante del orden y obediente de las leyes, dentro de ellas deseaba y pretendía la igualdad constitucional en todo lo que fuera compatible con la especialidad de estas provincias ultramarinas, viene otra vez inflamado de un santo amor nacional a rendir en las aras del deber y del honor la expresión pura y explícita del más acendrado patriotismo.

Una turba pirática de aventureros vagabundos ha osado con inmunda planta hollar el suelo sagrado de la patria, torpemente engañados por nefandos hijos que intentan convertir los bellos, fértiles y frondosos campos de la Isla en las abrasadas arenas de los desiertos africanos, y sus alegres, florecientes y numerosas poblaciones en los miserables y desparramados aduares y tolderías de las hordas salvajes que más fraternizan con las fieras, y si en aquella distante fecha, cuando cercaba a la ciudad estrecho cinto de bandas enemigas, rotas las aguas, cortados los caminos, la propiedad detentada y en peligro la vida, no cedió al temor ni dudó un punto en protestar su inflexible voluntad de ciudadanía española, hoy, con la inquebrantable energía de Guzmán el Bueno, antes que simpatizar con los sicarios extranjeros y los modernos vándalos que proclaman y llevan la guerra del caníbal, en nombre de sus representados daría el acero que les ha de segar los cuellos. Cuba, excelentísimo señor, la extensa y hasta pocos días feliz Isla de Cuba, la región donde sólo al trabajo y a la paz se oyeron cánticos, escucha ahora con dolor rugidos de muerte; pero española siempre, nada puede intimidarla, nada vencerla, cuando unida a sus hermanos de las demás provincias nacionales sostiene con robusto brazo el noble pabellón que la protege. Sorda a los halagos del vasto continente de la América latina, que la encierra en sus brazos cuando la vorágine revolucionaria, como los torrentes de lava de sus preñados volcanes, lo arrasaba y lo consumía todo, negada a las invasiones de los antiguos bucaneros y de los filibusteros no lejanos, constante en la pasada cuestión dominicana y firme en su amor nacional, es provincia española de las de más acrisolada lealtad, pues ni en aquellos remotos tiempos en que la guarnecían escasas tropas ni en los actuales, que tan pocos soldados contaba al resonar el grito disolvente de la rebelión, jamás rompió la nacionalidad que le han creado la conquista y la reproducción de las generaciones en el limitado lapso de próximos cuatro siglos que ha cursado; y nunca, no, porque algunos centenares de renegados hijos, en culpable consorcio con muchos hombres de procedencia africana y con mercenarios extranjeros empeñen insensata y criminal contienda pueda mancharse su límpida historia de intachable lealtad.

Jamás ira a mendigar a extrañas puertas un nombre que la haga conocer entre los pueblos de la tierra cuando tiene el suyo preclaro, que transmitirá a sus descendientes con su sangre, sus leyes, su religión y sus costumbres, como legado de honra de sus progenitores recibido; jamás renovará las huesas del sepulcro para cubrirlas con extranjera losa, y española siempre, porque lo ha querido y porque lo quiere ser, ante Dios y las Naciones protesta como la heroica Numancia y la inmortal Sagunto: morir primero que ser apóstata de su nacionalidad; y el Ayuntamiento de esta ciudad no la representará dignamente si al exponer, como en noviembre lo hizo, su afán por participar de la unidad constitucional gozando de las libertades patrias en la forma compatible con la especialidad de las Antillas, no ofreciera colectiva e individualmente a V. E. sus vidas y haciendas para el sostenimiento, conservación y lustre, con voluntad unánime, de su inmaculada nacionalidad.

Dígnese V. E. admitir estos votos del Ayuntamiento y ciudad de Santiago de Cuba y elevarlos al superior conocimiento del Excelentísimo Señor Capitán General como la ofrenda sincera que esta provincia ofrece gustosamente a la Nación.

Santiago de Cuba, mayo 21 de 1869.—*Manuel Arnaz, Manuel de Jesús Portuondo, Alfredo Kindelán, Eusebio Faustino Capaz, Ignacio Pujol, Francisco Alvarez Villalón, Dr. Francisco Mancebo.*

Santiago de Cuba, mayo 22 de 1869.—El Secretario de Gobierno, *Manuel Asencio.*

BLANCA

Se deja sin efecto el nombramiento de D. Juan José Blanca para la dignidad de Chantre de la Santa Iglesia Metropolitana de Santiago de Cuba por no haberse presentado a tomar posesión del mismo.

LLORENTE

Es nombrado chantre de la Santa Iglesia Metropolitana de esta ciudad el Excmo. Sr. D. Pedro Llorente y Miguel, canónigo de Puerto Rico.

FUSIÓN DE PERIÓDICOS

Los periódicos *El Redactor* y *La Bandera Española* se fusionan, apareciendo uno sólo con el nombre del último.

GONZÁLEZ Y BATAILLE

El teniente de movilizados D. P. González y el hacendado D. Leopoldo Bataille, acompañados de diez o doce hombres, salen del Cobre con intención de sorprender a una partida de negros del mismo Bataille, pero en vez de sorprender son ellos los sorprendidos, recibiendo una descarga al atravesar una vereda que deja sin vida al teniente y al hacendado.

Tiroteo

Una partida de insurrectos tirotea al ingenio *Santa Isabel.*

El espíritu rebelde

Se reproduce como sigue, y se reparte en toda la Isla profusamente, *un brindis de Santacilia.* Copiamos de la hoja citada: Reproducimos el brindis que pronunció el ciudadano Pedro de Santacilia en Méjico en el banquete que dio el Gobierno al señor Ministro de Bolivia en octubre de 1867, para que se vea por esta expresión del patriotismo que no es de ahora que el pueblo mejicano simpatiza con la causa de Cuba, y que no faltó allí en el instante oportuno quien supiese responder por sus hermanos oprimidos. Al brindar al ciudadano Presidente de la República por la libertad de todos los pueblos que aún gimen en la opresión, mencionó naturalmente a Cuba, y el señor Santacilia dijo entonces lo siguiente:

«Señores: después de los brindis que acabamos de oír, en que el señor Presidente de la República y el Ciudadano Ministro de Fomento han expresado sus sentimientos generosos en favor de la independencia de Cuba, natural parece y hasta indispensable que yo, cubano de nacimiento, conteste siquiera un poco las palabras para dar las gracias en nombre de la oprimida isla a los dignos mexicanos que se interesan en su destino.»

«La isla de Cuba ha hecho hasta ahora esfuerzos sobrehumanos para alcanzar su independencia, pero desgraciadamente las circunstancias excepcionales en que se encuentra colocado aquel país, el peor gobernado del mundo, han hecho inútiles los esfuerzos del patriotismo.»

«Más de setenta víctimas se han inmolado en el cadalso en el corto período de cinco años, y este solo hecho basta para demostrar que son dignos los cubanos de representar en América una nacionalidad.»

«Por desgracia, en la Isla de Cuba la revolución política va unida estrechamente a la revolución social, y la existencia allí de medio millón de esclavos ha sido en todos tiempos el obstáculo que ha utilizado perversamente el gobierno de España para impedir la revolución. Por eso ha procurado poder aumentar hasta donde ha podido el número de los negros, y como si eso no fuese bastante ha llevado además españoles y chinos y desgraciados yucatecos, formando de ese modo una sociedad mosaica, un pueblo heterogéneo compuesto de elementos repulsivos de unos para otros y en el cual es imposible todo género de unidad.»

«Y sin embargo, señores, es preciso que Cuba sea libre, es indispensable que tarde o temprano deje de ser europea, porque sólo así cesarán para siempre los proyectos absurdos de invasión y de reconquista con que de tiempo en tiempo pretenden los monarcas del otro mundo amenazar a las naciones del continente americano.»

«Si Cuba hubiese sido libre y dueña de sus destinos, si no hubiese sido una presa de España, ésta no habría concebido siquiera el pensamiento disparatado de reconquistar a Santo Domingo ni hubiera pretendido humillar a la República de Chile, ni hubiera bombardeado el Callao, imaginando que aquel acto de salvaje vandalismo le facilitaría tal vez la reconquista del Perú.» «Concretando la cuestión exclusivamente a México, la historia de nuestros días, sin necesidad de remontarnos a la época de Velázquez, de Narváez, de Grijalba y de Cortés, basta para demostrar cuantos males ha ocasionado y cuantos puede ocasionar todavía a este país el hecho sólo de que continúe todavía siendo propiedad española la isla más rica que se encuentra en el universo. Tener a Cuba en poder de España es tener a Europa a tres días de Veracruz.»

«De Cuba salió Baradas cuando pretendió llevar a cabo la reconquista de este país.»

«De Cuba salió Bermúdez de Castro, agente de la reina Cristina, cuando vino con fondos inmensos a defender la monarquía.»

«De Cuba partieron en 1838 los buques franceses que vinieron a bombardear los puertos de la República.»

«De Cuba vinieron más tarde los vapores de Marín, que traían auxilio a Miramón.»

«De Cuba, en fin, y con anuencia del capitán general Manzano, vinieron últimamente los soldados españoles ya aclimatados, que tanto prolongaron la duración del sitio de Veracruz, lo cual aumentó naturalmente el número de las víctimas entre los valientes de Casamata.»

«Es preciso por lo mismo que Cuba deje de ser propiedad europea, porque sólo así dejará de ser el nido de víboras que ha proporcionado en todos tiempos auxilio de todas clases a cuantos han querido atacar la independencia de los pueblos americanos.»

«Brindo por la independencia de los pueblos americanos que están todavía sujetos a la dominación europea, porque la bandera inglesa desaparezca del Canadá, porque desaparezca de Cuba el pendón de Castilla y porque sean libres, independientes y republicanos todos los pueblos, sea cual fuere su procedencia, que se encuentran en el mundo de Colón...»

SUPLEMENTO A «LA BANDERA ESPAÑOLA»

AÑO I.   Santiago de Cuma, mayo 26 de 1869   NUM. 1

¡VIVA ESPAÑA!

El vapor *Guantánamo*, llegado esta mañana de la bahía de Nide, nos ha traído noticias altamente satisfactorias sobre el brillante hecho de armas llevado a cabo por las tropas del Gobierno al mando del valiente coronel de León D. Baltasar Hidalgo, según lo expresa el parte oficial que insertamos a continuación:

COMANDANCIA GENERAL DEL DEPARTAMENTO ORIENTAL DE LA ISLA DE CUBA ESTADO MAYOR

Batida y dispersión de los piratas.

¡Viva España! ¡Viva el general Latorre! ¡Viva el coronel Hidalgo!
Derrota completa de los aventureros e insurrectos, que de distintos puntos se incorporaron a los primeros en las posiciones llamadas del *Ramón,* entre la bahía de Nipe y la de Banes.

El bizarro coronel del Regimiento de León D. Baltasar Hidalgo, enviado por el Excmo. Sr. comandante general a tomar el mando para las operaciones de Mayarí contra los aventureros con fecha 24 del corriente, y desde el mismo campamento enemigo dice lo siguiente:

«Excmo. Sr.: Es la una y media de la tarde, hora en que acabo de posesionarme, con las fuerzas de mi mando, de la casa central del *Ramón,* o sean las posiciones que ocupaba hace días el enemigo en número de 3.500 hombres entre aventureros desembarcados e insurrectos descamisados que se les habían reunido. Cargándoles a la bayoneta en todas partes fueron puestos en la más completa y desordenada dispersión; han dejado en el campamento casi todos los efectos y pertrechos de guerra que habían desembarcado del extranjero, han quedado en mi poder cuatro cañones con sus cureñas, un carro de batería, dos furgones, muchísimas municiones, infinidad de efectos y algún ganado, además de otras cosas que por dificultad de transporte he destruido.

Al reconocer el campo, que es un sitio escarpado, me he encontrado con la sorpresa de hallar tendidos en él 400 cadáveres, que indudablemente deben ser de las dos acciones anteriores y de esta última derrota, los cuales estoy sepultando en este momento, que por cierto me hacen emplear algunas horas. He tenido muy pocas pérdidas, y si concluyo de transportar los efectos y recoger más que espero hallar en la dirección en que se ha fugado el enemigo, marcharé acto continuo en su incesante persecución hasta conseguir su completo exterminio. La perentoriedad del tiempo no me permite dar a V. E., cual deseo, el parte detallado, pero lo efectuaré en ocasión más propicia. La Marina ha coadyuvado perfectamente, facilitando el desembarco y fogueando al enemigo. Confío que con la brevedad posible me ordene V. E. cuanto crea conveniente.—Campamento del Ramón, 24 de mayo de 1869.—Excmo. Sr.—El coronel Jefe de las fuerzas de operaciones sobre Mayarí, *Baltasar Hidalgo.*—Excmo. señor Comandante General.»

Lo que de orden del S. E. se publica en los periódicos de esta ciudad para conocimiento y satisfacción de sus leales habitantes.

Cuba y mayo 26 de 1869.—El coronel T. C. Jefe de E. M.— P. I. el Oficial Primero,

Antonio Canalejo de Mena

JUNIO 1869

Reconocimiento

(Junio).—Los periódicos jamaicanos llegados últimamente a esta ciudad anuncian el reconocimiento de los insurrectos como beligerantes por parte de las Repúblicas de Chile y el Perú.

Comisión

Salen para La Habana para saludar al general D. Antonio Caballero y Fernández de Rodas, en comisión del Ayuntamiento: D. Manuel Arnaz, representando al primer Batallón de Volun-

10

tarios, D. Eduardo García; por el segundo Batallón, D. Antonio García Escalona y D. Juan Bernardo Bravo; por el Escuadrón de Caballería, D. Pablo Galofré; por la Compañía Guías de la Torre, D. Antonio Villavicencio, y por el Círculo Español el prebendado Lic. D. Eduardo de Lecanda y Mendieta.

BAITIQUIRI

Una columna al mando del capitán D. Narciso Jiménez ataca en Baitiquiri a expedicionarios filibusteros desembarcados.

PRISIONEROS

Entran en puerto la fragata de guerra *Lealtad* y el vapor mercante *Guantánamo,* procedentes de la bahía de Nipe, trayendo a bordo la fuerza del coronel D. Baltasar Hidalgo y armas, pertrechos y cañones tomados a la expedición insurrecta al mando del general Jordán.

AJUSTICIADOS

(Día 10).—Son pasados por las armas: José Docray, Jacobo Keller y D. Juan de Dios Palma, traídos del pueblo de Guantánamo la víspera prisioneros de la goleta expedicionaria *Grapeshot,* salida de Nueva York al mando de Antonio Jiménez.

JUAN DE DIOS PALMA

Los diarios publican la siguiente extraña «alocución» de Juan de Dios Palma, pasado por las armas el día de ayer:

«Los que abajo firmamos, testigos presenciales de la ejecución verificada en el día de hoy a las ocho y quince minutos de la mañana en la persona del reo Juan de Dios Palma, Mr. Jacobo Keller y M. José Docray, certificamos que encontrándose en la plaza de la Maloja de esta ciudad solicitó del señor fiscal de la causa que le diese permiso para hablar, y se expresó en los términos siguientes:

«Señores: me encuentro en la ocasión más solemne de la vida de un hombre, en los momentos en que está próximo a dar cuenta de sus actos y de sus dichos ante el tribunal supremo; por lo mismo comprenderán ustedes que mi lenguaje no puede ser sino el de la verdad y como emanado de la boca misma de Dios Omnipotente: confieso que he cometido un error o, por mejor decir, una calaverada al venir a Cuba para hacer armas contra los soldados de España, error del cual estoy profundamente arrepentido, y muero dominado de este pesar; si hubiere alguno entre los que me escuchan que se sintiere impulsado por la idea de pasar algún día a los insurrectos, yo le aconsejo de todo corazón que desista de ello, no sea que la experiencia venga a desengañarle tan tarde como a mí me ha sucedido; yo creía en su principio que la guerra que íbamos a hacer a España era por causas justificadas y conforme a las leyes que en estos casos se observan por las naciones civilizadas; he visto todo lo contrario, pues que el objeto que se ha propuesto la insurrección no ha sido otro que el del robo, el del pillaje y el del incendio, como yo mismo lo he visto con mis ojos, avergonzándome de encontrarme no entre soldados valientes y pudonorosos como los españoles, sino entre una turba de cobardes y foragidos, pues tuve que hacer uso del chucho, que es el que se emplea en mi tierra para los negros esclavos. Lo que sólo pude conseguir con esta amenaza que llevé hasta el castigo sólo fue que 15 hombres me siguieran de 700 y pico con quienes debía contar para llevar a efecto la toma de la casa del Ramón».

«Habiéndome sucedido una cosa semejante en las dos acciones del Canalito, en que mi gente huye avergonzadamente del fuego enemigo, desengañado por actos repetidos y al verme, por último, solo y abandonado de mi gente, que en precipitada fuga se había dispersado en distintas direcciones, resolví abandonar también una causa tan mal defendida y presentarme a las tropas españolas, principalmente al considerar que había sido miserablemente engañado cuando me aseguraron que los insurrectos eran ya dueños de tres o cuatro ciudades de importancia que habían conquistado con su valor, y que los españoles sostenían su mala causa por los medios más violentos e ilegales, matando mujeres y niños indefensos, encarcelando y aprisionando injustamente a los vecinos honrados y pacíficos, cometiendo tropelías de todo género con su tiranía y despotismo; afortunadamente, aunque tarde y por errores de que me arrepiento, he venido a conocer sus embustes y falacias; he tenido la desgracia de ser hecho prisionero, digo desgraciado, no porque haya sido aprehendido por los buenos soldados españoles, sino porque he tenido que estar con ellos en calidad de prisionero pudiendo haberlo estado como hermano y compañero si hubiera tenido tiempo para ello.»

«Durante el tiempo de mi ligero cautiverio entre gente tan honrada y generosa, debo proclamar ante el mundo todo que los bizarros y valientes soldados y jefes del regimiento de la Corona me han dado el trato de amigo, llevando su bondad hasta el extremo de privarse a sí mismos de la comida para dármela a mí, sin que jamás me dirigieran ni una sola palabra insultante o injuriosa sin embargo de haber hecho yo armas contra ellos en los ataques del Ramón y en el del Canalito. Si en la otra vida hay un sentimiento de gratitud, yo lo conservaré siempre hacia los valientes soldados españoles, cuya generosidad no tengo palabras con que elogiar ahora dignamente.»

«Por último, señores, puesto que el tiempo urge y me es preciso morir, repito para siempre, por la última vez de mi vida, que he cometido un error al venir a Cuba para hacer armas contra España y que muero justamente por el delito de pirata. Aconsejo a cuantos me escuchan que no sigan la senda que me ha traído a esta perdición y les suplico encarecidamente que encomienden a Dios mi alma.»

Dichas estas palabras, el reo se acercó al piquete que había de dispararle, estrechó la mano de cada uno de los soldados dándoles un adiós de afectuosa despedida y deseándoles toda clase de felicidades y buen acierto y valor para poner término a la fatal insurrección.—Cuba, 10 de junio de 1869.—*Francisco Palau, José Vidal, Pedro Peña, Benito Oliver, Pelegrín Domingo, Rafael Ortega, Lic. Eduardo de Lecanda, prebendado capellán asistente; Bibián Romero, José Sánchez y Huerta, José Vaquero, Agustín Santanach, Manuel Arias, Bartolomé Trueba, Lorenzo Montané, Cándido Sánchez, Juan de Chía, Nazario Fernández, Mariano Rivera.*

MÁSCARAS

Por Orden del Gobierno quedan suspendidas las máscaras en el presente año.

CANEY

El *Diario de Santiago de Cuba* publica una carta del Caney, fecha 2 del actual, en que se comunica que reina allí la tranquilidad más completa. Dice que las rondas detenían a todos los transeúntes, exigiéndoles la licencia de tránsito y la guía de los animales, etc. Esas rondas no tenían día ni horas fijos para ejercer la vigilancia, pero estaban en continuo movimiento, y donde menos se les esperaba solían presentarse.

INSURRECTOS

El Gobernador Superior Político declara comprendidos en el artículo 1.º de la circular de 20 de abril último a los vecinos de la jurisdicción de Cuba que a continuación se expresan:

En la insurrección.—Luis Tejada, Juan Tejada, Pablo Rebustillo, Julio Villasana, Antonio Pacheco, Miguel Pacheco, Clotilde Tamayo del Mármol, Eduardo Mármol, Jesús Pérez, Carlos Manuel de Céspedes, José Pacheco, Donato Mármol, Raimundo Mármol, Justo Mármol, Francisco Aguilera, Lucas Castillo, Félix Figueredo.

En el extranjero.—Isidro Palacios, Manuel Fernández, Francisco Agramonte, Fernando Cuevas, Desiderio Murillo, Felipe Veranes, Buenaventura Martínez, José Robert, Francisco de P. Bravo, Pedro Boudet.

FIESTA MILITAR

El día 11 tiene lugar la fiesta militar ordenada por el comandante general D. Simón de la Torre con motivo del desembarque de los cuatro cañones tomados por los españoles a los insurrectos en las inmediaciones de Mayarí y que había traído la fragata de guerra *Lealtad.* Tomaron parte en la fiesta fuerzas regulares y de voluntarios al mando del teniente coronel D. Francisco Fernández Torrero.

CORRESPONDENCIA

El *Diario de la Marina,* de La Habana, publica una correspondencia de esta ciudad en la que se dice entre otras cosas: «No hay ninguna huella en los habitantes de la ciudad del desembarque de los filibusteros en Nipe, y que no se ha sabido más de ellos después del descalabro que sufrieron; que se habían tenido noticias de un nuevo desembarco de unos 100 aventureros en las playas de Daiquirí, entre Guantánamo y Punta Maisí; que había llegado el coronel Cámara para conferenciar con la primera autoridad trayendo con él los dos cañones que había cogido a los insurrectos en su campamento de San Simón, cuyos dos cañones habían causado risa, pues eran dos tubos de maquinaria de ingenio montados en cureñas de la forma más primitiva; que los periódicos jamaicanos anunciaban que Chile y el Perú habían reconocido como beligerantes a los insurrectos.

LEONOR VÁZQUEZ

Llega en el vapor *Villaclara* doña Leonor Vázquez acompañada de doña Rafaela Montero: «... recibida con agasajo y con obsequios y serenata por haber reclamado y conseguido del jefe insurrecto D. Joaquín Acosta el perdón a la pena de muerte a que habían sido condenados en Bayamo, el día 5 de enero, trece soldados prisioneros del primer Batallón de la Corona; puestos en libertad se incorporaron a su regimiento».

Los jefes y oficiales de la Corona le regalaron un reloj y una leontina de oro acompañada de la siguiente carta del coronel señor Abreú:

Señora doña Leonor Vázquez de Tamayo.—Ciudad.

Muy señora mía y de toda mi consideración y aprecio: los jefes y oficiales de este Regimiento de la Corona que tengo el honor de mandar hemos querido simbolizar con un objeto la noble acción ejecutada por usted el 5 de enero del corriente año al salvar la vida a trece soldados prisioneros del primer Batallón que lo fueron en 20 de octubre del año anterior, habiéndose dado preferencia al adjunto reloj y por creerlo el que más se presta al objeto.

Suplico a usted en nombre de todos se digne aceptar este recuerdo que, si bien carece de valor material, en cambio marca el hecho distinguidísimo de ustel, el cual quedará para siempre grabado en la memoria de los que se lo dedican.

Con este motivo se ofrece a usted con la más alta consideración su afectísimo S. Q. B. S. P.—*Francisco Abreú.*

Condenado a muerte un joven expedicionario natural de La Habana encontrado perdido y sin dirección en las playas, se trató en esta ciudad el lograr por mediación de esta señora, por los méritos contraídos, el detener esa ejecución y de otras que habían de sucederse. «Nada pudo alcanzarse o no se prestó dicha señora a gestionar lo que se le pedía o fueron rechazadas sus gestiones por el gobierno español.»

SPEAKMAN

Es pasado por las armas Mr. Charles Speakman, prisionero traído del pueblo de Guantánamo en el vapor *Tomás Brooks*. Fue uno de los expedicionarios de la goleta *Grapeshot* desembarcados en Baitiquirí.

Turbonada

Descarga sobre esta ciudad una terrible turbonada. Un rayo mata al joven D. José Solís, de diecisiete años de edad, que se paseaba en un bote por la bahía. El bote es volcado y los otros dos que le acompañaban son salvados por marineros de la fragata mercante *Victoria*.

Sirvén

(Día 14).—D. Ricardo Sirvén, natural de La Habana, soltero y del comercio, es pasado por las armas. Era de los expedicionarios cubanos de la goleta *Grapeshot* desembarcados en Baitiquirí y hecho prisionero por las fuerzas del teniente D. Florencio Gibert.

La guerra en Oriente

Sale el vapor *Guantánamo* conduciendo al comandante graduado D. Ambrosio García del Prado y a 50 soldados que debían practicar un reconocimiento en la playa de Sigua, donde se decía había desembarcado una expedición filibustera.

Movilizados

Queda disuelta la partida de movilizados que a las órdenes del teniente D. Ricardo Gallo operaba por los ingenios vecinos.

Serenata

El primer Batallón de Voluntarios obsequia con una serenata al Sr D. Enrique Bargés y Pombo, teniente gobernador de Guantánamo.

Inmigrantes

Entra el vapor mercante francés *Tampico* conduciendo de regreso algunas familias que se habían ausentado para Jamaica. Entre los pasajeros se hallaba Lauro Fuentes, apellidado el «Paganini de Cuba».

SERENATA

Los voluntarios del primer Batallón dan una serenata a la bayamesa D.ª Leonor Vázquez.

EN LIBERTAD

Son puestos en libertad D. Diego Fajardo, D. Domingo Pérez y D. José Rodríguez, los dos primeros naturales de Bayamo y el último de esta ciudad, por no haberse encontrado culpabilidad en su conducta.

FUSILADOS

(Día 21).—Son pasados por las armas en el lugar acostumbrado los patriotas D. Carlos Quiñones y D. Martín Justiz, naturales de La Habana; D. Rafael Estévez, de México; D. Juan Canuto Castillo, de Santiago de Cuba, y Mr. Albert Wyeth, de Nueva York, expedicionarios de la goleta *Grapeshot*.

PROHIBICIÓN

El Gobernador Civil prohibe para el presente año las diversiones públicas de máscaras que debían tener lugar en los días de San Juan, San Pedro, Santiago y Santa Ana, con el fin de que no se perturbe la tranquilidad que la ciudad disfruta.

ALARMA

Con motivo de la evasión de un presidiario hubo una alarma que asustó a muchas familias en la noche del día 21.

PELLICER

Procedente de Nipe, Baracoa y Guantánamo, entra en puerto el vapor mercante de ese último nombre. Vienen a bordo del mismo el brigadier Pellicer con el resto del Estado Mayor del general Buceta y alguna tropa más.

EL CÓLERA

Vuelve a presentarse un caso nuevo de cólera morbus, no tomando la epidemia gran incremento.

COMISIÓN DE SOCORROS

Por iniciativa del Gobernador se constituye una Comisión de Socorros con el fin de obtener recursos para aliviar la situación de los menesterosos en la jurisdicción de Cuba y principalmente de los refugiados en Palma Soriano con motivo de la insurrección.

Constaba la Comisión de las siguientes damas: Presidenta, D.ª Luisa Arias de Orduña; Vicepresidente, D.ª Dolores Vera de Arnaz; Secretaria, D.ª Ermelinda Ormaeche; Vocales, doña Dolores Sagarra de Bueno, D.ª Luisa Courouneau de Vernacci, D.ª Teresa P. de Díaz Martínez, D.ª Silvina Garzón de Bueno, D.ª Manuela de las Cuevas de Norma, D.ª Elisa N. de Villanueva, D.ª Pía Posada de Norma, D.ª Irene Ferrer de Dorado y D.ª Mariana Adams de Brooks.

FIGUEREDO

La Bandera Española dice haber recibido una carta del señor Figueredo negando, entre otras cosas, que los rebeldes fusilaran a una madre y su hijo de tierna edad, hecho que había dado como cierto ese periódico integrista.

LA GUERRA EN ORIENTE

En la mañana del 20 sale de la plaza una columna de 90 hombres del Regimiento de Infantería de la Corona al mando del capitán D. Diego Garri, y la compañía de movilizados del capitán D. Joaquín Campillo, para batir en combinación a los patriotas que se hallaban en Jutinicú.

Llega una columna de 200 hombres procedentes del cuerpo de operaciones del general Valmaseda, que ocupa la jurisdicción de Bayamo. La manda el coronel D. Francisco Cañizal. En los encuentros que tuvo fue herido el citado coronel, el comandante D. Mariano Iglesias y tres hombres más.

MACARTY

Es fusilado en Hongolosongo Ernesto Macarty, cubano.

Asilo San José

Fundación del asilo para ancianos titulado de San José frente al templo de Santo Tomás, autorizando dicha fundación el canónigo penitenciario Dr. D. Ciriaco Sancha y Hervás.

Aguilera

Llega a esta ciudad el soldado de la Corona Agustín Aguilera, que en unión de otros fue pasado por las armas en Bayamo por los insurrectos. Sobrevivió a la ejecución sanando de las heridas. Imposibilitado de continuar prestando sus servicios, recibió la licencia absoluta. Se abre una suscripción para reunirle fondos que le faciliten pasar a la Península.

Flanqueadores

D. Eloy de la Sierra, administrador de la Aduana de esta ciudad, forma una compañía de voluntarios a la cual denomina «Flanqueadores del Orden».

Martí y Ramos

El soldado del Regimiento de Infantería de Nápoles Francisco Martí Ramos es ejecutado por el delito de homicidio.

Quirós

Procedente de la Venta de Casanovas, entra la columna del coronel Quirós.

Palma Soriano

Las fuerzas insurrectas en posesión del pueblo de Palma Soriano, jurisdicción de Santiago de Cuba, condenan a ser pasado por las armas, ejecutándolo, a Isaac Borges por el homicidio perpetrado en el tendero Marcelino de Jesús Colza, natural de Santander. La sentencia fue de un consejo de guerra y aprobada por el general del Ejército Liberador D. Luis Marcano, quien presenció la ejecución.

El Cobre

Combate en el pueblo del Cobre, jurisdicción de Santiago de Cuba. La población fue ocupada primeramente y después perdida y recuperada, quedando definitivamente en poder de los insurrectos.

La guerra en Oriente

Con el epígrafe «La Revolución en Oriente» reunimos, englobado, cuanto fue del momento fugaz en este Departamento Oriental, repetidas quizá algunas de las noticias, que no importa que así sea, para que cuanto a aquella época se refiere quede de modo perenne.

Enero, 11.—Incendio de la ciudad de Bayamo por sus propios hijos al acercamiento de las fuerzas del general Valmaseda. Amontonaron en la plaza de Armas el retrato de Isabel II, documentos, títulos, etc., prendiéndoles fuego al canto del Himno de Bayamo (himno cubano hoy).

Comisionados. — Los comisionados enviados por el general Dulce, señores Tamayo, Céspedes y Correa, conferenciaron con Carlos Manuel de Céspedes en Ojo de Agua de Melones.

Borges.—En la «Loma Colorada, a una legua de Guantánamo, es fusilado por los españoles D. Manuel Borges y Navarro.

Puente Gorgojo.—Incendio del gran puente Gorgojo del ferrocarril del Cobre.

Abril.—Incendio por los insurrectos de varios ingenios de esta jurisdicción.

Embargo de bienes.—El Gobierno decreta el embargo de bienes de las siguientes personas residentes en el extranjero: Soledad Zayas de Castellanos, Carmen Miranda de Colás, Concepción Castellanos, Mercedes Montes de Sherman, Sara U. de Macías, Rita de B. Castellanos, Luz Valerino, María Luisa Palma, Rosario Palma, Luisa de Zenea, Josefa Calero de Valerino, Magdalena Mayorga, Joaquín de Trujillo, Lucía Santa Rosa, Irene Bueno de Badell, Rita Hurruitiner, Luisa Mancebo de Valiente, Emilia Casanova de Villaverde y otras.

Congreso cubano

En Congreso de la República de Cuba ratifica las amplias facultades al ciudadano Morales Lemus, encargado de negocios, enviado extraordinario y ministro plenipotenciaro en los Estados Unidos de América.

Santa Rufina.—Fusilamiento de D. Antonio Santa Rufina, oficial español pasado a los insurrectos cubanos.

Expedición militar.—Sale de esta ciudad una expedición militar contra las fuerzas insurrectas que se encuentran en el Ramón.

El Cobre.—Se efectúan sucesivos fusilamientos en el pueblo del Cobre, en cuyo lugar funciona libremente una comisión militar.

Boniche.—Después de ochenta y seis días de incomunicación, hace su entrada en el pueblo de las Tunas un convoy al mando del comandante D. Enrique Boniche y Taengua.

Valmaseda.—Proclama del general Valmaseda, en Bayamo, ordenando que todo el que se encontrase en el campo de más de quince años de edad será fusilado, y toda mujer será conducida a la fuerza a Bayamo o a Jiguaní.

Goyeneche.—Llega a Santa Cruz del Sur la columna del brigadier D. Zacarías González Goyeneche con grandes pérdidas.

Isabelita.—Acción en la Isabelita, jurisdicción de Cuba.

Manzanillo.—Ataque a las fortificaciones y a la plaza de Manzanillo.

Aguilera.—Fusilamiento en Holguín del Dr. D. Justo Aguilera, presidente de la Junta Cubana en esa ciudad.

Guáimaro.—La Asamblea Cubana se reúne en Guáimaro y decreta la libertad de los esclavos. Que la forma de gobierno será la República Federal y que se divide a la Isla en cuatro estados: Occidente, Villas, Camagüey y Oriente. Discutióse y quedó aprobada la constitución democrática que debe regir durante la guerra de Independencia. El ciudadano Carlos Manuel de Céspedes designa los cargos de general de las tropas y de jefe provisional de la República.

Cámara de Representantes.—La Cámara Cubana de Representantes, en uso de las facultades que le designa la constitución, elige por aclamación para presidente de la República al ciudadano Carlos Manuel de Céspedes y para general en jefe a Manuel de Quesada y Loynaz.

Santa Cruz del Sur.—Salida de la guarnición del pueblo de Santa Cruz reforzada con la tripulación de los buques de guerra *Huelva, Neptuno* y *Guadalete.*

Caimanes.—Acción de guerra en Caimanes.

Mayo.—Manzanillo: acción de guerra en Santa María, en Manzanillo.

«*El Peritt*».—Sale de Nueva York, para desembarcar en Oriente, el vapor *Peritt,* con 269 expedicionarios y armamentos y municiones, al mando del general norteamericano Tomás Jordán.

Jordan.—Combate entre las fuerzas expedicionarias, separatistas, al mando del general Jordan y la columna al mando del capitán Mozo Viejo, con grandes pérdidas por ambas partes.

Oficiales españoles.—Se adhieren a la Cámara Cubana, ofreciendo sus servicios militares, seis oficiales españoles, hechos prisioneros: Miguel Moreno y Celma, Francisco Trejano, Luis Paz, Estela Ruiz, Roberto Gómez y Norberto Valle.

«*El Salvador*».—Sale de Nassau el vapor *Salvador,* conduciendo 150 patriotas cubanos al mando del coronel Rafael de Quesada y con un cargamento de 600 fusiles «Springfields», 200 carabinas «Spencer», pólvora, municiones, etc.

Desembarco.—Desembarca en la costa de Oriente la expedición del *Salvador,* al mando del coronel Quesada.

Manzanillo.—Acción del Cerro Pelado en Manzanillo.

Tunas.—Acción de Velázque en la jurisdicción de las Tunas.

Convoy.—Salida de Manzanillo de un convoy con destino a Bayamo, sosteniendo fuego en todo el camino.

El Ramón.—Acción del Ramón entre el general Jordan y el capitán español Díaz Quintana.

«*El Perrit*».—La expedición del vapor *Perrit* se une definitivamente a las fuerzas cubanas.

Ferrer.—El brigadier don Félix Ferrer y Mora, hijo de esta ciudad, desembarca en Puerto Padre con una columna de fuerzas españolas compuesta de mil hombres, marchando hacia Las Tunas, sosteniendo fuego en todo el trayecto.

Cámara de Cuba.—La Cámara de Representantes de Cuba declara nulos y de ningún valor los trapasos y las ventas de las propiedades de ciudadanos cubanos, efectuados por el Gobierno Español, haciendo responsables a los que aceptaren dichos bienes de las reclamaciones, daños y perjuicios que sobrevengan.

Julio.—Manzanillo. Ataque a Manzanillo y quema del puentede Yara y del tejar de Caragol.

PRISIONES

El terror impera en la ciudad (día 29). Son reducidos a prisión los señores siguientes: Licenciado D. Gonzalo Villar; doctor

D. Rafael Espín; doctor D. José Antonio Pérez, y los hermanos
D. Bruno y D. José Antonio Collazo.

JULIO 1869

MARCHESSI

(Julio).—Fallecimiento en La Habana del comandante de
Lanceros del Rey, señor D. José Marchessi, Jefe de Policía que
fue de esta ciudad, a consecuencia de fiebre tifoidea.

JORDAN

El general americano Jordan, jefe militar del Estado de
Oriente —Cuba revolucionaria— es nombrado por el general
Quesada jefe de Estado Mayor, y reúne bajo su mando a las
fuerzas insurrectas de Figueredo, Marcano y Mármol.

MARTÍNEZ CAMPOS
Vindicación

Insertamos con gusto el comunicado que el Sr. D. A. M.
Campos, Jefe de Estado Mayor del general Peláez, nos envía
como justificación a los cargos dirigidos a su jefe en una hoja
suelta, anónima, que circuló en esta Isla y también en la Península.

Sr. Director de *La Voz de Cuba*.

Bayamo, 3 de julio de 1869.

Muy Sr. mío y de todos mis respetos: espero de su amabilidad tenga a bien disponer se inserte en el apreciable periódico de la dirección de usted el adjunto comunicado.

Aprovecha la ocasión de ofrecer a usted la seguridad de su
más distinguida consideración.

S. S. S. Q. B. S. M.

Arsenio Martínez Campos

Se ha publicado una hoja volante titulada «Manifiesto a la
Nación, por los voluntarios de la Isla de Cuba», y aunque ese
escrito no tiene ni fecha ni firma, como en él se ataca de un

modo inusitado al general D. Antonio Peláez, y se le imputan hechos para los que puede parecer tener cómplices, el que suscribe, como jefe de Estado Mayor que era suyo, se ve en la precisión de refutarlos, no tanto en defensa de aquel señor, que es el que únicamente puede juzgar si debe o no rebatirlos, cuanto porque perteneciendo el firmante a un cuerpo en que se debe estrecha cuenta a sus compañeros los oficiales, le es preciso protestar enérgicamente, aunque no sea atacado, ni su nombre figure, de que no ha tenido participación en ningún hecho, no ya punible, pero ni aun censurable.

El día 20 de febrero llegó el general Peláez a Cienfuegos, y tan luego como oyó a personas respetables, adoptó el plan de defender la zona de los ingenios y cubrir las comunicaciones por donde se exporta el azúcar, plan universalmente aprobado entonces. El 3 de marzo llegó el Batallón de Baza, el 4 y 5 la caballería y cuatro compañías del Batallón de Simancas, fuerzas que debían operar en Cienfuegos, juntamente con el Batallón de Artillería, que ya estaba situado en la vía férrea; desde el primer momento se empezó la recomposición de ésta y se habilitó una lancha cañonera para el Damují; el día 6 salieron cuatro compañías de Baza y 50 caballos para operar al Oeste del ferrocarril, y otras cuatro para cerrar desde Cumanayagua el camino de la Sierra. No se paralizaron, pues, las operaciones, y se cubrieron las cabezas de partido.

Con arreglo a la orden del Capitán General y a lo dispuesto en la *Gaceta* del 20 de febrero, se acordó expedir salvoconductos, pero se exceptuaba de esta gracia a los ladrones, asesinos, incendiarios, cabecillas y personas de influencias en la insurrección, los cuales debían ser pasados por las armas, identificadas que fueran las personas; se dejaba siempre la acción de tercero contra los indultados, y el indulto no era pleno, reservándose la autoridad, para cuando las circunstancias lo permitieran, aplicar el castigo gubernativo que creyese conveniente.

No se dejaba, pues, sin pena a los que la merecían; no se permitía que los criminales viniesen a insultar con su impunidad a las víctimas. Siendo un asunto muy delicado el de la expedición de salvoconductos por la exacerbación a que habían llegado las pasiones, por los daños inmensos que había causado la insurrección a personas que con largos años de trabajo habían conseguido buscarse una fortuna relativa, y que en un día verían perdido el fruto de su laboriosidad y el pan para sus hijos, se adoptó el 13 de marzo el sistema de que los respectantes en

la capital, fueran por dos días al cuerpo de guardia de los voluntarios, por si alguien tenía que exponer contra ellos, y también
porque el general deseaba el acierto; desde el 27 de febrero a
fin de mayo ha firmado dicho señor de 19 a 20 salvoconductos;
no hay entre ellos el de una persona, no ya de importancia, pero
sí medianamente acomodada, que se cite o se nombre. Se auto-
rizó en 23 de marzo a los capitanes de partido que merecían
la confianza del Teniente Gobernador, para que pudieran expedir aquellos documentos, exigiéndose la responsabilidad si falta-
ban a las instrucciones, y lo concedían a alguno que debían ser
exceptuados, dando cuenta de los concedidos a las autoridades
civiles y no al Comandante General.

        ¿Se quiere más garantías de moralidad por parte del Gene-
ral? ¿Se quiere más seguridad para el acierto? Pues, si ésto no
basta, sepan que a los comandantes de puesto y de columna se
les mandó vigilasen el modo que cumplían los capitanes de
partido la orden y que el General, por un exceso de delicadeza
decidió, en 9 de abril, no expedir ninguno, ni entender en el
asunto, sino que trasmitió sus facultades a los tenientes gobernadores, no recibiendo ni viendo él a los que trataban de presentarse. Para confusión de los que ligeramente han creído ese
rumor calumnioso, basta lo dicho anteriormente: 30 salvoconductos se han expedido en el E. M. y ha firmado el General.
Venga un nombre conocido entre ellos y que no haya pasado
por el crisol de la guardia de Voluntarios desde el 13 de marzo.

        A Valladares le dio un jefe de columna salvoconducto con
autorización del General, que oyó al padre Sellas y al jefe de
Policía y cuando supo después que se le tildaba de cabecilla lo
prendió y sujetó a causa, que debe estar pendiente de resolución.

        Esta acusación que se dirige al general Peláez y que también
si no bajo la forma de venalidad al menos bajo la de torpeza,
envuelve al E. M. debía refutarse con más energía; si no se
hace, es por respeto.

        El general Peláez no sólo no expidió órdenes para que las
columnas no se movieran de sus acantonamientos, sino que
tenía prevenido, no ya a las columnas, sino a los puestos, que
todos los días recorrieran un radio hasta de tres leguas, lo que
mandó es que desde Cienfuegos no se saliese a operaciones, sin
consultarlo antes, siempre que el telégrafo estuviese expedito,
y en esto mandaba lo justo, puesto que no había detención, y
así sabía donde estaban las tropas para poder disponer de ellas:

prevención innecesaria, pues el Comandante Militar no debió haber dado lugar a ella. A algunos puestos se dio la orden de que por las noches no contestasen el fuego los centinelas si era un tiro aislado, porque de hacerlo se alarmaban las tropas y no tenían el descanso necesario: así se cortó el tiroteo en Cumanayagua y otros puntos.

También momentáneamente y mientras se dirigía un ataque a los rebeldes por un punto, se previno a algún puesto que estuviese reconcentrado para evitar sorpresas.

No sé las fuerzas rebeldes que había en Cienfuegos, pero, merced al sistema seguido, desde el 24 de marzo hasta el 28 de abril no hubo en la jurisdicción más que la partida insignificante de Bullón, que una vez que salió de su escondite fue derrotada, y por fin obligada a dispersarse, y partidas de unos cuantos hombres que bajaban de la sierra hacia Arimao y Cumanayagu, sin entrar en el llano.

¿Qué incendios, qué destrozos grandes ha habido en Cienfuegos desde el 6 de marzo? La Columna del coronel Morales de los Ríos, prestó grandes servicios en 19 de marzo. Se le dieron las gracias por el general, de un modo tan satisfactorio, que dudo que Morales haya recibido un oficio semejante; apelo a su testimonio y que diga si el 25 de marzo no se puso al Capitán General un oficio pidiendo recompensas para ella en tales términos, que el mismo señor me dio las gracias por su dedicación. El Capitán General no contestó, le escribió el general carta particular recordándole. Queriendo que esta columna ya aguerrida siguiera prestando servicios activos, se envió a Villaclara a petición del general Letona, a quien había que enviar un batallón. Cuando el Polaco entró en la jurisdicción de Cienfuegos, se dijo a Morales que lo persiguiera con su batallón y la fuerza que necesitase de los 800 hombres que salieron en un tren para Las Cruces, en combinación con una columna que mandó personalmente el general Peláez; en vez de celos, lo que causaba al general los triunfos de Morales era satisfacción, pues si gloria hay para el jefe subalterno por el éxito que alcanza, gloria cabe al general que le da la orden o instrucciones para el movimiento y para probar lo absurdo de la acusación, basta añadir que cuando salió de Cinco Villas la columna de Morales, hacía un mes que no estaba a las órdenes del general Peláez.

Cuando se marchó a la Siguanea, se dejó en Arimao al coronel Portal con cuatro compañías y 50 caballos para que observara el camino que desde Las Lomas va al de Las Moscas y al de la

11

Sierra; el general marchó con cinco y media compañías, dos piezas y 50 caballos; dio orden de que cuando llegara el coronel Menduiña con 100 caballos, fuese a Arimao para obrar en combinación con Portal y no dejase entrar en el llano a los rebeldes, persiguiéndoles a donde quiera que fuesen, y avisando para combinarle, si intentaban bajar; una parte apareció en el pueblo de la Sierra, y el teniente Dabín los ahuyentó causándoles 14 muertos, el grueso de los rebeldes no bajó a la jurisdicción de Cienfuegos, huyó por la de Trinidad. ¿Es este el modo de desoír los consejos? Aunque no recuerdo quién se los dio. ¿Es esto facilitar un fuerte? ¿Puede envolver una idea, de la que ni por un momento debe uno ocuparse? Si tal fue la intención, la rechazo enérgicamente, después de probar lo inexacto de su fundamento.

El general Peláez podrá tener más o menos acierto en los movimientos que combine, pero nadie puede negarle el deseo que abriga de servir bien a la Patria el hombre que nunca ha faltado a sus deberes, que tiene una hoja limpia de notas. Y ¿cómo suponer que en el último tercio de su vida había de querer legar Peláez a sus hijos un apellido manchado?

No ha entendido en más causas que en las falladas en un consejo de guerra verbal, y siempre ha aprobado la sentencia; en éstas se ha citado por pregón a declarar y se han instruído en público.

Que se cite uno que haya excluido o impedido declarar, que se cite uno sólo. Yo, jefe de E. M., me hubiera visto obligado a recurrir a la superioridad si tal hubiese hecho.

Que se cite una orden reservada o pública a los jefes de columnas derogando el justo rigor de las instrucciones, por las que se les mandaba que no dieran cuartel a los que hiciesen resistencia, y que mediante un brevísimo consejo de guerra verbal, y aunque fuesen aprehendidos sin armas, fusilasen a los asesinos, cabecillas, ladrones, incendiarios, violadores, plagiarios de negros, espías, reclutadores y personas de influencia en la insurrección, entendiéndose por éstos a médicos, escribanos, abogados, maestros de escuela, y los que tuvieren grado entre los rebeldes.

Hechos, hechos concretos se quieren, para que una acusación tenga validez, no vaguedades.

El general Peláez no abandonó su puesto, fue a La Habana con permiso del Capitán General a pedir más tropas o a resignar el mando; varias veces estuvo por hacer dimisión y si no lo hizo fue cediendo a las observaciones que se le dirigieron de que él no podía dimitir su cargo militar.

El 29 de mayo, llegó a Cienfuegos a las once del día y desembarcó, yendo a casa de D. Luis Arango, hasta las diez de la noche que volvió a embarcarse; se atrevió, pues, a ir a Cienfuegos, y eso que se me había indicado, no sé con qué verdad, que se quería impedir desembarcásemos.

El pasaporte concedido a Sarriá y a D. Antonio Hernández fue con autorización escrita del Capitán General y conocimientos del jefe y capitanes de Voluntarios de Trinidad, con quien se tuvo una conferencia al efecto delante del Sr. D. José Sarriá, porque abrigaba el General la creencia de que a un enemigo que huía siempre y que por las pocas fuerzas que había no se le podían causar más que bajas insignificantes, el remedio de aniquilarlo y desconcertarlo, era el introducir la desconfianza en sus filas indultando a aquéllos que tenían alguna influencia y no se habían hecho tan culpables como otros, que además de la rebeldía, habían cometido crímenes horrorosos.

Malibrán estaba indultado desde antes de tener el mando el General de Trinidad, pero se le sujetó a expediente para saber si debía o no excluírsele del indulto, y como no resultaron contra él más cargos que los de insurrecto, se revalidó el indulto.

Espoturno y los Palacios debieron ser indultados por el Comandante Militar de Trinidad, en virtud de la orden del Capitán General; y este indulto tuvo lugar sin duda alguna después de salir el General de aquel punto.

D. Isidro Hernández fue condenado a muerte por Peláez, como persona de influencia aprehendida; no era cabecilla, ladrón ni asesino; el coronel Portillo, presidente del consejo de guerra verbal, podrá atestiguarlo: el general Peláez dio cuenta de la sentencia, según está mandado, al Capitán General y éste conmutó la pena de muerte por la de cadena perpetua.

Esta es la verdad de los hechos, y no digo la exacta verdad porque la verdad no es más que una, si quieren ver los documentos comprobantes los daré. En este asunto, el general Peláez, inocente, ha sido envuelto en un anatema que no iba dirigido a él.

Si todas, o cualquiera de las acusaciones que se dirigen al general Peláez, excepto las referentes a operaciones políticas, fuesen ciertas, podría caber al que firma una gran responsabilidad moral.

Esta es la razón porque he escrito esta larga y desaliñada

refutación: cuestiones que puedan rozarse con la honra no se esquivan, se sale al frente de ellas, se provocan las explicaciones, se arrostra la impopularidad y se levanta la frente muy alta, para tener la satisfacción de decir al cuerpo a que tengo el honor de pertenecer, que he cumplido cuan honrado militar y leal caballero, y en mi hoja de servicios no hay una mala nota ni un arresto.

Bayamo, 3 de julio de 1869.—El Coronel Comandante de E. M.—*Arsenio Martínez Campos.*

IGLESIAS

Una comisión de oficiales del Primer Batallón de Voluntarios, sale para Palma Soriano, con objeto de trasladar al comandante, señor Iglesias, herido de gravedad.

COMISIÓN

En el vapor *Villaclara* embarca una comisión de los cuerpos de voluntarios, con rumbo a La Habana, para felicitar al Capitán General al llegar éste a la capital.

CORDERO DE MARTÍNEZ

Fallecimiento de D.ª Dorotea Cordero, viuda de Miguel A. Martínez, fundador del *Diario de Santiago de Cuba.*

VAPOR «TRIUNFO»

Fondea en puerto el vapor *Triunfo* procedente de Puerto Padre, en donde ha dejado 300 soldados.

CAÑIZAL

Sale otra vez de operaciones la columna de 200 hombres del coronel D. Francisco Cañizal, dirigiéndose esta vez a las sierras de Bayamo.

HEADMAN

Fallecimiento, de fiebre amarilla, de Mr. Headman, cónsul de los Estados Unidos.

SAINZ

Llega a bordo del vapor mercante *Guantánamo* el señor don Vicente Sainz, teniente de voluntarios de Mayarí, que había tenido el desprendimiento de condonar a sus colonos las deudas que tenían contraídas de años anteriores y del presente por los arrendamientos de terrenos y alquileres de sus yuntas de bueyes.

PÉREZ MAURI

En el vapor *Triunfo* llega el dominicano coronel D. José Pérez Mauri con licencia para pasar un mes al lado de sus hijos.

GÓMEZ

Fallecimiento del comerciante natural de Santander D. Vicente Gómez.

VAPOR «TRIUNFO»

Reparadas sus averías, sale el vapor mercante *Triunfo* a continuar su viaje para Jamaica.

ESCUADRILLA AMERICANA

Llega el día 11 una escuadrilla americana mandada por el almirante Hoff, compuesta de la fragata capitana *Albany,* del vapor *Gettysburg* y del monitor *Centaur.* Se hizo a la mar el 18.

ASESINATO PREMEDITADO

Publicamos a continuación la carta que el coronel Palacios dirigió al general la Torre dándole cuenta del proyecto que había concebido para asesinar a varias personas notables de Santiago de Cuba. Por el documento citado se desprende que tanto el referido Palacios como el conde de Valmaseda y el Comandante General del Departamento Oriental de la Isla estaban en complot, y que el asesinato a que nos contraemos fue cobarde e infamemente premeditado. Las víctimas duermen ya el sueño eterno, pero sus verdugos tendrán también el eterno remordimiento de haber a sangre fría inmolado a inermes y maniatados ciudadanos, y el mundo todo sabrá el villano comportamiento de los que tienen la audacia inconcebible de sostener que pertenecen a la especie humana y en mil tonos publican que hacen en Cuba una guerra civilizada.

Copia exacta de la carta original del coronel Palacios al general D. Simón de la Torre.

Señor don Simón de la Torre.—Cuba.

Campamento de la Vuelta Grande, 12 de julio de 1869.

Mi muy distinguido general y amigo: Hace mucho tiempo que deseo escribir a usted, pero el continuo movimiento en que hemos estado me ha hecho retardar el hacerlo; pero hoy, ya más tranquilo por no tener enemigos en mi jurisdicción, lo hago con dos objetos: el primero, para decir a usted el motivo por el que no tengo el gusto de estar bajo sus inmediatas órdenes, y el segundo para que proceda contra los sujetos que van en la adjunta relación.

A mi llegada a La Habana me destinaron a Cuba con mi batallón (que lo es de Cazadores de Antequera); tuve en ello mucha satisfacción y contento mi destino; me embarqué, pero a mi llegada a Manzanillo me encontré con una columnita del general Valmaseda que venía por un comboy; allí me dieron la orden para que desembarcara y al otro día emprendí la marcha con el convoy sirviéndole de escolta hasta Bayamo; sentí por dos conceptos el no ir a las órdenes de usted: el primer concepto era la antigua amistad y cariño que tanto mi hermano como yo profesábamos a usted, y el segundo porque en La Habana supe que usted, con un puñado de valientes, había batido al enemigo arrojándolo de la puerta de Cuba; mucho me alegraba la idea de ir con usted, máxime cuando le llevaba un batallón con 1.170 hombres y por añadidura todos voluntarios y gentes dispuestas, como lo han probado en este distrito; la suerte quiso otra cosa y vine con Valmaseda, que ya de no ir con usted no he podido caer en mejores manos, porque este señor, sobre las condiciones de bravo reúne las de leal, generoso y caballero. Ya le he hecho a usted una pequeña reseña del por qué no tengo la honra y satisfacción de estar a sus inmediatas órdenes; ahora voy a pasar al segundo objeto que tiene y motiva esta carta.

Hace tiempo que sé y me consta que en Santiago de Cuba hay una partida de pillos que con capa de buenos son los agentes de la revolución, y particularmente de Félix Figueredo; al principio quise dirigirme a usted directamente, pero no había posibilidad que mi carta llegase a poder de usted, y en este concepto se lo comuniqué a mi general, mandándole una reseña de los bribones para que por conducto de este señor lo supiera usted y procediera a su captura; así las cosas, se ha pasado un mes y pico sin que supiera nada del asunto que nos ocupa, pero hace tres días me avisó un confidente que tengo de toda confianza diciéndome que le constaba que en Cuba habían preso a tres de los principales del club revolucionario y que se les había ocupado alguna correspondencia; como la noticia que me dio este confidente se ha comprobado por un oficio que ayer recibí de mi General en el que me pide más informes, no tengo ya duda de la prisión de algunos criminales y que está usted sobre la pista. Creo un deber en mí hacerle a usted alguna indicación con el objeto de que no le sorprendan a usted o que con mucha influencia que tiene Gonzalo Villar le oscurezcan la verdad o venga algún indulto y estos pillos se libren del castigo a que se han hecho acreedores por sus maldades. D. Salvador Benítez y Quintana, cuñado del Dr. Espín, dirigió al cabecilla Félix Figueredo, con quien tenía mucha intimidad, una carta que decía, entre otras muchas cosas lo siguiente: «por las muchas consideraciones que tuvisteis a los catalanes fracasará todo y tendremos que irnos a la m...».

D. Joaquín Ros, policía de esa capital, me dijeron personas a mí que recibía doce onzas mensuales de Figueredo por informarle lo que ocurría con las autoridades de Cuba; estas dos noticias son ciertas porque tengo pruebas y las puedo dar personalmente. Se sospecha con fundamento que Ascensio Asensio haya tomado parte en las correspondencias casi diarias que Figueredo recibía de Cuba, así como garrafones de pólvora y otros recursos. Procure usted llamar a D. Juan Caldas, teniente retirado del ejército, vecino de Baire, casado con D.ª Dolores Font, vive calle de Santa Lucía, hombre de mucho carácter, mucha conciencia y buen español, para que le informe de la intimidad de Ascensio Asensio con esta gavilla de pillos, que por complacerlo perjudicaba al gobernador de Jiguaní D. Joaquín Recaño, abusando de la confianza que como oficial de Gobierno depositaban en él los gobernadores de Cuba. La relación que yo adjunto empieza por orden de maldad, así es el primero el más bribón, y así sucesivamente. Todas estas noticias que doy a usted, así como la que voy a relatar a usted de un tal Collazo, las he recibido por mi confidente, del cual no le puedo revelar su nombre, pero en careo se les hará bueno. Usted, con estos datos podrá sacar algo de la verdad, pero ya sabe usted lo que es una causa, que es muy difícil poder puntualizar los hechos y esclarecer la verdad; por estas razones tal vez se libren ayudados de la mucha influencia que tienen en ésa algunos de los que cito. Para evitar esto sería conveniente que a todos estos los juzgara yo, que soy el que tengo los datos y las personas que se lo probarán; para esto debía usted remitir los reos a mi general, y que este señor me los mande a mí; como yo estoy penetrado de sus maldades en conciencia, los pasaré por las armas en cuanto lleguen o los carearé con las personas que los conocen; sobre mi conciencia irán las vidas de los culpables, aceptando yo todo género de responsabilidades; si son juzgados ahí, casi todo Cuba influirá con usted; aunque usted es incapaz de doblarse, serán tantos los empeños que le aburrirán a usted y a los jueces. Si estos malvados son fusilados como merecen, el enemigo se acaba de desconcertar, otros culpables que no conocemos huirán expatriados, de modo que por todas las razones que doy a usted debe usted de mandar que los juzgue el que dio la confidencia, que soy yo; con esto usted se ahorra pelear con ellos, yo los fusilo en el mismo Contramaestre, que es donde estoy y donde ellos han hecho su gracia.

Collazo era el que traía la correspondencia de Cuba para Figueredo; sus señas son las siguientes: blanco, cutis manchado, pestañas blancas, estatura regular y usa espejuelos. Todo me consta evidentemente, pero que judicialmente no se les podrá probar, quiero o conviene sobremanera que usted me los mande aquí para que sean fusilados y juzgados en consejo de guerra verbal.

Mi columna es la más inmediata en el Departamento de usted; si usted se pone de acuerdo con mi General sobre la remisión de los reos, podré yo ir hasta Palo Picado por ellos si es que usted no quiere mandarlos por Manzanillo, que es lo mejor. Péselo usted y no eche en olvido mis indicaciones y que tienen en este asunto gran peso y gran verdad.

Mi hermano, bueno, me encarga le haga a usted una visita; recíbala usted ya que no puedo cumplir con su encargo.

Queda suyo afectísimo Q. B. S. M.,

Manuel Palacios

ASIGNACIONES ECLESIÁSTICAS

Por decretos del Ministro de Ultramar fechados el 23 de junio en Madrid y hechos públicos en La Habana el 22 de julio,

se establecían las nuevas asignaciones, reducidas, para diversas
dependencias eclesiásticas de la Isla, que por lo que respecta a
Santiago de Cuba eran como sigue: Dotación de la Mitra, 24.000
escudos anuales; Deán, 8.000; Chantre y tesorero, 7.000; Jueces eclesiásticos de la Diócesis: Provisor, 8.000 escudos; Promotor fiscal, 5.400; Escribientes, 1.200; Alguacil, 800. Para
gastos de la capilla, 10.000 escudos anuales. Para gastos de fábrica de las parroquias de término de la diócesis de Santiago de
Cuba, 1.200 escudos anuales.

«LA DEFENCE»

Entró (el día 17) en puerto la fragata de guerra inglesa mo-
vida a vapor *Defence,* de 18 cañones y 720 hombres de dotación, al mando de Mr. Salmón. La fragata no saludó a la plaza
por estar a bordo un atacado de vómito negro. En la tarde del
mismo día siguió viaje para Port Royal (Jamaica).

TROPAS

De *La Bandera Española* del día 24:
«En la tarde del jueves llegaron a esta ciudad por el ferrocarril como unos 300 hombres del Batallón de Reus procenden-
tes de Mayarí. No es todo el batallón, como equivocadamente
ha dicho el *Diario de Santiago de Cuba* en una de sus locales
de hoy, sino una parte de sus fuerzas que se hallan distribuidas
en diferentes destacamentos.»

«Con anticipación había bajado al paradero una compañía del
Primer Batallón de Voluntarios con su banda de música y escuadra de gastadores a recibir a sus valientes compatriotas.»

«Como a las oraciones subió la columna por la calle de la
Marina, y pasando por frente a la Casa Palacio se retiró a sus
alojamientos.»

«Los de Reus han hecho la larga jornada de Mayarí a Cuba
sin encontrar en su camino ninguna fuerza insurrecta, según se
nos ha informado, lo cual indica que toda esta extensa comarca
se halla purgada de esa funesta plaga, y más nos inclinamos a
creerlo así en vista de que las pocas partidas de que se tiene noticia sólo han aparecido por las inmediaciones de Palma Soriano, según parte oficial del coronel López y Cámara que hemos
publicado ayer.»

Salida de tropas

Al mando del coronel Quirós sale una columna de 400 hombres, con cuatro cañones, para operar en combinación con la del teniente coronel Muñoz Torrero en los alrededores de Barajagua.

Regreso

En el vapor *Villaclara* regresa la Comisión que fue a La Habana a felicitar al nuevo Capitán General.

«Del orden»

El Segundo Batallón de Voluntarios, compuesto principalmente de propietarios, hacendados, industriales y profesionales, obtiene el permiso de llamarse «Voluntarios del Orden».

Navarrete

El día 25 fallece el conocido hacendado D. José Navarrete y Sucre, natural de Cumaná. Era hijo del primer intendente que hubo en esta ciudad.

DEDICADA A MANZANILLO

Dedicada a Bartolomé Masó

Por *Manuela C. Cancino*

Hoy un pueblo grandioso y entusiasta
Que dormido del mar en la ancha orilla,
cual estrella de paz y de ventura
Entre los pueblos del Oriente brilla.
De allí, del seno de esa mar hermosa
Que sus pies besa con rumor incierto,
Se levantó con libertad dichosa
La voz divina en sin igual concierto.

De sus hijos salió: el estandarte
Fue sostenido por sus brazos fuertes
Desafiando al destino

Y contemplando con desdén sus muertes,
¡Hijos del pueblo que orgullosos llamo
En mis sueños de gloria, patria mía,
Recibid mi entusiasmo, que yo os llamo
Por vuestra denodada valentía!
En esos días de peligro sumo
En que rompísteis la feroz cadena
Con que España os ataba,
¡Cómo mi alma de entusiasmo llena
Mi admiración y amor os consagraba!
Del Yara undoso en la fecunda orilla
El grito alzó Carlos Manuel osado,
Y los pueblos de Cuba en saña ardiente
Respondieron con eco denodado.

Y las vírgenes cubanas
También sus voces alzaron,
Y al Ser Supremo rogaron
Porque os diera protección.
Y esta Cuba venturosa
Tanto tiempo esclavizada,
Vio por fin enarbolada
Su bandera tricolor.

Los tiranos asombrados
Al mirarla se sentían,
Porque nunca presumían
Se pudiese tremolar
Ese estandarte divino,
Alma del mundo ilustrado,
Que mi pueblo arrebatado
Hizo en sus puertas ondear.

A ti gloria, ¡oh Manzanillo!
¡Gloria a los manzanilleros!
Porque fueron los primeros
Que nos dieron libertad.
Y de sus almas gigantes
Brotó esa luz peregrina
Que hoy vuestra Cuba ilumina
Con su hermosa claridad.

En vano el déspota osado
Quiere oscurecer tu gloria;
Tuya será la victoria
Pueblo divino inmortal,
Tú sabrás alzarte activo
Sobre la insolente España,
Que el que provocó su saña
Mal la puede respetar!

Tú que me invitas a cantar dichosa
Al pueblo audaz que se lanzó iracundo,
Al tirano cruel que nos oprime
Para arrojarle de este hermoso pueblo,
Ven a cantar también, tu voz sublime
Podrá llegar hasta el empíreo cielo,
Y resonar por todo el universo
El grato son de tu armonioso verso.
Ven a cantarle, que si penas tristes
Te hicieron olvidar tu hermosa lira,
Si tu alma pesarosa
De la presión se doblegara al yugo,
Ven a cantar que el español verdugo
Confundido se mira
Y te reclamo un canto de entusiasmo
Hoy que ya el pecho libertad respira...

Y tú, oh mi pueblo venturoso y bello,
Tú, de la libertad hermosa cuna,
Préstale así a mi alma
De tu gloria inmortal sólo un destello
Para cantar a tus valientes hijos
Y sus nobles hazañas
Hacer brillar en bélicos cantares
Que cruzando los mares
De cruel humillación sirvan a España.

Aliento, pues, valientes de mi Cuba,
Está aún a medias la sin par tarea,
Pelead, venced, que Dios os acompaña
En la terrible y sin igual pelea:
Y si el destino me negó la gloria
De ir con vosotros a batir a España,

Pedid al cielo inspiración divina
Para alzaros un himno de victoria.

¡Oh Libertad!, alienta a los cubanos,
No les niegues tus mágicos favores,
Y dame a mí para adornar su frente
Tus coronas de plumas y de flores.
Si ser no puedo la Judit Cubana,
Si a Juana de Arco en el valor no igualo,
Peregrina incansable
Con mi lira en las manos,
Cantando iré a mi tierra americana,
Antes que aprisionada
Del bárbaro español, de mis hermanos
Distante a morir vaya
Allá en lejana y extranjera playa.

Permita Dios, ¡Oh Libertad divina!,
Que presto mire al Sol de la ventura
Sobre el cielo de Cuba alzarse airoso,
Y el inicuo opresor ya confundido
Vaya a poner su yugo aborrecido
A su imbécil España,
Que tus preciosos dones desconoce
Y prefiere vivir esclava humilde
Aunque abyecta y mísera se tilde.

¡Mira a Cuba, feliz y respetada,
Puédale un canto alzar al pueblo mío,
Y abrace entonces mi sepulcro frío
Que he llegado dichosa a mi jornada...!

(Bayamo, 22 de julio de 1869.)

AGOSTO 1869

SOPAS ECONÓMICAS

(Agosto).—Por acuerdo del Ayuntamiento, desde el día primero se da principio en las cuatro parroquias a la distribución de sopas económicas bajo la inspección de los señores regidores de los barrios respectivos a fin de aliviar la situación aflictiva de la clase menesterosa de la población. Los gastos debían cubrirse con los sobrantes de los fondos recolectados para las atenciones del cólera.

Ofrecimiento

La Comandancia General del Departamento Oriental acepta el ofrecimiento de los señores D. José Bosch y Partagás, don Juan Massó, D. Cristóbal Bory y D. Benito Rivas, de conducir en carruajes, con todas las comodidades posibles, a los heridos y enfermos que vengan a esta plaza con objeto de ingresar en el hospital, sin percibir por ello estipendio alguno.

Bando

El Gobernador Civil, velando por la salubridad pública, teniendo presente lo riguroso de la estación canicular y atendiendo a las circunstancias especiales en que se encuentra la ciudad por lo crecido de su vecindario y la falta de aseo que se nota en muchas de las familias emigradas de los campos, publica un Bando en el que recopila cuantas disposiciones sobre salud pública contienen las Ordenanzas Municipales vigentes a fin de que, llegando a conocimiento de todos los vecinos, tenga cumplimiento cuanto se previene en cada una.

Simón de la Torre

El gobernador, mariscal de campo D. Simón de la Torre, renuncia su cargo de gobernador, así como el de comandante general del Departamento Oriental.

Ayuntamiento

Por conducto del presbítero D. Pantaleón Escudero, el Ayuntamiento pide al Capitán General que no acepte la renuncia del gobernador D. Simón de la Torre y que continúe en su puesto.

Cólera

Se presentan casos de cólera, «aunque no teniendo el aspecto del verdadero cólera morbus».

PRESOS POLÍTICOS

Traslación a Gibara, por el vapor *Moctezuma,* de los presos políticos José Caridad Martínez y Blas de la Torre.

HOSPITAL

Se contrata con la Casa de Salud del Dr. D. Jorge Giro, por cada colérico que le envíe el Ayuntamiento pagarle dos y medio pesos diarios, y se trata del establecimiento de un hospital para esa enfermedad.

CÓLERA

Toma incremento la epidemia del cólera, que se clasifica esporádica, y se habilita para hospital la casa de la sucesión de D. Felipe de Castro, en el Tívoli, y otro hospital en la casa de la propiedad de D. Antonio Correoso.

BASURAS

A quejas de vecinos del «local donde se depositan las cabalgaduras que conducen cargas al mercado, resulta que por inspección ocular se trae el convencimiento que no son estiércol de las bestias lo que hay allí, sino que al pie de cada tapia hay sólidamente montones que por su posición y variedad denuncian el abuso de los vecinos quejumbrosos».

PENDÓN DE CASTILLA

El marqués de Villaitre presenta una moción al Ayuntamiento «para evitar responsabilidad que le afecta por encontrarse abandonado el Pendón Nacional desde la ausencia del señor alferez real D. Andrés Duany y Valiente», en cuya moción se leen los siguientes párrafos: «El Pendón de Castilla, el noble estandarte nacional, emblema augusto que tan felizmente trajo a nuestras playas el gran capitán Diego de Velázquez, conquistando este precioso resto del descubrimiento de Colón, es un noble legado de aquella memorable y remota época que perpetúa en la más importante tradición histórica...» A consecuencia de este acto es nombrado por el cabildo en pleno alférez real interino el señor regidor decano D. Manuel de la Torre y Griñán, quien recogió el Pendón de manos del señor D. Rafael Duany, apoderado de su hermano el señor Conde de Duany.

Presos

Son embarcados para La Habana, vía Cienfuegos, los presos políticos D. Narciso Cuza, D. Emilio Barrientos y Caridad Duany. Y por la costa norte, para Gibara, Benjamín Tamayo, Jesús Sánchez Vargas y Eustaquio Alvarez.

Urgellés

El preso político D. Pablo Urgellés es remitido a Baracoa por el vapor *Pájaro del Océano*.

Villar y Castropol

En la orden de la plaza del día 5 se anuncia que habiendo llegado el coronel graduado, teniente coronel del ejército, comandante del Cuerpo de Estado Mayor, D. Constantino Villar y Castropol, nombrado por el Capitán General jefe de esta Comandancia General, toma posesión de su destino.

Ojeda

El mariscal de campo D. Simón de la Torre y Ormaza, admitida su dimisión, entrega el mando al coronel de Artillería D. Juan Ojeda, conservando los cubanos del mando de D. Simón de la Torre el recuerdo de lo que hizo «por el denuedo, la bizarría y relevantes dotes, hacer desaperecer a los pocos días el espantoso cuadro en que se veía sumida esta ciudad, asediada por las hordas insurrectas, cortado el acueducto, rotos los hilos telegráficos, incendiados los principales puentes del ferrocarril y, por último, por la equidad, tino y justicia en el período más azaroso que registra la historia de esta ciudad.»

Marisi

Es nombrado vacunador del partido de Jutinicum el señor don Luis Oscar Marisi.

Víctimas del cólera

Mueren víctimas del cólera una hija de los señores marqueses de Villaitre y el licenciado D. Cornelio Felipe de Fuentes y Urdaneta.

Pailebot apresado

En la tarde del día 21 entra en puerto, apresado por una goleta de la marina de guerra española, un pailebot de poco porte que había alijado un cargamento de armas en un punto de la costa, entre el surgidero Rincón de Sevilla y Cabo Cruz, frente a la Sierra Maestra.

Asesinados en Jiguaní

Horroroso Vía Crucis.—Hemos dejado adrede para el final de este mes los siguientes sucesos realizados con inaudita y premeditada crueldad. He aquí el orden en que se llevaron a cabo:

Julio 1.—El fiscal de la causa, comandante D. Amado Salazar, hace entrega del preso D. Bruno Collazo.

Id. 2.—Entrega de Bartolomé Montero, de color.

Id. 4.—Entrega de D. Ascensio de Asensio.

Id. 5.—Entrega de D. Andrés Villasana.

Id. 12.—Entrega de D. José Bonafé. Este preso fue luego trasladado al cuartel de San Francisco.

Id. 30.—Son puestos a disposición del fiscal los señores don Rafael Espín, D. José Antonio Collazo, D. Salvador Benítez y D. Joaquín Ros.

Id 1. Agosto.—Entra en la cárcel D. Miguel Perelló, quien al día siguiente es entregado al alférez D. José Marzo.

Los presos elevan instancia al Comandante General, pidiéndole que puesto que se les ordena pasar a Bayamo, que el fiscal de la causa, D. Amado Salazar, los acompañe a esa villa. La instancia fue presentada al Comandante General por los cónsules Mr. Ramsden, de Inglaterra; Monsieur Arnaud, de Francia; Míster Phillips, de los Estados Unidos, y Mr. Reiners, de Alemania.

Embarcaron para su destino a bordo del vapor *Villaclara* para Manzanillo, desde donde seguirían para Bayamo y de allí para Jiguaní, a donde llegaron el 6 del corriente mes. Salidos de Jiguaní, fueron llevados al lugar conocido por «Los Negros»:

Pérez, Espín, José Antonio y Bruno Collazo, Salvador Benítez, Ascensio de Asensio, Joaquín Ros, Andrés Villasana, Bartolomé Montero, y quedaron agregados los siguientes, que se habían prestado a acompañarles como amigos: Exuperancio Alvarez, Manuel Fresneda, Antonio Pérez, Manuel Matarais, Manuel Benítez, un cocinero y seis individuos más, como criados, formando un total de 21.

Recordando la carta del coronel Manuel Palacios al Comandante General del Departamento Oriental, copiada en estas *Crónicas* el mes de julio próximo pasado, no se debe dejar de consignar cuantas notas se refieran a esta barbarie inaudita, pues sólo así el que lea podrá darse cuenta del crimen que se relata. Debemos consignar que en las distintas relaciones de este suceso, al jefe del batallón de Antequera unas veces se le dice teniente coronel y otras coronel, y se le da el nombre de Manuel Palacios, y en la carta a que nos referimos del mes de julio estaba firmada así, y en distintas publicaciones también Manuel y no Antonio.

En esta ciudad de Santiago de Cuba fueron presos y embarcados para Manzanillo, y de allí conducidos con dirección a Bayamo y ejecutados en el camino por orden del teniente coronel del Batallón de Antequera, D. Manuel Palacios, los señores siguientes: D. Ascensio de Asensio, Dres. D. José Antonio Pérez y D. Rafael Espín, D. José Antonio y D. Bruno Collazo y don Joaquín Ros, y fueron pasados por las armas también los amigos que los acompañaron en el viaje D. Exuperancio Alvarez (este señor había prestado importantes servicios al Gobierno español en la defensa de la Periquera, en Holguín, sitiada por fuerzas insurrectas), D. Francisco Fresneda y un criado del doctor Pérez.

El jefe de la división que ordenó las prisiones fue el mariscal de campo D. Blas Villate de la Hera, conde de Valmaseda, quien se encontraba en esos momentos en Bayamo.

En la misma madrugada fueron fusilados, junto con los mencionados, D. Salvador Benítez, D. Andrés Villasana, D. Bartolomé Montero, D. Manuel Benítez, D. Joaquín González y hasta diecisiete más. La ejecución tuvo lugar en la finca *Los Marañones,* cercana de Jiguaní.

El coronel Palacios involucró entre los fusilados a un joven asturiano, tendero o dependiente de una tienda, quien llevaba relaciones amorosas con una joven campesina a quien requebraba de amores el Palacio, y furioso por no ser admitidas sus preten-

siones de poseerla se vengó de ella haciendo ejecutar al asturiano favorecido.

Los fusilamientos de Jiguaní.—Sucinta relación de aquella brutalidad histórica publicada por el Sr. D. Angel Navarro, con datos y fechas exactísimas.—Copiamos:

«Innumerables crímenes cometiéronse en aquellos tiempos de
triste recordación, pero ninguno causó tanta indignación en el
país no sólo por la calidad de las víctimas, sino por ser el primero de los que después se realizaron en idénticas condiciones,
como el asesinato y robo de los patriotas que sucumbieron en la
hecatombe de Jiguaní.

El decreto de Valmaseda de 14 de abril de 1869 a que antes
nos hemos referido encerraba dos fines distintos: enriquecerse
a toda costa y terminar la revolución por la muerte de los cubanos. Para lo primero contaba con un mayordomo *ad hoc* encargado de acaparar los caudales que luego se llevó a España; para
lo segundo con los sanguinarios instintos de jefes como D. Francisco Cañizal, D. Manuel Palacios, D. Carlos González Boet,
D. Juan Ampudia y otros de su calaña que fueron baldón y oprobio del ejército español. De aquí la prisión y muerte de los cubanos más connotados, sobre todo si eran masones pertenecientes a los Orientes de Colón y de Cuba y las Antillas, a cuyas
instituciones declaró una guerra sin cuartel, así como también a
todos aquellos peninsulares que podían ser objeto de explotación
si no se prestaban a secundar sus planes, como sucedió a los
Botta y a los Moya en el Cobre.

De acuerdo, pues, con las instrucciones de aquella fiera, el
día 29 de junio de 1869 fueron conducidos a la cárcel los señores licenciado D. Gonzalo Villar Portuondo, Dr. D. Rafael Espín Almansa y Dr. D. José Antonio Pérez, y al día siguiente
D. José Antonio Collazo, todos masones y personas que gozaban
de grandes prestigios en el país y que fueron puestos en libertad el 22 de julio por el fiscal de la causa D. José Rodríguez
Cuarzo, comandante del Regimiento de Cuba; pero el 28 de ese
mismo mes fueron nuevamente reducidos a prisión menos el licenciado Villar, que por estar postrado en cama e imposibilitado
de moverse según dictamen de los médicos militares que lo reco-
nocieron varias veces antes de la salida del vapor, pudo salvarse
de aquella catástrofe. El propio día 28 fueron también conducidos a la cárcel D. Salvador Benítez Quintana y el catalán don
Joaquín Ros, que desempeñaba el cargo de comisario de policía
del Distrito Norte de esta ciudad, habiendo ingresado asimismo

en dicho establecimiento, del primero al cinco de este mes, los patriotas D. Bruno Collazo, D. Ascensio de Asensio, D. Andrés Villasana y el pardo Bartolomé Montero, procedente de Bayamo.

Con el pretexto de celebrar un careo con algunos presos en Vueltas Grandes, jurisdicción de Jiguaní, donde tenía su campamento el teniente coronel D. Manuel Palacios, fueron embarcados en el vapor *Cienfuegos* el día 30 de julio, custodiados por el comandante D. Julián Amadeo Salazar con un piquete de Infantería, habiéndoles acompañado espontáneamente sus particulares amigos D. Exuperancio Alvarez, D. Manuel Fresneda, don Manuel Benítez, hermano de Salvador, y el pardo Joaquín González, calesero del doctor Pérez. Al llegar a Manzanillo se hizo cargo de ellos el teniente coronel D. Carlos González Boet, que con su contraguerrilla y un práctico nombrado Rafael Santos los condujo a Bayamo y de allí a Jiguaní, a donde llegaron el día 5 de agosto, permitiéndoseles ir a caballo y que un arriero cuyo nombre no hemos podido averiguar les llevase las maletas.

Era a la sazón comandante militar de Jiguaní el capitán don Manuel González Domínguez, y al llegar la comitiva fueron Espín, Pérez, Asensio, Benítez, los Collazo, Villasana, Ros y Montero, que iban en calidad de presos, encerrados en la Sala de Sesiones del Ayuntamiento, estrechamente vigilados por fuerzas regulares de Antequera al mando de un capitán de apellido Ordóñez que los había escoltado de Bayamo a Jiguaní. Ese mismo día, y encontrándose de visita en casa de las señoritas Puig, fueron reducidos a prisión los acompañantes Alvarez, Benítez y Fresneda, encerrándoseles en el mismo local.

A las cuatro de la tarde del siguiente día 6 llegó de su campamento el teniente coronel Palacios, dirigiéndose en seguida a la morada de D. Pedro Casanovas, que tenía un hija nombrada Caridad a quien aquel monstruo pretendía hacer víctima de sus bastardas pasiones. Allí se encontró al asturiano D. Manuel Estrada, socio de D. Ignacio Casas y novio de Caridad Casanovas; encolerizado Palacios, ultrajó y abofeteó al Estrada en presencia de los dueños de la casa, y éste lo agarró por el cuello y lo arrastró medio asfixiado hasta el corredor de la calle, mas a los gritos de Palacios acudió un pelotón de soldados que detuvieron a Estrada y por orden de aquél lo amarraron con un cáñamo nuevo por tronco, piernas y brazos, a una de las ventanas del Ayuntamiento, siendo las ligaduras de tal naturaleza que le cortaron las carnes, y así lo tuvieron en aquel sitio hasta el día siguiente, en que lo desataron para conducirlo con los demás presos. Al ver el

estado de postración de Estrada, un médico militar de apellido
Izquierdo no pudo menos que decir a Palacios que Estrada era
ya un cadáver, y de llevarlo así para matarlo sería echar un bo-
rrón más a España, contestándole aquella hiena: «Si no puede
caminar que lo arrastren y lo fusilen con los demás.»

A la llegada de Palacios habían sido detenidos también, y
encerrados en la misma prisión, el comerciante de Baire D. Manuel Nateras y un catalán viejo nombrado D. Juan Ferrán, escribano público de Jiguaní, a quien se atribuyeron unas notas
encontradas en el camino real, fuera de las trincheras, en que se
informaba a los insurrectos del número de soldados que guarnecían la plaza.

Al oscurecer del propio día 6, uno de los que custodiaban a
los presos hubo de maltratar de obra a Fresneda, reconvinién-
dolo por ello el señor Espín, y enterado Palacios del incidente
ordenó que se les apaleara, lo que llevaron a cabo sus esbirros
en la misma prisión de siete a ocho de la noche, sufriendo Espín la fractura de un brazo de resultas de los palos.

En la madrugada del 7 de agosto se les hizo saber que iban
a ser conducidos a Vueltas Grandes para un acto de careo, y que
una vez celebrado serían trasladados a Santiago de Cuba y puestos en libertad los que resultaren inocentes. Atados unos con
otros y custodiados por las mismas fuerzas del capitán Ordóñez,
dejando al celador de policía D. Vicente Linero a la salida del
pueblo para que no permitiera pasar a ningún paisano, se les
condujo por el camino de Monte Alto hasta la finca *Los Marañones,* y allí fueron asesinados y robados de la manera más inicua,
al extremo de que para arrancarles los brillantes que algunos de
ellos llevaban les cortaron los dedos a machetazos. El teniente
de guerrillas D. Federico Echavarría (a) «Federicón», que con-
curió a aquel atentado contra la civilización, fue el encargado de
llevar a Valmaseda, acampado a orillas del Contramaestre, los caballos que cabalgaban desde Manzanillo y las maletas conteniendo
do gruesas sumas de dinero del que se habían provisto al em-
barcar creyendo que por este medio podrían salvar la vida.

Así cayeron diecisiete víctimas inmoladas a la ferocidad de
aquellos asesinos que, cual buitres carniceros, se arrojaron sobre
los cadáveres y los destrozaron para apoderarse del botín.

De este horroroso crimen pudo salvarse el práctico Rafael
Santos porque al llegar a Jiguaní siguió viaje para Baire. La familia de Casanovas, horrorizada de cuanto había visto por sus
propios ojos y penetrada del peligro que corría Caridad, aban-

donó la villa y se refugió en un monte próximo, donde fue encontrada y recogida a los pocos días por el alférez D. Agustín Soriega.

El licenciado Villar, que como hemos dicho se había salvado de aquella carnicería, aún sin reponerse de sus dolencias y aprovechando el pavor que en los primeros momentos produjo el inesperado crimen en las autoridades superiores, pidió su pasaporte, embarcándose con toda la familia para la Península, y cuando menos lo esperaba fue reclamado por el insaciable Conde, que exigía se le remitiera bajo «partida de registro». Afortunadamente hallábase de gobernador militar de Barcelona su hermano político D. Fernando Correa, quien al enterarse de las pretensiones de Valmaseda le avisó para que cruzara la frontera y pudiera salvarse, lo que hizo Villar trasladándose en seguida a Burdeos, donde murió algunos años después.

El siguiente día, 8 de agosto, acampó el general cubano Donato Mármol con sus fuerzas en *La Seca,* finca situada a unas dos leguas de Jiguaní, y avisado de que en uno de los potreros había algunos soldados españoles forrajeando, ordenó al cabo de su escolta Ezequiel Rojas y Burgos, hoy coronel del Ejército Libertador, que saliera con 15 hombres en su persecución. Rojas encontró al cabo y a los cuatro soldados del destacamento de Jiguaní que cortaban forraje en el potrero, quienes emprendieron la fuga, y perseguidos de cerca murieron cuatro de los fugitivos; mas como el otro gritaba que no lo mataran y contaría lo ocurrido el día anterior, fue conducido a presencia del general Mármol, a quien hizo una detallada relación del crimen que hemos referido, siendo perdonado por el caudillo cubano.»

SEPTIEMBRE 1869

Presos

(Septiembre).—Son embarcados para La Habana, vía de Batabanó, los presos políticos siguientes: Joaquín Bravo, Juan L. Garvey, José del Carmen Ramón, Justo Ramos, Porfirio Fernández, Cecilio Garzón, Nicolás Da, Pantaleón Rodríguez, Paulino Parada, Juan Bautista Navarro «por agresión a fuerza armada con atropellos del centinela de la cárcel».

Valmaseda

D. Manuel de la Torre y D. Eusebio Faustino Capaz pasan a Manzanillo a «felicitar al Excmo. Sr. Conde de Valmaseda por su nombramiento de gobernador comandante general del Departamento Oriental».

EL CÓLERA

Vuelve a tomar incremento la epidemia del cólera, contándose hasta 15 defunciones diarias.

LORES

Fallece, víctima de la epidemia, D. Manuel de Lores, antiguo empleado, secretario político que fue de este gobierno y de la Capitanía General de Santo Domingo, cuando la anexión.

RACIONES

Escaseando los víveres y frutos menores por efecto de las persistentes lluvias, el Ayuntamiento acuerda aumentar la cuota señalada para la manutención de personas pobres a fin de que pueda dárseles una buena ración de pan que por fortuna no falta, pues hay abundancia de harina.

FLANQUEADORES

Tiene lugar en la plaza de Santo Tomás la primera formación de la Compañía de Flanqueadores del Batallón del Orden, recientemente organizada por su capitán D. Eloy de la Sierra, administrador de la Aduana.

PASEO MILITAR

El Gobernador Militar efectúa su anunciado viaje al Cobre acompañado de algunos jefes y amigos y escoltado por la Compañía de Guías del General La Torre, al mando de su capitán D. Cástulo Ferrer, la de Flanqueadores del Batallón del Orden, al mando del capitán D. Eloy de la Sierra, y unos 50 hombres del mismo batallón al mando del teniente D. Manuel Armiñán.

LA TORRE

Documento publicado por el Excmo. Sr. general D. Simón de la Torre al dejar el mando del Departamento Oriental.

HABITANTES DE ESTE DEPARTAMENTO ORIENTAL

Fundado en el mal estado de mi salud me vi precisado a hacer, en 4 de junio último, dimisión del cargo de Comandante General de este Departamento que el gobierno de la Nación se sirvió conferirme, dimisión que el Excmo. Sr. Capitán General de esta Isla no tuvo a bien por entonces aceptar. Mas no encontrando alivio en mis dolencias le supliqué por segunda vez, en 23 de agosto próximo pasado, me relevase del delicado cargo que, cumpliendo con mi deber, he venido desempeñando hasta ahora, y esa dignísima Autoridad Superior ha accedido a mi solicitud a reserva de lo que el Gobierno Supremo de la Nación determinare.

Siento vivamente ausentarme de vosotros, que tantas pruebas de aprecio me habéis dado durante los nueve meses que he tenido la dicha de permanecer entre vosotros, procurando por cuantos medios han estado al alcance de mi Autoridad corresponder a vuestra estimación, a vuestra cordura y a vuestra lealtad.

No tengo necesidad de recordaros el lamentable estado de este Departamento, y en especial el de esta ciudad, a mi llegada aquí y al posesionarme del mando. Numerosas bandas de insurrectos ocupaban todo este territorio, autores de depredaciones, estragos y crímenes horribles en cada localidad iguales o análogos a los que tuvieron por teatro a esta capital o sus inmediaciones. Aquí os estrecharon, llegando audaces hasta vuestras puertas, os hicieron carecer de agua, os privaron de muchos artículos necesarios a vuestro sustento, hicieron pesar sobre vuestra industria y sobre vuestros bienes las consecuencias de un encono salvaje que amenazaba con la destrucción de todo, iniciada en carreteras, en vías férreas, en líneas telegráficas, en acueductos, en cuanto podía ser útil y necesario, interceptando todas vuestras comunicaciones, apoderándose del fruto de vuestras industrias, dando a las llamas lo que no les era de posible aprovechamiento, entregándose, en una palabra, a todo desenfrenado exceso que no respondía en verdad a otro sentimiento que al odio de vidas y haciendas de cuantos no se afiliaron a su empresa.

Y todo esto a pesar de los heroicos esfuerzos de los denodados voluntarios y de un puñado de valientes del ejército que guarnecían esta plaza.

Tal estado de cosas no podía ser durable porque era le gestación de una catástrofe que hubiera sumido en desventuras mayores a este pueblo, y procuré con todas mis fuerzas y logré, por dicha, conjurar el peligro.

A los pocos días de mi llegada, vosotros lo vísteis, fueron completamente batidos y dispersados los bandidos que infectaban estos alrededores, y cuyo número se hacía ascender, en la opinión general al menos, a 12.000 hombres. Con la escasa tropa, con los pocos voluntarios de que pude disponer, los lancé a larga distancia de la ciudad y huyeron despavoridos, y los que en gran número se replegaron al demolido ingenio *Sevilla,* distante de esta ciudad cuatro leguas, en busca de madriguera donde esconderse, fueron allí una noche sorprendidos por la brava caballería e infantería de voluntarios y un destacamento de tropa veterana, y allí fueron destrozados todos y muertos y heridos en crecido número.

Arredrado el enemigo y desde entonces fugitivo y reducido a correr lejos de la ciudad por las maniguas, reparóse el acueducto, restablecíéronse las comunicaciones, reconstruyéronse las líneas ferreas de Sabanilla y del Cobre en las extensas partes en que fueron destruidas, en especial los puentes de Vargas y de Gorgojo, quemados por los insurrectos; uniéronse los rotos hilos telegráficos y, en una palabra, se remediaron en lo posible gravísimos males que en dolorosa espectativa se ofrecían de colosales proporciones.

Seguida e inmediatamente fueron ocupadas por nuestras fuerzas Mayarí y el Aserradero. Desalojado el enemigo del primero de estos lugares, teatro de sus crímenes más horribles, fue convenientemente fortificado, dotada su fortificación de dos cañones de artillería y guarnecido con 200 soldados.

Así las cosas, y después de estudiado convenientemente el sistema de guerra que con un enemigo tan cobarde como villano, sin organización ni disciplina, debía adoptar, estimé por más conveniente el de ocupar con pequeños destacamentos de tropas los puntos en mi concepto más estratégicos, como Palma Soriano, San Luis, el Cobre y el Cristo, en el interior, fortificados por el Coronel de Ingenieros D. José López y Cámara lo suficiente para ponerlos a cubierto de cualquier tentativa de bandolerismo, y el de guarnecer en su mayor parte las fincas rústicas con otros también pequeños destacamentos de tropa y de paisanos armados puestos por los propietarios.

Tiempo era ya de haber adoptado esta salvadora medida. Dispersos y constantemente perseguidos los insurrectos y reducidos a la cuarta parte de la fuerza numérica que en su principio tuvieron, propusiéronse desesperados el postrer esfuerzo de destrucción, convirtiendo en cenizas el país: entregaron a las llamas cafetales e ingenios, fincas de las más valiosas de esta jurisdicción, y aun no perdonaron las chozas y bohíos de infelices labradores o vegueros. A no haber adoptado aquel sistema de guerra, los campos estarín hoy yermos y cubiertos solamente de cenizas. Y no se diga que las fuerzas empleadas en esta ocupación hacen falta para el curso de las demás operaciones militares; todas ellas no llegan a 700 hombres, que situados como están hacen más daño al enemigo que empleados en contiuos desplazamientos, porque le privan de los recursos de su inmediaciones, le dejan menos campo para huir, dan con frecuencia a las columnas que le persiguen noticias ciertas de las distintas direcciones en que marchan, amparan las fincas que pueden servir de albergue a nuestras tropas en caso necesario y, por último, salvan la riqueza de una cierta y completa ruina, ventajas todas importantísimas y compatibles con una constante y activa persecución al enemigo, como lo demuestran sus bajas desde la adopción de los pequeños destacamentos, consistentes aquéllas en 600 muertos, 137 heridos en cuyo número sólo se comprenden los vistos, 2.244 presentados, 1.123 familias fugitivas de la insurrección y 42 fusilados previa formación de causa, entre éstos algunos cabecillas.

Respecto de las expediciones filibusteras, ya tuvísteis noticias de todas las que en este Departamento desembarcaron y la suerte que a todas ha cabido. Los aventureros que las formaron, arrastrados por la tentación de su provecho a expensas de la devastación del país, han sido en su mayor parte casi todos muertos o hechos prisioneros por nuestros valientes soldados y voluntarios, cayendo en nuestro poder dos terceras partes del material de guerra que trajeron.

La revolución está muerta: en vano los principales corifeos hacen los últimos esfuerzos para reanimarla; el hombre de todas las clases, el del campo como el de ciudad, el pueblo todo, cansado de haberlos sufrido tanto tiempo, los rechaza con horror. Poco, muy poco, queda pues que hacer para acabar con la insurrección completamente, y no dudéis un momento que el digno Conde de Valmaseda, encargado del mando de esta Departamento y de las operaciones militares, dará cima muy en breve a la pacificación que le queda encomendada por el excelentísimo señor nuestro querido y respetable Capitán General de la Isla.

Habitantes de este Departamento: mucho os han hecho sufrir esas hordas vandálicas, muchas han sido las pérdidas que os han ocasionado en vuestras propiedades y en vuestro comercio, pero no las temáis de nuevo en lo que yo con tanto tesón os he conservado, porque sonó ya la hora de la expiación de tantos horrorosos crímenes cometidos por traidores a su Madre Patria.

Adiós, compatriotas leales, insulares y peninsulares, todos españoles: me ausento con la convicción consoladora de que pronto quedará afianzada la tranquilidad en el seno de vuestras familias y próspero florecerá de nuevo este hermoso país.

Bravos y queridos regimientos de la Corona, de Cuba, León, Reus, Artillería, Ingenieros y Caballería, me despido de vosotros llevando en el corazón el sentimiento de dejaros y el grato recuerdo de vuestro indomable valor, de vuestra disciplina, de todas vuestras virtudes en medio de las incesantes fatigas y privaciones de una guerra en que tanto cuesta hallar al enemigo, tan traidor como cobarde; pero estad seguros de que con un esfuerzo más, ya lo sabéis, tendréis la gloria de pacificar por completo este país.

Jefes, oficiales y tropas de la Marina, que desde el principio de la guerra cruzáis el litoral de este Departamento, gran mérito habéis contraído para con vuestra patria; es de mi deber manifestároslo por vuestra incesante vigilancia, por vuestra constante disposición a los transportes que he estimado convenientes, por vuestro arrojo en los desembarcos de vuestra tripulación para coadyuvar en tierra las operaciones de las columnas del Ejército, por vuestra acertada y enérgica persecución de los buques piratas que se aproximaron a nuestras costas.

Voluntarios, siempre os he querido mucho; nadie puede desconocer los grandes serviicos que habéis prestado y continuais prestando en las circunstancias que atravesamos, como repetidas veces os lo he dicho.

Jefes, oficiales y soldados de este Ejército, estad seguros de que en cualquiera parte a que la suerte me conduzca, jamás podré olvidarme de vosotros.

Santiago de Cuba, 15 de septiembre de 1869.

Simón de la Torre

Nueva compañía

El Batallón de Voluntarios del Orden organiza una nueva compañía con el nombre de «Obreros» compuesta de 125 pardos, todos hombres de oficio y de menos de treinta años.

BOUDET

Fallece, a la avanzada edad de ochenta años, D. Francsico Zenón Boudet.

OPERACIONES

Sale el día 31 una columna de tropa con dirección a Jarahueca con objeto de batir a la partida de Rustán en combinación con fuerzas de Guantánamo y la sección de movilizados conocida por la «Escuadra de D. Miguel Pérez».

BAS Y CORTÉS

El Sr. D. Vicente Bas y Cortés, director fundador de *La Bandera Española,* pasa a Puerto Príncipe a ejercer, como en Cuba, el ministerio de Promotor Fiscal.

«LA BANDERA ESPAÑOLA»

De un artículo de fondo del periódico integrista *La Bandera Española,* artículo rabioso, copiamos este último párrafo: «Tiempo es ya de que esta ridícula comedia desaparezca de la escena del mundo, y si hay actores que tan en poco se tienen para prestarse a esta prostitución de la justicia y la buena fe, nosotros no tomaremos parte, no admitiremos papel tan denigrante porque nuestro decoro nos llama a un lugar más digno y elevado, más noble y justo, más patriótico y único en que debe figurar el que siente en sus venas la sangre de los Cides y Pelayos.»

«LA BANDERA ESPAÑOLA»

El periódico de esta localidad continúa no perdiendo ocasión de zaherir a los insurrectos: «Firmes en su propósito los bárbaros satélites de la insurrección, prosiguen su marcha destructora incendiando todas las fincas y asesinando bárbaramente a los que caen en su poder.

Todos los días recibimos noticias de nuevas depredaciones; todos los días hemos de presenciar cuadros conmovedores de familias que huyen de los campos y vienen a la ciudad en busca de refugio sin tener recursos con que poder vivir.

En medio de tan triste espectáculo no comprendemos cómo hay aún quien simpatiza y se regocija con estas crueles hazañas que hunden en un abismo el país más venturoso. La más negra venda cubre sus ojos, su corazón parece muerto a las más humanitarias nociones de sentimiento y parece que se han secado en ellos las fuentes de la sensibilidad.

Esta aberración del corazón humano jamás ha dado una prueba más enérgica del *plus ultra* de su extravío como en esta ocasión; la perversidad ha llegado a su apogeo; el crimen y la traición han alcanzado lo sublime del horror; nada ha bastado para ablandar esos pechos de roca; todas las cuerdas están rotas y no es posible sacar vibración alguna de esas almas abyectas.

¿Qué política es posible en circunstancias tan especiales? El aire mismo que respiramos está emponzoñado con el letal aliento de la rebelión, no hay un pecho amigo en quien depositar el tesoro de nuestra expansiva confianza; todos nos muestran un semblante hostil y siniestro; todo lo vemos encapotado y sombrío, preñado de combustible, almacenado para destruirnos.

No es posible ser ciegos por más tiempo, no es posible entregarse en brazos de la suerte que hasta ahora nos ha sonreído; es llegado el momento de obrar activamente sin tregua ni descanso hasta dejar arrancada la raíz de esa planta parásita que nos ahoga.

La victoria está de parte de la justicia y justa es nuestra causa; venceremos, sí, pero no hay que dormir sobre los laureles; el tiempo vuela con asombrosa rapidez y es mucho el trabajo, muy penosa la fatiga y muy corta la vida para poder legar a nuestros hijos una herencia de felicidad garantida por el honor de sus padres y por el brillo siempre resplandeciente de nuestro amado Pabellón.»

Macías

Corre de boca en boca esta frase de D. Juan Manuel Macías, presidente de la Sociedad Republicana por Cuba y Puerto Rico, que «*para discutir con las tiranías y sus secuaces no se deben emplear otros argumentos que los elocuentísimos del machete y los decisivos del cañón*».

«La Bandera Española»

Los presentados.—Copiamos del periódico indicado el artículo que lleva ese título, y al cual se puede poner la siguiente frase: «¿Es comedia que se quiere representar?» Vaya el artículo: «Gratas son las noticias que encontramos en *El Sagua* del 5 respecto a la presentación de 52 rebeldes en San Diego de Niguas.

Los dos jefes que mandan en este punto, a la par que fuertes e inexorables son humanos, protectores y padres cariñosos para los buenos y han sabido inspirar a todos ciega confianza en el gobierno, cuyos resultados estamos tocando todos los días.

El 22 del próximo pasado agosto, a las tres de la madrugada, salieron de dicho punto el señor Piñera, comandante de la fuerza, en unión del capitán pedáneo D. José María Díaz, entendido y gran conocedor del terreno y personas del partido, con 20 voluntarios y 30 de Marina; salieron a recorrer los parajes sospechosos, cayendo sobre el *Hatillo,* pasando una gran parte del día en aquellos alrededores, donde suelen verse partidas de insurrectos y donde se presumía pudieran estar algunos de los rezagados del cabecilla Callejas, que el 21 había escapado por dicho punto. Pernoctó la columna en el ingenio *Americano.* El 23 siguieron registrando los puntos más sospechosos, hasta parar en el ingenio *Cruz.* Como a las dos de la tarde se presentó una partida de 19 insurrectos armados y montados con bandera blanca de parlamento. Los recibió el comandante señor Piñeira con la columna formada, y con las precauciones consiguientes mandó terciar las armas, y en alta voz dijo: «Voluntarios y soldados, los individuos que veis vienen a presentarse y acogerse bajo el amparo de la bandera española. Ellos la abandonaron siguiendo el asqueroso trapo de la insurrección, que, engañados por hombres malvados iban a ser instrumentos de planes egoístas y cómplices de crímenes reprobados por las leyes y la conciencia. Los corazones españoles han triunfado de sus inteligencias descarriadas y hoy, arrepentidos de sus faltas, me piden los prohije la Nación Española dispensándoles, cual madre cariñosa y magnánima, el haberse separado de su tutela por algún tiempo.»

El señor Piñeira, dirigiéndose de nuevo a ellos dijo: «Presentados, ¿atestiguas públicamente el arrepentimiento de vuestra falta?»

—Sí —dijeron.

—¿Juráis a Dios seguir siempre bajo la bandera española, sin volver a abandonarla?

—Sí, juramos —contestaron.

—Pues bien, yo, en nombre del Gobierno de la Nación, os indulto de vuestro delito de insurrección, pero en el bien entendido que si alguno o algunos de vosotros hubiese cometido un delito cualquiera, como incendio o asesinato, quedará a responder de vuestra conducta. Y en prueba de que ya somos españoles y hermanos, gritad con voz salida del corazón: ¡Viva España! ¡Viva Cuba Española! ¡Viva España triunfante! »

Después del acto todo fue vivas, regocijo y fraternidad, abrazándose con la tropa, pues estos individuos, vecinos todos del partido de San Diego, no habían sido de los criminales y bandoleros, sino que el miedo y la vergüenza los tenían sepultados en las maniguas y montes de Maguaraya sin seguir bandera alguna.

El 29 ha tenido lugar, en el ingenio *Americano,* otra escena igual, presentándose 52 insurrectos, entregando las armas de fuego y blancas que llevaron a las filas insurrectas. En menos de ocho días se cuentan 51 presentados acogiéndose al Pabellón español; brazos arrancados a la insurrección y dedicados hoy a labrar la tierra.

«LA BANDERA ESPAÑOLA»

Titulamos lo que vamos a copiar, impreso en el periódico *La Bandera Española,* «Comedia o farsa», conservando nuestro propósito de imparcialidad, que debe ser el alma de crónicas e historias.

«Doña M. G. de Guamutas, a quien no tenemos el honor de conocer, dice el *Boletín Mercantil* de Cárdenas del 3, nos ha remitido por el correo una carta de una cautiva amiga suya facultándonos para publicarla en las columnas de nuestro periódico. Dámosle pues cabida corrigiendo en ella algunos errores ortográficos y sin ocuparnos de la manera que ha llegado a sus manos, puesto que ni la primera nos lo dice ni ésta, a quien tampoco conocemos, lo indica. Dicha carta es tal como sigue:

"Cautiva estoy, María, de la manera más triste y vergonzosa que puedes imaginarte, arrebatada de la casa de mi querido padre por una horda de asesinos a quien el vulgo llama insurrectos; fui conducida a este campamento de donde veo trazado el limpio camino que a paso ligero me harán avanzar para empujarme al abismo de la deshonra; mi padre (de quien poco se ocupan) es el único que me anima con sus consejos, procurando separar de mi imaginación los tristes acontecimientos que preveo y que imprescindiblemente han de consumarse tan pronto tengan preparada la fosa para enterrar la nueva víctima de sus hazañas. El ha sido también arrancado a viva fuerza de su antigua y hasta ahora apacible morada, donde por muchos años disfrutó de completa quietud, cultivando la fértil tierra que le producía lo necesario para vivir con deshaogo, dar a sus hijos la modesta educación que en estos puntos puede proporcionarse y cumplir religiosamente con los valiosos deberes de honrado y pudonoroso labrador; su destino está igualmente enlazado con los que como él han sido arrastrados por vándalos al teatro de los crímenes, que así debe llamarse este desborde de pasiones que con el manto de patriotas quieren cubrir la traición e ignominia que rechaza la ley de la humanidad.

No creas que en alguno de mis relatos haya exageración; bien me conoces tú y sabes que desde muy niña he sido enemiga de manchar con la abominable mentira la sencilla pero virtuosa educación que mis padres me han enseñado a venerar; no desfiguraré ni omitiré pasaje alguno para revelarte cuanto acontezca en mi azarosa situación; mi desgracia me ha conducido a este denigrante estado y por más que lucho por romper el formidable lazo que me liga, juzgo inútiles y débiles todos mis esfuerzos, pues todos ellos han de estrellarse contra el duro blindaje que defiende la innoble cuerda que me han tendido. No vislumbro el más leve rayo de luz que ilumine el sendero de mi salvación (esta frase ha desaparecido bajo la negra nube que envuelve mi porvenir). En todo cuanto me rodea rebosa la desmoralización y la perfidia; razón tienen los que ocupándose de la malhadada insurrección le dan calificativos propios de salvajes. Colocada en un ruinoso bohío donde quizá haya vivido venturosa alguna virtuosa y laboriosa familia antes de dar principio a sus desmanes estos naturalizados hijos de España, me veo cercada de una manada de lobos cuyos instintos son públicamente conocidos, acechándome como un cordero para devorarme entre sus garras. Inútiles son los ruegos y dolorosas lágrimas que derramo implorando perdón para mi adorado padre y para mí; en vano invoco el sagrado nombre de sus madres; todo lo oyen y miran con desprecio; tienen corazón de tigre cuando no se ablandan a mis tristes manifestaciones.

En fin, resulte lo que Dios quiera, pues tal vez en la segunda que te escriba tenga que hacerte relación de otro nuevo período de vida que espera a tu cariñosa amiga.

Dolores Pérez

P. D.—No te doy dirección para las tuyas porque sería difícil pudieran llegar a mis manos.''»

DESAHOGOS DE PATRIOTISMO

Copiar y copiar es nuestra misión para que escritas queden en un libro cosas que no debieron haberse dicho y menos haberse impreso:

AL 18 DE SEPTIEMBRE DE 1868

SONETO

Fue, es y será para el mundo
Admiración de escenas hispanas;
En mil hechos su frente soberana
Ardió, cual un genio sin segundo:
Brotó de su seno hombres fecundos
Que arrancaron la tiranía en la lid,
Modernos: Serrano, Topete y Prim,
Héroes de este día los más profundos.
Loor rindamos a la Ibérica Nación
Y a sus hijos que de un golpe cortaron
La anarquía de Isabel de Borbón;
Vano es el mundo y también su memoria,
Pero tú, invicta España, debes decir:
«Vano todo será menos mi gloria.»

El Solitario Español

LA GUERRA EN ORIENTE

Sin comentarios copiamos esta carta del general cubano Donato del Mármol.

Del periódico *La Revolución:*

«Mi última correspondencia, fechada en el *Ramón,* había puesto a usted en conocimiento de algunos hechos de armas llevados a cabo por las fuerzas de esta División.

Obedeciendo a órdenes superiores movióse gran parte de la columna a mi mando de las posiciones que ocupaba hacia las jurisdicciones de Sagua de Tánamo y Guantánamo para venir a ocupar las actuales en consecuencia con el plan nuevamente concebido y acordado, no sin dejar antes considerable número de patriotas que, capitaneados por el jefe Policarpo Pineda, han de

13

continuar las operaciones iniciadas con tanto éxito sobre Guantánamo y Baracoa.

Como ampliación al parte del ataque sostenido por el comandante José Camilo Sánchez contra 200 enemigos, que por segunda vez atacaron el 21 del pasado al campamento de aquel jefe, puedo hoy, mejor informado, afirmar que las bajas que se dice sufrieron los contrarios al ser rechazados ascendieron a cerca de 80, incluso en este número un jefe.

Las fuerzas que a las órdenes del brigadier Jesús Pérez operan en la costa Sud, no lejos del Aserradero, no cesan, por su parte, de hostilizar al enemigo atrincherado en ese punto, ocasionándole considerables bajas cuantas veces osan ponerse al alcance de los nuestros.

Recientemente un pequeño destacamento patriota, al mando del teniente Gabriel Escalona, puso en desordenada fuga a una sección de infantería enemiga con sólo una descarga que se le hizo, dejando tinto en sangre el camino que recorrió.

Desde el 27 del pasado agosto abrió el jefe Pineda su segunda campaña en el rico territorio de Guantánamo con la toma del campamento que con el nombre de *El Ramón* guarnecía una fuerza española, la que a la sola presencia de nuestra gente cobró tal terror que en su precipitación hubo de abandonar, cayendo en nuestro poder, varios prisioneros, algunas armas de fuego, una gran cantidad de pertrechos y todo su convoy. Destruido este primer obstáculo, la marcha triunfal de los nuestros no se detuvo hasta llegar a la finca nombrada *La Sidonia*. Posesionados de este punto, allí aguardaron tranquilos la columna que con fuerzas combinadas de Guantánamo, Ti-Arriba y los fugitivos del *Ramón* presentóse, al fin, el 29 en número de cerca de 300 hombres.

Por tres días consecutivos a contar desde el 29, contuvo el esforzado Pineda los desesperados ataques de un enemigo envalentonado por el número. Tres veces rechazados al pretender la posesión de la casa, cedió por fin el campo disputado por valor de unos cuantos hombres que, olvidándose de llevar a sus hambrientas bocas el necesario sustento, sólo se cuidaban de combatir como bravos. Más de 30 heridos, multitud de muertos y algunas armas de fuego, fueron el premio de la victoria alcanzada por los soldados de la patria y el triste fruto del empeño del agresor. Pineda, pues, sigue dominando en el teatro de sus operaciones deseoso de encontrarse otra vez con los enemigos para hacerlos sentir el peso de su poder.

En posesión una buena parte de las tropas de la tercera brigada de esta división de los alrededores de Palma Soriano, no ha
dejado de habérselas con el enemigo en el corto período que lleva
de ocupar sus nuevas posiciones. Atacado el primero del actual
el campamento de Vega Lucía, cercano al indicado caserío, por
fuerzas salidas de Palma con ánimo de rescatar nueve prisioneros que en la noche anterior se le habían hecho, presentósele al
capitán Fonseca, comandante del puesto, la magnífica ocasión de
rechazarlas con una sola descarga casi a quemarropa con pérdidas de consideración y sin que de nuestra parte saliera un solo
herido.

Después, el 19 del actual, logró el mismo capitán Fonseca,
al frente de su compañía, la captura de 19 mulos cargados que
de San Luis se dirigían a Palma Soriano, haciendo prisioneros a
dos de los conductores y huyendo los restantes hasta el referido
caserío, de donde no tardó en salir en demanda del arria apresada.

Fue Fonseca el primero que tropezó con ellas, rompiendo
un vivo fuego que las obligó a cambiar de dirección.

Una hora después, como a las dos de la madrugada, intentaron un nuevo ataque sobre el campamento del capitán Carrera,
que a la vez logró rechazarles con algunas bajas más en las filas
contrarias.

Todavía al amanecer volvieron a acometer con más empeño
que en las dos acciones precedentes; otra vez unidas las compañías de los dos mencionados capitanes, tuvieron que ceder el
puesto, o mejor dicho abandonarlo, en el mayor desconcierto,
hasta guarecerse en sus atrincheramientos de Palma. Como puede
suponerse, además de las siete bajas que a simple vista se contaron, otras muchas debieron consignar. Por nuestra parte sólo
se ha echado de menos un soldado.

El 11 del que cursa salió de un campamento el ciudadano
comandante José Camilo Sánchez con el intento de atajar el paso
a un piquete de 25 soldados que custodiando un pequeño convoy se encaminaba del paradero de San Luis al ingenio *Burenes*.
Llegado a un lugar del camino entre este punto y Santa Rita,
rompió el fuego con sus 30 hombres sobre el enemigo, que al
cabo de una hora se vio forzado a retirarse, dejando sobre el
campo dos muertos y el convoy que conducía, llevándose algunos heridos, sin que tan buen hallazgo nos costara una gota de
sangre.

Al grito falaz de ¡Cuba Libre! intentaron los voluntarios de

Hongolosongo sorprender en el campamento al intrépido capitán Coureau. De ningún provecho fue para ellos el engaño proyectado, pues al primer paso que dieron en dirección al campamento aquellos traidores, tuvieron que retroceder espantados al mortífero fuego que dieron nuestros «Springfields». Completa hubiera sido la derrota del enemigo si el excesivo número de enfermos que entre su gente contaba el capitán Coureau no le hubiera impedido salir en persecución de aquél, como ardientemente lo deseaba. Así y todo grandes debieron ser las pérdidas que le hicieron nuestros soldados. Sabedor el prefecto Sierra que el enemigo acampaba en el cafetal *La Caridad,* no teniendo para nada en cuenta su carácter puramente civil, movido del más patriótico deseo, logró reunir como 15 vecinos mejor o peor armados y aguardarlos con tan escaso número en la bajada de la sierra. Con tan cierto dispuso las cosas el mencionado Prefecto, que al cabo de un rato de tiroteo vio marcharse a escape en desorden la fuerza invasora, llevándose dos heridos de gravedad sin baja alguna en nuestras filas.

A su vez, el subprefecto de Bruñí, con igual ardimiento y con sólo nueve hombres arrojados, salió a encontrarse con el enemigo, el cual se había posesionado de *Florida Blanca,* trabándose a poco tiempo de marcha una lucha en extremo desigual en la que el arrojo suplió con creces el número, al punto de obligar a sus contrarios a emprender una retidada más que precipitada y dejando sobre el lugar tres muertos, cargando a duras penas con los heridos que asegura aquel funcionario haberle hecho. También en esta ocasión, como en tantas otras, hay que consignar el milagro de no haber sufrido los nuestros la más leve contusión.

Estos son, a la ligera descritos, los hechos de armas de que tengo noticias hasta el presente, haciendo caso omiso de algunas escaramuzas ciertamente de poco interés para comunicarlas, pero de resultados positivos para el triunfo final de la causa.

Cuartel general en Cauto-Abajo, a 25 de septiembre de 1869. El general, *Donato Mármol.*

BOET

El diario español intransigente *La Bandera Española* dedica los siguientes párrafos al sanguinario coronel D. Carlos González Boet:

«La ausencia del señor González Boet es indefinida, y sabe

Dios si volveremos a estrechar en Cuba la mano de ese apreciado amigo que tantos recuerdos deja entre nosotros. El señor Boet es uno de los jefes que mejor ha comprendido la clase de guerra en que nos hallamos empeñados y el mejor sistema de perseguir al enemigo y, sobre todo, el medio más eficaz de combatir la insurrección en su raíz. Es innegable que la insurrección armada no existiría sin el auxilio oculto del laborantismo que la alimenta tanto en el orden moral como con recursos materiales, y en este concepto el objeto, mejor diríamos, la misión, de un jefe de columna ilustrado y sagaz no debiera limitarse a perseguir las bandas enemigas, atacarlas, vencerlas y ponerlas en derrota; mucho más eficaz es, en la cuestión que nos ocupa, sorprender sus secretos, oponer a su doblez e hipocresía el trabajo de contraminas, buscar los lugares en que se oculta y las fuentes que la nutren, combatirla, en fin, en sus bases, destruyéndoles esos elementos de vida que con tan siniestros fines propenden a prolongar la lucha...»

«La Bandera Española»

Copiamos estos exabruptos:
«Mi idolatrada banderita, terror de los mambí-santiagueros, ¿me haces el obsequio de publicar esto...? Pues te anticipo las más expresivas gracias.

> En Holguín fui capitán,
> En Gibara fui teniente,
> En Cuba cabo segundo
> De flanqueadores nacientes.

> De todo retrato fiel
> Tengo con mi uniforme,
> Y en llegando a coronel
> Puede ser que me conforme.

> Pienso ascender de momento
> Desde Maisí a San Antonio
> Sin parar ni oir lamento
> Aunque me lleve el demonio.

> ¡Oh carabina Minié,
> Qué limpiecita te veo,

Lorando estás y tu pie
De gato bailando veo!

Ya sé que de hambre respiras
Por tragarte la canana,
porque si en sangre suspiras
Yo te la daré mañana.

Y si la manigua abrochan
Como pillos de vil raza,
Botas y machetes trochan
Bosques para darles caza.
Que vengan esos canallas;
Que avisen esa caterva
El nido de sus agallas
Para llevarles conserva.

Y si llego a coronel,
¡Dios mío!, ¿qué será de eso?
Entonces les llevo queso
De los que hizo Ezequiel.

Hasta ahora hablaba en prosa; ahora entra el verso.

Y por último, puesto que el trapisondista Céspedes, el criandero de vacas y puercos ajenos Aguilera, y como él el vago del insignificante Julio Peralta, que vive a costa del difunto Acosta, el intruso Marcano y hermanos que están conspirando en el valle de Josafat o Josefa, y el feísimo —quijada virada, haragán, jugador tramposo y lleno de vicios, ex de Santa Lucía sin vista— y demás presidiarios y desterrados, han tenido el arrojo de titularse generales con pretensiones de beligerantes, después de tanto tiempo que lo son de bandoleros, yo, que con cuatro hijos del país he destrozado a la gavilla de Peralta y en el Yareyal les cogí cinco prisioneros con tristes cuatro soldados al practicar un reconocimiento por orden del entendido y valiente capitán de la Corona señor Arizmendi, después de haber tenido un encuentro con el mismo cabecilla, en lugar de cabo segundo, que tanto me honra en la compañía, me titulo segundo cabo del ejército universal siempre que todos los enemigos sean como ellos.

Un flanqueador

OCTUBRE 1869

CÓLERA

(Octubre).—Decrece la epidemia del cólera de una manera notable desde el principio del mes.

VOLUNTARIOS

Los oficiales de los cuerpos de voluntarios solicitan del Gobernador acuerde el mejor medio de llenar las compañías al cupo que deben tener, y de esa manera completar los batallones, para llenar las bajas que han tenido. Se proyecta la formación de una brigada completa de voluntarios compuesta de los dos batallones existentes, la compañía de Guías, el escuadrón de caballería, una sección de artillería de plaza y un batallón de obreros de color, para el cual servirá de núcleo la compañía ya organizada para el Batallón del Orden.

COMISIÓN

Sale en el vapor *Cienfuegos* una comisión compuesta del Alcalde Municipal, un concejal, dos hacendados, dos comerciantes y tres capitanes de voluntarios que se dirige a Manzanillo para felicitar en nombre de la ciudad al conde de Valmaseda, nombrado comandante general del Departamento Oriental.

GÓMEZ

Es nombrado secretario en comisión del Gobierno Civil don Manuel Gómez, oficial de la Administración de Contribuciones de Villaclara, en sustitución de D. Manuel Asencio, jefe de negociado de primera clase que venía ejerciendo dicho cargo.

«EL CACIQUE»

Entra en puerto el vapor francés *El Cacique* después de haber sufrido un rudo temporal de ocho días al atravesar el Atlántico.

FERRER

Se hace cargo del Gobierno Civil y Militar interinamente el brigadier D. Félix Ferrer y Mora durante las ausencias del propietario, Conde de Valmaseda.

SERENATA

En la noche del día 8, los voluntarios de los batallones de Guías Nacionales y del Orden dieron una serenata al brigadier D. Félix Ferrer, gobernador de Cuba y su jurisdicción, que había llegado el día anterior en el vapor *Cuba* para hacerse cargo del mando de la plaza.

VIDAS Y HACIENDAS

El Ayuntamiento se adhiere a la moción del Ayuntamiento de La Habana, poniendo a disposición del Gobierno, «como amantes defensores de la integridad nacional: 1.º Que están dispuestos, como lo han estado siempre, a sacrificar vidas y haciendas para sostener a todo trance la dignidad de la Nación. 2.º Que si por ventura algún poder extraño, desconociendo con directa o indirecta hostilidad el derecho de España, atentare contra el decoro de su soberanía, el Gobierno Supremo puede obrar con entero desembarazo y enérgica decisión sin detenerse jamás ante el temor de que éstos puedan experimentar perjuicios accidentales los habitantes de esta Isla, pues éstos antepondrán siempre a sus particulares intereses el honor de la Bandera nacional, que debe aparecer limpia y gloriosa ante todos los pueblos del mundo.»

CONDE DE VALMASEDA

A las tres de la tarde del día 12 llega a bordo del vapor de guerra *Gorrión* el general conde de Valmaseda. Aunque era esperada su llegada no se creía que se efectuase tan pronto, así que no pudieron realizarse todos los obsequios que se le preparaban. Sin embargo la calle de la Marina, por donde subió el general, se cubrió de banderas como por encanto. Los vecinos adornaron el frente de sus casas iluminándolas por la noche. Igualmente se engalanaron e iluminaron los edificios del Estado. La casa del Círculo Español se alumbró con hachones y presentó un letrero en que se recordaba el 12 de octubre de 1492, en que Colón descubrió el Nuevo Mundo.

CONDE DE VALMASEDA

Se hace cargo del mando del Departamento Oriental el conde de Valmaseda.

MANCEBO

Pasa el Ayuntamiento a saludar al conde de Valmaseda. El Dr. D. Francisco Mancebo, abogado, concejal síndico del Ayuntamiento, individuo muy cubano y gran conspirador sumamente astuto, lo que le valió alguna vez el epíteto de «Saco de malicias», se fijó, después de la natural felicitación al conde de Valmaseda por su feliz llegada a Cuba, de que el general, hablando con uno de sus ayudantes, fijaba la vista con insistencia en él de momento en momento. Aquello no le gustó, y excitada su malicia y desconfianza, acercóse a su particular amigo el señor don Lino Guerra, condiscípulo e íntimo de Valmaseda según se decía, y le dijo: «Escucha, "Niní" (nombre familiar de Guerra), Valmaseda me parece que trae algo contra mí. Tú conoces mi vida tranquila y diáfana, pero siempre se tienen enemigos, sobre todo en tiempo de revueltas; voy a llegarme a casa y tú, con la amistad que con él tienes, averigua en qué se me ha calumniado y en fe de nuestro compañerismo e íntima amistad, avísame de seguida qué es lo que hay.» "Niní" Guerra, un letrado sumamente bondadoso, sin malicia alguna se puede decir y de verdadero afecto para todos y principalmente para con sus amigos, hizo lo que el doctor Mancebo le había indicado, y a poco rato envióle un volante diciéndole: «No te muevas; iré a verte pronto.» Cumplida la visita de recepción a Valmaseda, fue el señor Guerra a casa del doctor Mancebo, quien le aguardaba impaciente para esconderse y salir luego para la insurrección. «Tenías razón, Pancho; a Valmaseda se le había engañado y venía tan mal impresionado de ti y con notas tan malas y tan calumniosas respecto tu lealtad, que venía dispuesto a fusilarte. Lo he convencido de lo que tú eres, tu vida retirada, que sólo sales de casa para asistir a las sesiones del Ayuntamiento y los domingos ir al cementerio a llevar flores a la tumba de tu difunta esposa. Has tenido suerte en tu suspicacia y quedas tan recomendado para lo adelante por el mismo Valmaseda a sus suplentes que puedes dormir tranquilo; nadie, directa ni indirectamente, te molestará para nada.»

A la amistad del licenciado Guerra debió la vida el doctor Mancebo. El señor Guerra obró con la mejor buena fe creyendo en el españolismo de su amigo, pues pensaba y creía que lo acumulado al doctor Mancebo era una de las tantas infames calumnias contra un inocente, pues justamente entre las flores llevadas al nicho donde reposaban los restos de su esposa es donde escondía el conspirador la correspondencia para los insurrectos.

CÓLERA Y VIRUELAS

A mediados de este mes se recrudecen las epidemias del cólera, y con la agravante de presentarse también casos de viruela.

PUJOL

Fallecimiento, víctima del cólera, del concejal D. Ignacio Pujol, antiguo comerciante, siendo también víctima de lo misma su señora esposa.

CAPAZ

Fallece, víctima del cólera, la señora del concejal D. Eusebio Faustino Capaz.

VOLUNTARIOS

Llegan comisiones de voluntarios de La Habana, Cienfuegos, Trinidad y Manzanillo para hacer el presente que los voluntarios dedicaron al conde de Valmaseda. A dichas comisiones se agregaron individuos de los batallones de esta ciudad. Los comisionados son obsequiados por los voluntarios de Cuba con varios festines.

DE LA SIERRA

Fallecimiento del señor capitán del batallón del Orden don Eloy de la Sierra.

OPERACIONES MILITARES

El conde de Valmaseda eefctúa cambios importantes en la situación militar. Las tropas que se hallaban destacadas en inge-

nios y cafetales son reconcentradas y, unidas a las pocas que
había en Santiago, forman columnas volantes teniendo por centro puntos estratégicos que les permitan seguir protegiendo las
haciendas y a la vez perseguir a los insurrectos. Con tal motivo
no queda en la ciudad ningún soldado regular, prestando todos
los servicios los voluntarios, incluso la ocupación del puesto de
San Luis, para el que fueron destinados 100 hombres de Infantería y 25 de Caballería.

Jerez

En el vapor *Cienfuegos* llega D. Juan Jerez, padre del capitán de Ingenieros D. Ciro Jerez y Varona, herido de gravedad
en la acción sostenida con los rebeldes en las márgenes del Cauto.

Operaciones

El domingo 31, a las ocho de la mañana, entra en la ciudad
la columna de voluntarios del Batallón de Guías Nacionales y la
Caballería que, al mando del coronel D. Luis Portero, había salido hacía pocos días para operar en combinación con fuerzas del
Ejército. Es recibida con grandes muestras de regocijo por los
demás voluntarios y el elemento peninsular.

Dementes

Son remitidos a La Habana los dementes D. Vicente Mesa,
Concepción Herrera y María Asunción Blanes.

Sopas

El Ayuntamiento continúa la repartición de sopas en las distintas parroquias a los pobres de la ciudad.

Cadáveres

Recrudecida la epidemia del cólera morbus, llenos de espanto los conductores de cadáveres, los dejan abandonados en el camino que conduce al cementerio lejos del camposanto, teniendo
que ser llevados a él por amigos y familiares.

Vidas y haciendas

Los voluntarios y bomberos continúan telegrafiando al Capitán General Caballero de Rodas ofreciéndole «vidas y haciendas

por si un Gobierno exterior pretende menoscabar la honra de nuestra Nación».

Aquellos tiempos

Copiado del periódico *La Bandera Española:* Desahogos en el aniversario del 10 de octubre de 1868.

«El día 18 de septiembre de 1868 un puñado de valientes e ilustrados patricios dio en Cádiz el grito mágico de ¡Viva la Libertad! Y con la velocidad del pensamiento, aquel grito resonó en todos los ámbitos de la Península Española... La Isla de Cuba, deslumbrada con tanta luz, miraba electrizada de entusiasmi desarrollarse aquel maravilloso y fascinador espectáculo pensando que, como hija de tan noble madre, también para ella sonreía la aurora de la libertad, sin que sus hijos hubiesen pagado el tributo de sangre, triste ofrenda de los pueblos que con la espada tienen que conquistar sus derechos y sin que en el torbellino de la revolución hubiesen peligrado sus instituciones, sus creencias religiosas ni su nacionalidad...» «Pero, ¡oh dolor!, cuando más embriagado se hallaba el pueblo cubano en sus risueñas esperanzas se oyó el grito siniestro de la rebelión, que en Yara lanzaron los desnaturalizados hijos de esta tierra cuyas nefandas ambiciones pretendían realizar entre ríos de sangre, ruinas y cenizas. El 10 de octubre de 1868 será para siempre inolvidable en la historia de las desgracias de Cuba. Hoy hace un año; hoy recordamos con amarga pesadumbre esa fecha siniestra que acibara nuestras más legítimas y sinceras esperanzas y que, inaugurando una serie de calamidades espantosas, ha dejado horrible huella de sangre y de lágrimas donde pudieran hoy reinar las dulzuras de la paz y de la felicidad...» «¿Qué lograrían si triunfaran...? ¡Ah!, nuestra imaginación se abisma en el dolor al contemplar mentalmente el triste cuadro que presentaría nuestra infortunada Cuba si tuviese la desgracia de que lograse sus intentos la insurrección; para sintetizar nuestro pensamiento, que es el pensamiento general de todos los hombres buenos y sensatos, diremos que su misma victoria sería su peor castigo: el aniquilamiento, la ruina del país, la anarquía, el retroceso de Cuba como entidad política, económica y social y, en último término, la muerte y desaparición de la familia cubana si para colmo de infortunio cayese víctima de la ambición de una raza enemiga de la nuestra...» «Tales son las tristes ideas que se agolpan en nuestra mente en el triste aniversario del tristemente memorable día 10 de Octubre.»

SERENATA

Los voluntarios de los batallones Guías Nacionales y del Orden obsequian al Gobernador con una serenata y a los jefes y oficiales se les sirvió en palacio «un abundante refresco, brindando el señor Gobernador por España, por el ejército y por los voluntarios. Las músicas amenizaron el acto rompiendo la marcha con el marcial himno de Riego.»

EL CAPELLÁN DEL BATALLÓN DE LEÓN

Con sus iniciales M. L., el capellán de León publica un artículo furibundo con párrafos como los siguientes: «¡...Muera España!, repitieron en medio de los bosques pechos innobles e ingratos, hombres sln corazón ni sentimientos, y su eco cruzó como corriente eléctrica por toda la Perla de las Antillas. Ese grito subversivo y rebelde sorprendió por el pronto al pueblo español, pero instantáneamente vuelve de su sorpresa y con toda la energía que le es propia, con toda su sangre de fuego: ¡Viva España!, responden los mares; ¡Viva España!, contestan los vientos; ¡Viva España!, repiten los montes, y ¡Viva España! contesta el cañón. Y el rico y el pobre, y el sabio y el ignorante, y el joven y el viejo..., todos, ¡Viva España!, repiten con entusiasmo y calor...» «... Doce meses cuenta Cuba de insurrección cobarde y asquerosa...» «... No, no son hermanos nuestros esos malvados que capitanea Céspedes; no son españoles; una sola gota de nuestra sangre que circulara por sus venas les daría aliento y valor y no serían tan cobardes y tan infames...» «... Y afortunadamente no está lejano el día en que caiga sobre vuestras cabezas todo el peso de la ley; vuestras horas son contadas, como las de un reo en capilla, y el golpe decisivo se acerca y la muerte véola blandiendo sus negras alas sobre vuestras frentes manchadas con las tintas del crimen...» «... cuando la paz, pues, no puede llevarse a cabo sino por las armas, guerra debe predicar todo hombre que sienta latir su corazón por su patria. Además la guerra es lícita, admitida y autorizada por Dios. Guerra hizo Abraham, guerra Josué, guerra Gedeón, guerra David y guerra sostuvo San Hermenegildo, guerra San Fernando, guerra hizo San Luis y otros patriarcas y santos reyes, y no me cansaré de

predicar con la palabra y con la pluma guerra... y guerra hasta
salvar la Isla de esa polilla que la corroe y destruye...»

DECADENCIA

No podemos resistir a la impresión de los siguientes renglones titulados *Glosa,* publicados en lugar preferente de *La Bandera Española,* dedicados a la señorita D.ª C. G. y P. por un
glosador que firma con el seudónimo de «Turpial de los Mares».

Eres un botón de rosa,
Eres una perla fina,
Como la niñez hermosa,
Como la gracia preciosa,
Como la virtud divina.

Siempre distante el rubor
De esos tus rasgados ojos,
Que suelen causar enojos
Al amante trovador.
Te igualo por el primor

De tu endecha misteriosa,
A la índica tojosa,
Y si es que tu aliento aspiro
Y entre las flores te miro,
Eres un botón de rosa.

Si yo a Lauro conociera
Por ti no más lo llamara,
Porque sé que se inspirara
Al momento que te viera.
Que eres virgen hechicera
Con tu frente alabastrina,
Con tu sonrisa divina;
Y entre las perlas valiosas
De estas regiones hermosas
Eres una perla fina.

Hay en tu voz la expresión
Que al sentimiento se aduna,
Y que agitan una a una

Las flores de mi ilusión.
Por eso en la inspiración
De una idea misteriosa,
Te miro, virgen graciosa,
En tu rica bienandanza,
Dulce como la esperanza,
Como la niñez, hermosa.

No extrañes si tiernas van
Hoy para ti mis baladas,
Porque encierran tus miradas
Un divino talismán.
Que en ellas hay el imán,
De influencia poderosa,
Que entonces mi alma afectuosa
En dulce éxtasis te ve
Divina como la Fe,
Como la gracia, preciosa.

En ti he podido entrever
La castidad del arcángel
Con la pureza del ángel
En la hechura de mujer.
Para tu alma enaltecer
El mismo laud declina,
Porque tu pudor fascina
Y tu inocencia enamora
Y eres bella cual la aurora,
Como la virtud, divina.

ALVAREZ DE TOLEDO

Fallecimiento de la preciosa niña Antoñita, de ocho años de edad, hija del caballero D. Antonio Alvarez de Toledo y de su esposa D.ª Javiera Rizo.

ESCARIO

Fallece en La Habana el intendente general de Hacienda excelentísimo señor don Joaquín Escario, y se abre una suscripción en esta ciudad para su familia que produjo la suma de $ 499.25 centavos.

«La Bandera Española»

El conservadorísimo periódico español *La Bandera Española* se desahoga con este exabrupto:

«Hoy es domingo y 10 de octubre, aniversario *del aullido que dieron los salvajes en la manigua* a consecuencia de una *bufa* y capitaneados por el *inglés* Céspedes con idea de destruir la Isla de Cuba, formar un palenque y vivir como las fieras apoderándose además de lo ajeno, de lo que otros han regado con el sudor de su frente. El 10 de octubre hace un año que se hizo *Generalísimo* el que atentó contra la vida de sus padres, el que no contento con la esposa que poseía contrajo otras nupcias, el que derrochó capitales no suyos valido de su profesión, en fin, Carlos Manuel, que encontrándose sin valor suficiente para mandar su improvisado ejército, temeroso de las balas y las bayonetas, dejó el puesto para dárselo a otro a fin de ver la función de lejos y estar a lo manso.»

«El Cubano Libre»

En la redacción del diario *La Bandera Española* aparece un número del periódico insurrecto *El Cubano Libre* impreso en el campo de la Revolución, y refiriéndose al periódico cubano exclama el periodista español: « ¡Hábrase visto mayor descaro! ¿Quién no conoce en la Isla de Cuba la historia de Carlos Manuel? El que niegue lo infame que ha sido es tan infame como él.»

Venta de Cuba

Sobre este asunto se desahoga la prensa con furibundos artículos, de los cuales copiamos estos párrafos:

« ¡Vender el país que hemos descubierto, poblado y civilizado, un país que nos debe desde la humilde cabaña hasta la capital de 215.000 habitantes; un país fecundado por nuestro sudor, enriquecido por nuestro trabajo, elevado al rango de *comercial por excelencia* merced a la constancia y espíritu emprendedor de la continua emigración de la Península!

¡Y venderse porque lo piden infames y perdidos renegados como el bígamo Céspedes, el presidiario Quesada, el jugador Santa Lucía, el quebrado Aguilera, el traidor Morales Lemus y

otros mil acólitos del pillaje y del asesinato que han enarbolado
la tea del incendio para sumir en la miseria al país que los vio
nacer; hombres que han seducido al simple campesino y pagado
hordas de aventureros para legar a la posteridad la herencia igual
a la que hoy disfruta Santo Domingo! »

« ¡Guay del que ose comprar la Isla de Cuba!, el que la compre comprará ríos de sangre y montones de ruinas, y aun así es
difícil logre comprar con sangre lo que pague en buen dinero.»

Tristán Medina

Copiamos de La Revolución, que se publica en Nueva York.
Un amigo nuestro nos remite para su publicación la siguiente carta «Al Padre Tristán de Jesús Medina»:

«Querido compatriota: Cuéntase un año ya desde que un
pueblo de este hemisferio ha presentado a las naciones del mundo civilizado la demanda de sus aspiraciones para sentarse en el
comicio cual Chile, Méjico, Bolivia y Perú.

El día 10 de octubre del año pasado 1868, 200 patriotas ins-
pirados por el Genio de la Libertad osaron desafiar a una nación del viejo continente quien acusa en sus censos no menos que
dieciséis millones de habitantes y una escuadra relativamente poderosa.

Apenas ha transcurrido un año y los 200 patriotas han elevado su guarismo a 60.000, y la nación del viejo continente ha
abdicado de su poder reconociéndose impotente para vencerlos,
y los 100.000 veteranos huyeron despavoridos a guarecerse en
las costas y detrás de las ciudades amuralladas, y la escuadra poderosa se recoge en los puertos al simple anuncio de la existencia de un corsario, y el barómetro se presta dócil para cubrir su
mengua anunciando la proximidad de huracanes en las Antillas.

El amor de la patria es un sentimiento noble, grande y generoso que se sublima hasta la divinidad, porque siendo el amor
de los amores exige como tributo la abnegación y el sacrificio.
Pues bien, querido compatriota, nuestras mujeres, tipo de la castidad y la ternura, cuando en las noches pavorosas oyen el estam-
pido del cañón oran a Dios por los que sucumben, alientan a sus
esposos, a sus hijos y a sus hermanos para que acudan a la pelea
y enseñan en el recinto del hogar doméstico al tierno infante
que acarician en su seno a pronunciar esta salvadora palabra:
Indepedencia.

Pesaba sobre la patria un gran crimen exclusivamente por

los opresores; a su nombre se habían creado grandes intereses, pero llegó la hora de la reparación; no más el hombre será explotado por el hombre; los patriotas incendian sus hogares, abandonan sus penates, sus comodidades, todas sus riquezas, y desde la empinada cumbre del Turquino anuncian a la humanidad que han proclamado la abolición de la esclavitud.

¿Conocéis la tierra en que se ha verificado tan maravillosa metamorfosis? ¿Sabéis cuál es el pueblo de esclavos elevado a la categoría de héroes y que ha resuelto en ese sentido la cuestión social, la cuestión política y la cuestión religiosa? ¿Sabéis quiénes son las madres convertidas en matronas y las vírgenes convertidas en mártires y heroínas? No lo sabéis, no: vuestro silencio de un año me lo indica; y no lo sabéis porque la luz no ha penetrado en la oscuridad de vuestra celda, porque el fanatismo romano os ahoga y asesina y porque no tenéis, en fin, la conciencia del gran deber que pesa sobre vos de libertaros a vos mismo. El padre Jacinto, de Nuestra Señora de París, os ha dado el ejemplo: imitadle sin tardanza; venid hacia nosotros, que somos vuestros compatriotas y hermanos. Pero ¿dónde voy?, preguntaréis asombrado. ¿Cuál es esa tierra de héroes, de matronas y de mártires que no conozco y me pintáis con tan expresivos colores? ¡Ah, es verdad!, la conocísteis ayer con el atavío de una virgen..., hoy es la heroína del mar Caribe: esa tierra es vuestra patria, Cuba. Venid que os esperamos.—*F. de G.*

A CUBA

EN EL ANIVERSARIO DE SU INDEPENDENCIA, 10 DE OCTUBRE,

POR VICENTE CORONADO

I

¿Eres tú la que osas
Mover a España, guerra arma al brazo?
¿Con ella en dulce lazo
Y del amor cautiva en el regazo?

II

Para tu blanda mano,
Hija del sol ardiente y las espumas,
No es el hierro inhumano,
Y con el casco abrumas
La frente que llevó flores y plumas.

III

De verdad que suspiras
No es la espada, la sangre, los furores:
Depón, depón la ira,
Y vuelve a tus amores,
A las plumas, las gasas y las flores.

IV

Así melíflua implora
El tirano, el tirano a tus pies con voz sumisa;
Mas la intención traidora
En su faz se divisa
Y el oculto furor de una sonrisa.

V

¡Otra vez, otra, el yugo
Que cruel a tu cerviz unció el ibero!
¡La argolla y el verdugo!
Rendir el noble acero
De patria y libertad. ¡Muere primero!

VI

No de mezquino aliento
Es la alta empresa que a la gloria guía,
Apresura el intento,
¡Ten valor, osadía!
El laurel se arrebata y se porfía.

VII

La combatida llama
Lumbre más viva y resplandores vierte;
Así el valor se inflama,
Por la contraria suerte,
Y es más hermoso al desafiar la muerte.

VIII

¡Luchar, luchar continuo!
Limpiar de monstruos la infestada tierra,
De Alcides fue el destino,
Allí el tuyo se encierra;
¡Guerra de España a los tiranos, guerra!

IX

Si el huracán revienta,
¿Encresparse, no ves hervir los mares
Y barrer la tormenta
Sembrado, chozas, lares,
Y abatir hasta el suelo tus palmares?

X

¿No ves los elementos,
Rota la ley que encadenó su ira?
Braman furiosos vientos,
Su luz el sol retira
Y el rayo rasga nubes y raudo mira.

XI

Gritos, confusas voces,
Suenan de nautas en peligro cierto;
Izan, huyen veloces
Del ya puerto,
Y se arrojan al líquido desierto.

XII

Estrago, luto, ruina
Esparce el huracán enfurecido.
Los árboles hacina:
Llora el ave en su nido,
Toda la creación lanza un gemido.

XIII

Mas luce al fin la aurora
Con no visto esplendor; el aura es suave;
El azul enamora;
Se separa la nave;
Vuela el mar a su lecho, al canto el ave.

XIV

Torna presto la vida
Al deshojado bosque, al triste suelo,
Y el desastre se olvida
Con la luz y el consuelo
De ígneo sol y tu brillante cielo.

1868-1869

LA BANDERA ESPAÑOLA

CUBA, 12 DE OCTUBRE DE 1869

¡VIVA ESPAÑA!

Como a las tres de esta tarde ha llegado a Santiago de Cuba
el Excmo. Sr. Conde de Valmaseda, Comandante General del Departamento, a bordo del vapor de guerra *Gorrión.*

S. E. nos ha cogido de sorpresa, pues aunque se le esperaba
con ansia, no creíamos tener la honra de recibirle tan pronto.
Sin embargo, la calle de la Marina, por donde ha subido S. E.,
se llenó de banderas como por encanto, dando el pueblo entusiastas vivas al ilustre y denodado caudillo. En los momentos

en que escribimos estas líneas, la grata noticia de la llegada de
S. E. cunde con entusiasmo por todos los ámbitos de la población, y nos preparamos con entusiasmo a ver la manifestación
de gratitud que el valiente general tributa al pueblo leal de Santiago de Cuba.

La Bandera Española, órgano del Partido Español de esta ciudad, saluda al Excmo. Sr. Conde de Valmaseda felicitándolo por
su feliz llegada.

Con la mayor sinceridad íbamos a tomar la pluma para dirigir al Diario de Santiago de Cuba una cordial felicitación por su
artículo editorial de hoy, en que haciéndose cargo de «las teme-
rarias pretensiones» de Mr. Sickles parece discurrir con sensatez
y cordura sobre el particular de la venta de la Isla en el sentido
más español que se pudiera esperar de un periódico de su matiz.

Pero vemos que el colega habla de que «sus lectores sin duda
participan de la misma indignación» que las referidas pretensiones «han producido en todos los ángulos de la Península». ¿Acaso el Diario mismo no se digna participar también de esa indignación? Léase con atención todo el primer párrafo del citado
artículo y se verá que todo el anhelo de la conservación de esta
Isla bajo la bandera española se refiere, según el colega, a la
monarquía española.

«Esas pretensiones, dice, serán y son, en efecto, vivamente
rechazadas por la parte leal de la Isla, que desde luego conoce
y confiesa que fuera de España no podemos hallar ni dicha, ni
sosiego, etc.» De manera que la parte leal de la Isla, en cuyo
seno no se digna el Diario contarse, es la que rechazará las men-
cionadas pretensiones, y esa parte leal, y no el Diario, es la que
«desde luego conoce y confiesa que fuera de España, etc.»

Más adelante tropezamos en el editorial del Diario con un
malaventurado error de imprenta que si es error de imprenta
puede tener tanto de malicioso como de cándido. Dice: «des-
prender esta valiosa rama de su robusto tronco, a despecho de
tantos leales como de ese tronco están áridos para que a la rama
no se separe.» La desdichada sustitución hecha, queremos ad-
mitirlo, por error del cajista y no advertido por el corrector, de
la palabra asidos por la palabra áridos, viene a cambiar el sentido de la frase de una manera singular, y es deplorable semejante lapsus, porque si es involuntario pone en desfavorable pre-
dicamento la novísima conversión del colega, que francamente
quisiéramos fuese sincera, y si es calculado es una sangrienta
burla.

Por último, cansado sin duda y sudando la gota gorda en la laboriosa faena de escribir tanto españolismo, el *Diario* deja la palabra a *La Epoca* copiando uno de sus sueltos.

Hemos dicho y repetimos que desearíamos que la conversión del *Diario* fuese verdaderamente sincera, y agregaremos que también desearíamos vivamente que las observaciones que preceden y nos ha sugerido la lectura del artículo en cuestión fuesen infundadas. Quisiéramos verle defender la causa del progreso y de la civilización y la causa de la libertad en el terreno de la ciencia, de la verdad y de lo posible; quisiéramos que el *Diario* comprendiera que no puede haber progreso, ni prosperidad, ni felicidad, ni libertad, donde sólo reina la anarquía, y que no pueden existir elementos de vida para ningún pueblo allí donde se desquicia la virtud del trabajo y se entroniza la vagancia, el vicio y la barbarie; y quisiéramos, por último, que penetrado de estas verdades comprendiese que sólo y exclusivamente el Gobierno de España, sean cuales sean sus defectos, es el que puede salvar nustra Cuba por lo menos de las horrorosas incertidumbres de vida o muerte en que la quiere arrojar la tea de la revolución, por la sencilla razón de que el Gobierno Español en Cuba es el que defiende las ideas de orden, de que sólo en el orden puede cimentarse y desarrollarse el progreso y de que sólo sofocándose la insurrección con el triunfo de estas doctrinas es que puede salvarse Cuba de la ruina a que quiere conducirla la rebelión.

¿Quiere el *Diario* preconizar sus doctrinas ultraliberales? Hágalo en buena hora: nosotros también somos liberales, y lo somos tanto que no nos satisface nada que no tienda a consolidar el orden y el trabajo, y el adelanto de las ciencias y de las artes, y el adelanto de la industria, y el de la moral y de la religión, que en nuestro pobre concepto son las únicas fuentes en que debe alimentarse la idea liberal, el único camino que nos puede conducir al majestuoso templo de la libertad bien entendida.

Sea el *Diario* liberal todo lo que guste, pero advierta que también el Gobierno de España es *hoy* altamente liberal, que su gloriosa revolución asombró a las naciones más liberales del globo y le valió las cordiales felicitaciones de una gran república que se gloria de ser la tierra clásica de la libertad. Vea, pues, que su liberalismo, por grande que sea, cabe dentro del liberalismo de nuestra noble España, y que si se dice buen patriota todavía puede llegar a comprender, como verdad incontestable, que Cuba será LIBRE permaneciendo española, mientras que Cuba *jamás podrá ser libre* bajo el ignominioso vasallaje de la

anarquía, del salvajismo o bajo la dominación de una raza enemiga de la nuestra que en aras de la idea utilitaria quema incien-
so al egoísmo y tiene por únicos lemas de progreso el antihuma-
nitario *go-a-head* y el implacable *time-is-money*.

¿Quiere el *Diario* predicar ideas de paz y de orden, de unión
entre todos los elementos que componen la población cubana para
fabricar unánimes nuestra regeneración y nuestro progreso? Venga, pues, a nuestro lado si es genuino su deseo; nosotros también predicamos la paz y el orden, y precisamente si predicamos
la unión entre todos los buenos españoles y la sumisión y acatamiento al principio de autoridad, y precisamente si excitamos el
entusiasmo y patriotismo de nuestros valientes para acabar de
barrer la canalla insurrecta, elemento deletéreo, entidad negativa
en el gran problema de nuestro progreso y nuestra libertad, es
porque quisiéramos no volver a oir ni pronunciar la palabra *insurrección* ni la palabra *insurrecto* sino en las páginas de la historia; es, en fin, porque ansiamos ver desaparecer esa gangrena
que nos corroe y aniquila; que unánimes todos los hijos de Cuba
y penetrados de que bajo el Gobierno de España es donde está
nuestra felicidad, nos demos el abrazo fraternal y olvidemos para
siempre las locuras pasadas. ¡Ah! Seamos todos españoles; con-
formémonos con lo que a nuestra felicidad conviene; no aspi-
remos a esas halagadoras y engañosas ilusiones que han sido la
causa de la infelicidad de otros pueblos y esperemos con fe en el
porvenir, en la magnanimidad y nobleza de nuestra madre querida, cuyas leyes, si labraron para nuestros antepasados tres siglos de tranquilidad, de bienestar y de progreso, no podrán dejar, hoy más, de ser para nosotros y nuestros hijos fuente inago-
table de dicha y de prosperidad.

El viernes 3 de agosto de 1492, media hora antes que el sol
esparciera sus rayos sobre las costas meridionales de la Península
Ibérica, despidiéronse de la barra Saltés tres carabelas ofreciendo
su trapo a merced de un viento favorable que las impelía suave-
mente con rumbo a las islas Canarias. Bien pronto la tierra fue
desapareciendo de la vista de los tripulantes, hasta perderse en
el horizonte. Un suspiro prolongado salió de lo más recóndito de
sus pechos y apartaron la vista del lado del oriente para dirigirla
al occidente.

¡Jamás se encontraron los hombres en situación tan extraña
y excepcional! Dejaban en aquella tierra que el sol doraba con
sus primeros rayos a los seres más queridos de su corazón, a sus
más caras afecciones, y por eso apartaban los ojos de ese lado

como de una tentación poderosa que los arrastraba a las queridas playas y los dirigía al lado opuesto, hacia donde el sol se hunde en el océano, y al ver la inmensidad del mar limitada por un horizonte nebuloso cerraron los ojos y nadie puede saber lo que pasó por la mente de esos hombres.

¡Dejaban la realidad para ir en pos de la quimera!

¡Dejaban la vida con todos sus atractivos en busca de la muerte con todos sus horrores! ¡Traspasaban el dintel del pasado para abrir al mundo las puertas del porvenir! ¡Huían del anciano continente para gozar con los encantos de la virgen América!

Para el hombre pensador, para aquel que ve en el átomo más imperceptible, que gira arremolinándose cuando un rayo de sol penetra por su ventana, un centro de vitalidad que crece y se multiplica obedeciendo a las inmutables leyes de la naturaleza, esta atrevida expedición tiene mucho de grande, de glorioso, de providencial. No es el peregrino de la Rábida el que guía el rumbo de las frágiles carabelas», es el dedo de Dios que en sus inescrutables designios alumbró la inteligencia del intrépido navegante con su divino soplo para que tuvieran lugar los hechos que más tarde asombraron a ambos mundos.

Estamos a 25 de septiembre de 1492, a los cincuenta y tres días de haber salido de la barra de Saltés. «Cruzaban las carabelas, con viento fresco del Este, aquel inmenso piélago cuando algunos gritos descompasados que de la *Pinta* salían vinieron a interrumpir en su cámara al reflexivo Almirante. Juzgólo en el primer ímpetu como si fuera la continuación de aún no bien pasados alborotos, y fue su primer cuidado subir al castillo de popa con el fin de hacerse oir de los sublevados y conjurar la conspiración con todas sus fuerzas; pero sus recelos cambiaron en satisfacción cuando la voz de su amigo Martín Alonso penetró en sus oídos clara y potente que decía « ¡Tierra! ¡Tierra, señor! *Yo reclamo el premio señalado*», y dirigía a la vez su brazo mostrando un objeto oscuro que se apercibía confuso como a unas veinticinco leguas al S. O. Las apariencias con efecto existían, pero el Almirante creyó en la realidad de la tierra que se anunciaba tanto más cuanto que su reservado libro de estima señalaba ya sobre seiscientas leguas de distancia a las Islas Canarias, y por un arranque de sus entusiasmos cayó de rodillas, la gorra en la mano y los ojos arrasados de lágrimas, para dar gracias al Altísimo *por las infinitas bondades que derramaba sobre sus escasos merecimientos*. Todo el equipaje de las tres carabelas le imitó con religiosa veneración, entonándose ne voz alta el «Gloria in excelsis».

Mas era un error. El deseo había forjado esa halagüeña ilusión que pronto se vio desvanecida, continuando no obstante los buques en el mismo rumbo.

Al fin amaneció el día 11 de octubre como el más feliz entre todos los que de tan azarosa navegación se contaban.

Desde luego un oculto favorable presentimiento se apoderó de los ánimos, que no sabían por qué a su desfallecimiento el nuevo sol comunicaba tales fuerzas como en todo el viaje no habían experimentado.

Sin embargo pasó el día sin más novedad que las marcadas señales de estar la tierra próxima según los objetos que a cada momento distinguían sobre las aguas.

Llegó la noche hermosa y tranquila, bien que algunas nubes de escasa consistencia empañaban el suave resplandor de su misterioso faro, pero una ráfaga azotó de pronto aquellos pardos crespones, y brillando la luna con todo su esplendor permitió que los afortunados ojos del marinero Rodrigo de Triana descubriesen al Occidente, como dos leguas distante, la verdadera tierra, anunciándola a toda la flota con un cañonazo.

Las sensaciones que en aquel momento debió experimentar el Almirante no es posible que haya mente humana que las conciba ni exquisita pluma que las comente, porque en la esfera de los acontecimientos humanos aquel tan maravilloso pudo verificarse nada más que una vez, y por lo mismo sólo en el acto de la realización pudiera comprenderse o únicamente por el mismo Colón explicarse.

Todos cayeros de rodillas, y por primera vez las embalsamadas brisas de América llevaron en sus alas lo secos de los cantos sagrados con que alababan al Supremo Hacedor por tan señalada merced.

El viernes, 12 de octubre, pareció al intrépido equipaje de aquella flotilla un edén encantado: que tal debió parecer a los ojos escrutadores de nuestros marinos aquella isla que delante tenían, verde como la primavera, fresca como el rocío y cubierta de árboles tan frondosos como en Europa no habían visto nunca.

Hoy, los españoles descendientes de aquellos que dando fe a la ciencia arrostraron todos los peligros y abandonaron sus afecciones dispuestos a sacrificarse, hoy, repetimos, todos los que habitamos en esta ciudad conmemorando tan fausto y glorioso

acontecimiento doblamos la rodilla ante el Dios de las misericor-
dias dirigiéndole la más ferviente de las oraciones.

Señor Dios Omnipotente, tú que impulsaste con tu divino
aliento la fráfil flotilla que surcaba los desconocidos mares para
cumplir el destino que en tu infinita sabiduría preparabas a estos pueblos sumidos entonces en la barbarie; tú que refrenaste
la tempestad para que llegaran a seguro puerto y en él plantaran
el lábaro sacrosanto de nuestra redención, recibe benigno nuestras plegarias desde tu excelso trono.

Aún arde en nuestros pechos la vivísima fe que alentó a nuestros mayores a tan colosales empresas. Como ellos, nos ponemos
bajo tu amparo y protección, y si es tu designio que este pueblo
que sembró en las soledades de América las semillas de la fe
apostólica riegue con su sangre los campos que han sido testigo
de sus glorias, cúmplase tu voluntad, pero esa secreta confianza
con que nuestros antepasados desafiaban las tormentas nos anima
y esfuerza.

Las cenizas veneradas del audaz navegante parece que vuelven a cobrar su forma, y aquel semblante que iluminó la inteligencia se ve rodeado de una aureola de grandeza como para de-
cirnos: la raza que yo acaudillé y a la que debe la historia sus
más brillantes páginas no ha concluido aún su misión en este
suelo; está escudada por la Providencia y seguirá adelante dando
ejemplo a los pueblos de valor, constancia y abnegación.

LA VERDAD DE LOS HECHOS

En la carta que el periódico *La Bandera Española* me hizo
el honor de insertar en su número 144, fecha 2 del corriente,
tuve la satisfacción de exponer al público los sacrificios de todo
género que el Excmo. Sr. Conde de Valmaseda se vio en la necesidad de hacer, los obstáculos con que siempre tuvo que luchar y las dificultades que tuvieron que vencer su patriotismo,
su especial temple de alma y su abnegación para hacerse superior a cuantas contrariedades se le presentaron para destruir a la
insurrección que en mal hora estallara en la hacienda *La Demajagua* y no en Yara, como comúnmente se dice, reduciendo a
una centésima parte el número de adeptos que llegaron a contar
las hordas de ingratos hijos de la madre patria, los cuales, con
el mayor encono y salvajes instintos, lanzaron la voz de muerte
contra España. Con escasísimo número de valientes, descalzos
unos, enfermos otros, sin municiones los más, pero henchidos

sus corazones del verdadero ardor que con la sacrosanta palabra de ¡Viva España! les animaba su caudillo, obligaron a la abyecta insurrección a esconder su vergonzosa cobardía en la manigua o en las encumbradas sierras del país, que no debió dar vida ni alimento a tan ingratos y desnaturalizados hijos.

Es sensible, sin embargo, que después de tanta constancia y abnegación sin ejemplo, cuyas dotes no desconocen amigos ni enemigos del señor General Conde, sensible es, repito, que no lo publiquen así todos los periódicos de la Isla y que por el contrario hayan dicho algunos, como *La Voz de Cuba* en su número 228, de 23 de septiembre próximo pasado, que los triunfos todos, en absoluto, obtenidos en el Departamento Oriental son debidos a otro.

Al insertar *La Voz de Cuba* la despedida del digno señor General Latorre dice entre otras cosas: «Salvando primero y pacificando después el Departamento de su mando.» Este acreditado periódico se ha olvidado sin duda de que el Excmo. Sr. Conde de Valmaseda ha estado haciendo la guerra a los insurrectos en el mismo Departamento Oriental de que era Comandante General D. Simón de Latorre, porque de otro modo habría dicho con más propiedad: «Salvando primero y pacificando después una parte del Departamento que ocupaban las tropas de su mando, como desde el principio de la insurrección lo estaba verificando en la suya el valiente y entendido caudillo que mandaba las tropas de la parte de Bayamo, Manzanillo y las Tunas, que eran los centros donde los enemigos de España habían fijado sus reales y tenían establecido, si pudiera llamarse, su cuartel general, dirigido por el titulado presidente de su ridícula República.»

Compárese ahora el radio de operaciones de cada uno, sus recursos y sus resultados y la fuerza de la lógica contestará por nosotros si *La Voz de Cuba* habló con propiedad o si olvidó lo mucho que debe al señor Conde de Valmaseda el Departamento Oriental.

Después de haber dado al César lo que es del César, como se dice vulgarmente, veamos nuestro porvenir. Como ya en otra ocasión manifesté, lo consideramos lleno de halagüeñas esperanzas porque conocemos a fondo las especiales dotes de mando del ilustre General Valmaseda, sus vastos conocimientos de la situación del enemigo, conocimientos adquiridos por once meses de campaña, por once meses de constantes estudios prácticos, de once meses, en fin, de vivir con el soldado comiendo de su rancho y partiendo con él sus fatigas del campamento.

¿Por qué razón no se ha de hacer justicia a las dotes especiales de un General a quien tanto debemos? ¿Qué hubiera sido de la Isla de Cuba si el Conde de Valmaseda, al verse por tantos motivos contrariado en sus planes, se hubiese separado del mando de las insignificantes tropas que tenía a sus órdenes cuando la insurrección dominaba por completo en los Departamentos Oriental y Central? Dejo esto a la consideración y criterio de todos los que hayan seguido el curso de los sucesos como lo he seguido yo con harto dolor de mi alma; por eso, y sin consideración de nada ni de nadie, con la franqueza que me es propia y con la mano sobre el corazón, me he propuesto decir la verdad, porque antes que toda lisonja, antes que toda consideración, está la honra de la patria, y la defensa de tan precioso tesoro está a cargo del General Villate, Conde de Valmaseda.

Dice *La Voz de Cuba* que la insurrección está muerta; es cierto, no hay insurrectos en el Departamento ni en ningún otro punto de la Isla ni los ha habido nunca, pero ha habido y hay muchas partidas de ladrones, asesinos e incendiarios, partidas que es preciso extinguir, que es preciso exterminar por completo y sin pérdida de momento, porque su existencia por más tiempo da lugar a la completa ruina del país, a que perezcan de hambre millares de familias, a que se impregne más aún la desmoralización en la clase ignorante y, lo peor de todo, a que se crea por las naciones extranjeras que la Isla entera se encuentra en hostilidad contra su Madre Patria, puesto que con más de 70.000 hombres entre ejército y voluntarios no se ha podido vencer. Este es el argumento de nuestros sagaces laborantes, argumento que encontrarán lógico los que desconocen la verdad de lo que pasa. Por eso he dicho y repito que llegó el momento de hacer el último esfuerzo, de cooperar todos y cada uno al logro de que se concluya de una vez y para siempre con esa raza abyecta que causa la ruina y la deshonra de esta importante provincia española, para que concluya un estado tan anormal y vuelvan a marchar las cosas por el camino del progreso, para que termine la duda, la desconfianza entre peninsulares e insulares y, finalmente, entre padre e hijo, que es lo que por desgracia sucede cuando se exacerban las pasiones.

Esta es mi manera de decir, mi manera de ver las cosas, en lo que considero estar conforme con la opinión de todos los hombres de recto juicio y cuyas tendencias se dirigen a la completa pacificación de esta provincia, único objeto de mis débiles esfuerzos desde el 16 de octubre hasta la fecha.

Cuba, 7 de octubre de 1869.

Sebastián González

FRAGMENTO

Relación detallada del estado en que se encontraba Bayamo y su jurisdicción antes de la revolución que estalló en el mes de octubre de 1868, así como de los principales sucesos que tuvieron lugar en la misma y elementos con que contaba hasta el 16 de febrero de 1869, escrita por el teniente coronel comandante D. Dionisio Novel e Ibáñez, Jefe de la Infantería que la guarnecía.

(Continúa)

III

Los medios de ataque que sucesivamente iban empleando, a más de fuego constante de fusilería, fueron, el primero, inundar las dos calles que pasan por sus lados Oeste y Sur con aguardiente de caña y gas, cuyos líquidos incendiaron acto continuo con la idea, sin duda, de que se propagase al cuartel; segundo, dar fuego a la casa que había frente a la puerta principal, separada unos cuatro o cinco metros, al parecer con el mismo objeto viendo que no lo habían conseguido con el aguardiente y gas. De dicha casa se propagó a las de derecha e izquierda. Viendo que había cambiado la dirección de la brisa que reinaba incendiaron también una de las casas frente a la cara Sur separada por un callejón que tendría de ancho unos dos metros. Como a las doce principiaron a arojar contra la puerta principal botellas con líquido inflamable y de cuyo cuello pendía un lienzo encendido, con los cuales y unos maderos encendidos que también arroja-ban consiguieron en tres ocasiones incendiar la puerta principal, si bien en todas fue sofocado el fuego, aunque con gran consumo de agua. Viendo que también les salió fallido este ataque, como a las dos de la tarde dispararon un cañonazo de bala rasa por la parte Este, pasando muy alto, y poco después otro por la parte Oeste cuyo proyectil dio de refilón en la esquina que forma dicha casa y la del Sur. Este género de ataque no continuó por la circunstancia de que los siete peninsulares que dispararon el último lo hicieron desde dentro de una casa, con la puerta cerrada y teniendo a la inmediación del cañón un barril de pólvora, el cual se inflamó causando la explosión consiguiente, de resultas de la cual murieron cinco instantáneamente, quedando los dos restantes muy mal parados.

Como a las tres de la tarde principiaron a arrojar grandes piedras sobre el cuartel con las que se proponían sin duda romper las tejas, y acto continuo grandes pedazos de lona envueltos en una piedra empapados aquéllos en líquido inflamante y encendidos, con los que tratarían de incendiar las maderas del techo que creían descubiertas por la rotura de las tejas. Desde el primer trapo que cayó sobre el tejado ordenó el señor Udaeta subiesen a apagarlo no obstante haberle llamado la atención que no debía temerse al incendio toda vez que las tejas no habían sufrido daño, lo cual no sucedería luego que hubiese algunos hombres sobre ellas.

No obstante esta indicación insistió en su orden, y cogiendo la escalera de mano que había servido para apagar el fuego de la puerta subieron dos hombres al tejado con cubos de agua, con la cual y la de los cubos que subieron después no sólo apagaron aquél, si que también otros varios que consecutivamente arrojaron.

Al asomarse al caballete el primero que subió gritó que en el tejado opuesto había más de 40 hombres, pero instantáneamente cayó muerto por consecuencia de una bala que le atravesó la cabeza. Al poco tiempo lo fue en la misma forma otro que había subido al aviso de que había enemigos allí.

Fueron subiendo sucesivamente hasta unos 20 hombres, que con el peso destruyeron por completo el tejado, y a no ser porque momentos antes de oscurecer, cuando se iba concluyendo el agua, mandó Dios una copiosa lluvia y por consecuencia de ella cesó aquel género de ataque, indudablemente hubiera sido incendiado.

En ese día, además de los dos muertos ya citados causaron dos heridos y dos contusos de infantería de los que defendían las ventanas; hirieron además a uno de caballería en el patio del cuartel y mataron al caballo del ayudante de dicha arma que estaba en el referido patio; pero a pesar de que las operaciones que quedan enumeradas las practicaba el enemigo a cubierto, favorecido por la corta distancia que separa el cuartel de las casas, éste aumentó en ese día el número de sus bajas al de 60 hombres, en cuya cifra están contestes todos ellos.

Con la lluvia, que fue abundante, volvieron a llenarse todas las vasijas. A mayor abundamiento se impidió la salida a la que caía en el patio. Se le abrió conducto al pozo cegado que existe en él por si era posible se llenasen las dos varas que el mismo tiene descubiertas, y para con la que quedase embalsada cubrir las primeras necesidades del día siguiente. Como entre siete y ocho de aquella noche cesó el agua, y poco después avisó uno de los apostados en la única ventana de la nave ruinosa que se sentía descargar carros de piedras, formar barricadas y colocar cañones que creía fuesen tres, como efectivamente después de prisioneros vi los tenían.

Hechas las correspondientes observaciones por mí y el comandante Mediavilla, que me auxiliaba en todo, y asegurados de que se prepaba el ataque para el día siguiente por aquel punto que estaba casi indefenso y en tal malas condiciones, no dejando de exaltarnos la idea de que si aquello sería por consecuencia de indicaciones de algún observador de los siete de la comisión de aquella mañana, conferenciamos y convinimos en la necesidad de una resolución en aquella noche que nos librase de los horrores del incendio por un lado y de los de un desplomamiento por otro, que creíamos inevitable ocurriría al día siguiente al primer disparo de cañón que hiciesen contra aquella nave.

Con tal motivo nos avistamos con el Sr. Udaeta haciéndole partícipe de nuestras observaciones y recelos, indicándole creíamos lo más conveniente abandonásemos el cuartel a las once de aquella noche, dirigiéndonos a Manzanillo. Dicho Sr. Udaeta convino con nosotros en cuanto a la exactitud de nuestras observaciones y recelos, pero se negó a la salida para Manzanillo, que dijo ser una resolución muy grave que él no se atrevía a tomar por sí y sobre la cual quería oir en consejo a todos los jefes y oficiales que se encontraban dentro del cuartel. Le argüimos que si él comprendía como nosotros la imposibilidad de sostenernos por más tiempo en aquel punto en tan malas condiciones de defensa, nada más lógico que abandonarlo a las once de la noche, hora en que el enemigo se encontraría más descuidado y en la que podríamos efectuar nuestra salida al campo antes que él se apercibiese, pues que si la precavía y se preparaba en las casas de las calles por donde habíamos de cruzar nos causaría muchas bajas antes de obtener aquel resultado.

Se le dijo también que aquélla no era una plaza fuerte para

cuyo abandono había la necesidad de un consejo de guerra, sino que debíamos considerarnos como en una casa de campo en la que dispone el jefe un descanso para emprender nuevamente la marcha cuando le parece bien, pues nos encontrábamos absolutamente solos, y que por otra parte al reunirnos con la columna, que no estaría muy distante, podríamos volver sobre el enemigo.

No obstante lo expuesto insistió en querer oír el parecer de todos, y al efecto fueron convocados a aquel paraje.

Una vez reunidos le pregunté si quería sometiese yo a la deliberación de la junta los únicos puntos sobre los cuales podía recaer votación, y habiendo accedido a ello pregunté a todos, principiando por el más moderno, si en su sentir era sostenible por más tiempo aquella posición, a lo que por unanimidad se contestó que no. Seguidamente pregunté en la misma forma que puesto que había de abandonarse a qué hora debería tener lugar, a lo que unos contestaron que a las doce y otros que a la una de la noche, resultando por mayoría que a la última de las citadas, y procediendo a la tercera pregunta respecto a la dirección que debería tomarse entre la de Mazanillo, Jiguaní y Holguín, resultó que la mayoría designaba este último atendidas las razones expuestas por algunos de ser terreno más despejado y el piso mejor, pues se tuvo en cuenta el aguacero que acababa de caer.

Terminada la votación, manifesté haber quedado resuelto marchar a la una de la madrugada en dirección a Holguín.

Seguidamente pregunté al depositario D. Felipe Plaza la cantidad que había en caja, y habiéndome contestado que unos 4.000 pesos aproximadamente, dispuse se diese la paga del mes a todos los señores Jefes y Oficiales del Batallón más al Comandante D. Pedro Mediavilla y Teniente D. Ramón Medina que no eran de él, que se entregase a los Comandantes de Compañía la segunda media paga para los sargentos y un doblón para cada uno de los individuos de las suyas, y por último que de lo que quedase se diesen sobrealcances a cuantos los tuviesen y quisiesen, pues no contando con más medio de transporte que la acémila del Batallón, quería llevar en ella municiones y una de las camillas.

Principiaba a cumplimentarse mi orden, y al quererse separar los allí presentes dijo el señor Udaeta que bien mirado no había el menor motivo de temor, pues que él tenía la seguridad de que nada le harían, y que si salía del cuartel todos los insurrectos le saludarían quitándose el sombrero a menos que fuese

15

algún negro bozal que no lo conociese. Añadió que tampoco corría peligro la vida de los demás, con quienes ningún enconamiento tenían los revolucionarios, concluyendo por decir que la única vida que peligraba y por la que había que temer era por la mía en razón a los muchos enemigos que tenía, entre ellos y en particular en la poderosa familia de los Maceo.

Acto seguido de estas manifestaciones dijo el señor Udaeta que yo había ejercido una gran presión en las votaciones anteriores, por lo cual él no se conformaba con ella y quería que cada uno consignase su voto en una papeleta. Le contesté que no había existido tal presión y que la votación había sido muy libre y espontánea, no obstante lo cual cada uno se puso a escribir su voto, y hecho el escrutinio de todos ellos resultó por una considerable mayoría que se quería una capitulación honrosa o la salida. Las causas que motivasen tal divergencia en los resultados de ambas votaciones no he podido aclararlas, pues los únicos que pudieron hacerlo han alegado como la única razón del cambio el que bien claramente había demostrado el Jefe Superior que quería la capitulación, porque de no ser así no se habría opuesto al resultado de la primera votación.

Instantáneamente y como a la hora de las once, me encargó el señor Udatea pusiese la minuta del oficio que en ese sentido de capitulación había de pasarse al Jefe de los enemigos; le contesté que aún había tiempo, puesto que hasta que amaneciese no podía mandarse porque el hacerlo antes era demostrar nos encontrábamos en un estado sumamente apurado, el cual no existía, a lo que me replicó que en aquellos asuntos convenía no perder tiempo, para lo cual podía ponerse un farol con una bandera blanca en una de las ventanas, cediendo por último a las razones que le di para que se esperase hasta el amanecer.

(Copias que se conservan y deben publicarse aunque sean incompletas.)

NOVIEMBRE 1869

Bravo

(Noviembre).—El Gobierno separa de los cargos de concejal y de primer teniente de alcalde del Ayuntamiento de esta ciudad al señor licenciado D. Francisco de Paula Bravo (conocido cariñosamente por «Secundino» Bravo).

Hambre

El doctor en medicina D. Pedro Celsis pasa una comunicación al Ayuntamiento que dice: «Como médico que penetra en el interior del hogar doméstico, puedo afirmar sin riesgo de exageración que más de la mitad de los casos de muerte provienen del hambre que tiene sumida a gran parte de la población, predisponiéndola por la gran debilidad a la invasión del cólera, que no le permite resistir a tan terrible azote.»

Nichos

El Ayuntamiento concede nichos gratis a los jefes y oficiales «que fallezcan en campaña o de resultas de heridas recibidas en ella».

Goderich

El veterano español D. Francisco Monserrate, administrador del cementerio por comisión del Gobierno, deja su cargo y lo sustituye interinamente D. Francisco Goderich.

Comerciantes

Se inscriben como comerciantes D. Esteban Shelton, D. Bernardo Hechavarría y D. Eduardo Martínez.

Candidatura

En la morada del alcalde municipal D. Manuel de la Torre se reúnen los mayores contribuyentes para tratar de las próximas elecciones municipales. Se acuerda presentar la siguiente candidatura: señores D. Juan Vaillant y Valiente, D. Manuel Masforroll y Salomé, D. Gabriel Junco, D. Lino Guerra y Cavado, D. Ruperto Ulecia Ledesma, D. Teodoro Brooks, D. Antonio Norma y Lamas y D. José Galofré.

Temblor

En la noche del día 3 se deja sentir, a las doce menos cuarto, un ligero temblor de tierra de tan escasa intensidad que para muchos que dormían pasó inadvertido.

Exequias

El día 5 se verifican en la parroquia de los Dolores exequias por el eterno descanso de los voluntarios de la segunda compañía del Batallón del Orden que han fallecido desde su fundación.

Elecciones

El día 7 tuvieron lugar las elecciones municipales, presididas por el señor Gobernador. Los dieciséis señores que obtuvieron mayoría de votos para la lista doble que se había de proponer al Gobierno fueron los siguientes: señores Lic. D. Gabriel Junco, D. Antonio Norma, D. Ernesto Brooks, D. Manuel de la Torre (reelecto), D. Manuel Masforroll, D. Manuel Marqués, don José Galofré, D. Francisco Geli, D. Juan Tarrida, D. Manuel Beola, D. Juan Vaillant, D. José López Domínguez, D. Cástulo Ferrer, D. Juan José Colás y D. Luis Fernández Valerino.

Jerez y Varona

Fallece a consecuencia de la grave herida que recibiera, el capitán de Ingenieros D. Ciro Jerez y Varona, natural de Camagüey.

Pobres

El Gobernador autoriza la constitución de comisiones para que recorran por parroquias el vecindario y recauden cantidades con las que se puedan aliviar las miserias y enfermedades de las clases pobres.

Romero

A bordo del vapor *Cienfuegos* llega el día 12 el señor don Manuel Romero, hijo de esta ciudad, nombrado administrador de la Aduana.

Batallón de Marina

En la mañana del día 16 llega en el vapor *Rápido* el batallón de Infantería de Marina, acudiendo a esperarlo en los muelles una comisión de voluntarios, una compañía de Obreros y la banda de música de los bomberos.

Los cuerpos de voluntarios obsequiaron a los oficiales del batallón de Marina con un refresco en los salones del Círculo Español. A los dos días salió parte del batallón a operaciones.

ACÉMILAS

El Comandante General convoca en palacio a los señores hacendados con objeto de discutir sobre los medios más oportunos para prestar al Gobierno el servicio de 40 acémilas destinadas al transporte de las provisiones de boca y guerra necesarias para las columnas que se hallan en operaciones. Se acordó nombrar en comisión a los señores D. Juan Vaillant y D. Antonio Norma en representación de los hacendados, y señores D. Manuel Beola y D. Ernesto Trenard en representación del comercio, para arbitrar la forma y modo en que ambas clases debían contribuir.

CONTRAGUERRILLA

Con el nombre de «Contraguerrilla Flanqueadores de Valmaseda» se organiza una nueva fuerza montada al mando del capitán D. Antonio Guzmán.

JACAS Y FORMENT

Fallecimiento de D. Manuel Jacas y Forment, antiguo comerciante, regidor por algunos años del Ayuntamiento.

ZÚÑIGA

Fallecimiento del capitán graduado teniente del Batallón de Cazadores de León, señor D. Francisco de Zúñiga.

CASABÁN Y FORTÚN

Fallecimiento del teniente del Batallón Cazadores de León señor D. Antonio Casabán y Fortún.

GIRÓ Y ODIO

Fallecimiento de la bella señorita D.ª Pilar Giró y Odio.

Fernández Villegas

Fallecimiento del comandante graduado, capitán del Batallón Cazadores de León, D. Eduardo Fernández Villegas.

Villar y Hechavarría

Fallecimiento del capitán del cuerpo de Ingenieros D. Pedro Villar y Hechavarría.

«La Bandera Española»

Copiamos del españolísimo diario de esta ciudad *La Bandera Española:*

«Una americana de Nueva York ha tenido la amabilidad de dirigirnos la carta que verán nuestros lectores a continuación, la cual insertamos con gran placer, pues revela en sus frases que es enemiga del desorden y justa admiradora de los hijos de Pelayo. Dice así: "Señor localista de *La Bandera Española.* Muy señor mío y amigo: Supuesto que es admisible que las mujeres se mezclen en política en lugar de las faenas domésticas, habiéndolas tan arrojadas como las que se han puesto a la canción mambisa *La Bayamesa,* creo me será permitido, aunque soy americana, de de Nueva York, decir que mis ideas son puramente *patonas* no sólo porque hace muchos años que parten ustedes pan conmigo y soy agradecida, sino también porque no me falta el criterio suficiente para comprender quién es el que tiene más honor en la guerra y quién tiene más razón; así no dudo que tendrá usted la bondad, señor localista, de publicar en su acreditado y querido periódico la siguiente canción que los *patuses* pusieron en Nueva Orleans en tiempo de Narciso López y que conservo por referirse a la noble nación española.

Espero mereceré este favor de su nunca desmentida hidalguía, repitiéndome su humilde servidora Q. B. S. M. y rogándole al mismo tiempo que enmiende las faltas que encuentre, pues como *yanka patusa* puedo cometer algunas, y no quiero que se rían de mí las suripantas.

María Balch de Díaz."

CANCION

España, noble nación,
Fuerte, valiente, guerrera.
Levanta, España, altanera,
Tu invencible pabellón.
Un castillo y un león
simbolizan tu estandarte;
Si alguno intenta humillarte
Responderá tu cañón.

Allí se mira con el ojo ardiente,
Y la enhiesta melena,
Y la extendida garra,
A clavarla dispuesto
Sobre la inmunda hiena
que su brillante pabellón desgarra.
No sufre la indolencia
Que creéis le amarra.

Vivo, altivo, despierto, vigilante,
Al león español tenéis delante,
Y tiene a sus piés en sangre tinto
El pendón imperial de Carlos Quinto,
La vencedora enseña de Lepanto,
Y recordando ésta, rotos sus lazos,
Que a un águila imperial hizo pedazos.

«LA REVOLUCIÓN»

Se reciben de Nueva York en esta ciudad varios números del
periódico insurrecto *La Revolución,* que se hizo circular de mano
en mano y cautelosamente. Copiamos:
Contestación a la proclama del segundo Cabo D. Blas Villate, Conde de Valmaseda, circulada en el Departamento Oriental por su compadre espiritual.

I

Señor don Blas Villate,
Y Conde de Valmaseda,

General de operaciones
En contra de los rebeldes;

Su proclama recibí,
El 14 de noviembre,
Y al pensar que su interés
Es que todos se penetren
De sus buenas intenciones
Y cariñosas promesas,
Hice que los individuos
que forman mi campamento,
Jóvenes muy vigorosos
Y de valor... a la prueba,
Que mal contados por mí
Ascendieron a quinientos.

Y al leerles la proclama
Les dije: con atención,
Señores, oigan ustedes,
De tan cariñoso Jefe.
Respondieron ¡Viva Cuba!,
Vivan los cubanos buenos
Y mueran los españoles
Que componen al gobierno.
Aunque quiera complacerle
Yo, mi compadre querido,
No he podido contener
El entusiasmo de aquellos
Que contestan ¡Viva Cuba!
Y que se extinga el gobierno.

Yo, cariñoso compadre,
Sus razones las comprendo:
¡Treinta millones! que toman
De nuestro precioso suelo,
Para mi caro compadre,
El conde de Valmaseda,
Para su apreciable esposa...,
Para sus hijos..., tan buenos...
Para la Reina de España
Y los Ministros de Hacienda,
Para el de Gracia y Justicia,

¡Que nunca han podido hacerla!
Porque los jueces venales,
Son los que a mi patria vienen.

Yo no puedo enumerar,
Señor Conde Valmaseda,
Para los que trabajamos...
Pero a la verdad yo pienso
Que son unos mercenarios
Y más que todo... perversos.
Y el oro que nos arrancan,
Ganados con duras penas,
Lo derrochan en palacios,
En voluptuosos placeres,
Y en bacanales y orgías,
Como que nada les cuesta.

Y todo lo que les sobra
Lo zampan en sus gavetas,
Y se olvidan de caminos
Y de calzadas de piedras,
De como los hospitales,
Casa de Beneficencia,
Sin propender a que haya
Las necesarias escuelas,
Ya se ve que de este modo
Obran con bastante acierto.

Nos tienen envilecidos,
Oscuros, sin pensamiento...
Pues los filósofos dicen:
De este modo nos conviene:
¡Que vivan llenos de oprobios!
Que limpien bien el potrero,
Porque potrero de España
Es nuestra preciosa tierra.

Pero ha llegado mi amigo,
Ha llegado ya su tiempo
En que los nobles cubanos,
Comprendiendo sus derechos,
Han dicho que el hombre es libre,

Y eso dice mi conciencia.
Y cata aquí, buen compadre,
Que rompieron las cadenas
Y treinta mil ciudadanos
A la libertad defienden
Y sostienen mejor causa
Que la que usted mal defiende.

De modo señor don Blas
Que si toma mi consejo,
Véngase acá con nosotros
Y será mejor su suerte,
No seguirá siendo Conde
Porque condes no queremos,
Y por nuestra mediación
Le haremos hasta sargento,
Y si se portare bien,
Hermosa será su suerte.

Réstame, señor compadre,
Darle otro sano consejo
Que no mande usted escribir
Esos pueriles papeles
Porque querido... compadre,
Eso perderá su tiempo.
Salude usté a mi comadre,
Déle a los niños mil besos
Y cuente con el cariño
Del compadre Pedro Céspedes.

P. D.: Salude a Pancho
Dele las noticias buenas,
Y dígale que en España
Ya república tenemos,
Que pienso que tenga juicio
Y se deje de contiendas
Que se embarque para Francia
Que en compaña de su reina
Se darán muy buena vida
Como camaradas viejos.

«La Revolución»

El periódico *La Revolución* dice, satirizando con razón:

EL PANTEON DE LOS VOLUNTARIOS

Según *La Aurora de Matanzas* se está agitando el proyecto de formar un panteón de Voluntarios donde depositar los restos mortales de los voluntarios peninsulares, valientes defensores de la integridad nacional.

Si esos sublimes guerreros tuvieran valor para abandonar sus bodegas y salir al encuentro de los liberales cubanos nada diríamos a propósito del panteón proyectado, aunque murieran entonces defendiendo la opresión y la injusticia. Pero cuando vemos que las hazañas de los voluntarios se limitan a lucir uniformes en las calles de las ciudades, a atacar al pueblo indefenso en los teatros y cafés, a asesinar a los campesinos inermes en la soledad de los caminos; cuando vemos que no han bastado las sugestiones de todas clases, indirectas al principio y directas al fin, como los últimos artículos de *La Voz de Cuba,* para conseguir que los voluntarios salgan al combate a dar pruebas de bizarría y de valor que tanto preconizan, ¿puede ponerse en duda que el proyecto de que se trata es una irrisión y un sarcasmo?

Pero sea como fuere, para el caso en que el panteón llegare a levantarse recomendamos al Comité Nacional Conservador de Matanzas la inscripción siguiente, cuya oportunidad no podrá menos que ser debidamente apreciada por los ilustres miembros de ese ilustre cuerpo:

«Aquí yacen los ....»

REMANGANAGUAS

Las familias de una gran extensión de barrios rurales se reconcentran en el lugar conocido por Remanganaguas. Y pasan a socorrerlas, por orden del Ayuntamiento, «el factor D. Bernardo Fernández y el doctor en medicina D. Ernesto Dudefaix, encontrándose dichas familias en un estado de desnudez, miseria y enfermedad».

INCENDIO

«Incendiada por los latro-facciosos la finca propiedad de madame viuda de Durade, en el partido de Ramón de las Yaguas, se desbandan los esclavos y con éstos los negros emancipados que allí había bajo la tutela del Ayuntamiento.»

DUFOUR

El licenciado en farmacia D. Francisco Dufour «ofrece suministrar gratuitamente todas las medicinas que fueren necesarias durante la epidemia reinante en su laboratorio, calle del Gallo número 10».

MENESES Y MAURY

Se hacen cargo de la ayudantía de la Escuela Superior don Sabas Meneses y D. Wenceslao Maury.

INFANTERÍA DE MARINA

Llegada del Segundo Batallón del Regimiento de Infantería de Marina.

MOVILIZADOS

Autorización de organizar fuerzas «movilizadas» para la defensa de las fincas en el campo, cuyos voluntarios serán pagados por los dueños de las haciendas. El traje es de rayadillo azul con bocamanga colorada, y en el sombrero llevarán una cinta con los colores de la bandera española.

EL GORRIÓN

(Día 23).—Los voluntarios efectúan una procesión cívica llevando en una jaula unos cuantos gorriones traídos expresamente de La Habana, y son soltados en la plaza de Armas. El gorrión simbolizaba a los españoles; a los cubanos los denominaban bijiritas. Los gorriones no sobrevivieron.

CORONEL NAVIDAD

Operaba por la jurisdicción de Brazo de Cauto el coronel teniente coronel D. Máximo Navidad, «y sea por sus acertadas medidas o sea porque, según se decía, era particular amigo del brigadier insurrecto Jesús Pérez», la cuestión era que aquella zona de cafetales continuaba en sus labores sin ser molestados y remitiendo sus cosechas a la ciudad, desde el Aserradero, por la vía marítima. Empezaron a murmurar los voluntarios (batallones de peninsulares casi todos) y los clamores tomaron tal incremento que llegando a oídos de la Capitanía General, Navidad fue destituido de su cargo, viniendo a esta ciudad para embarcarse para la Península, adonde se le había destinado.

Arribó a esta ciudad el vaporcito costero *Tomás Brooks*, atracando al muelle que se llamaba de Guantánamo, junto a la casilla del resguardo de carabineros, cuyo muelle estaba atestado de voluntarios armados en espera del desembarco de Navidad y con intenciones *non sanctas*. Alguien advirtió al coronel del peligro que parecía correr y que demorase su salida hasta tanto quedasen disipados los grupos. Entonces Navidad, con resolución y valor, de pie en la plancha del vapor, irguiéndose y levantando el bastón de mando que traía, les apostrofó de esta manera: «¡Ea, canallas, a un lado! ¡A derecha e izquierda! ¡Largo!» Arremolináronse los voluntarios a ambos lados del muelle y Navidad, muy despacio y muy sereno, cruzó el muelle y llegóse a tierra sin que nadie se atreviese a levantar la voz.

DETENRE

El brigadier francés al servicio de España D. Carlos Detenre se hospedaba en el hotel Lassús, calle baja de las Enramadas, y había llegado una tarde de una expedición militar (de campaña) por la jurisdicción de Mayarí. Por la noche, el cuerpo de Honrados Bomberos, con una música militar, acudió llevando hachones a felicitarle por su brillante campaña dándole una serenata.

Detenre hablaba chabacanamente el castellano y además andaba casi siempre alcoholizado. Salió a recibirlos, escuchó la arenga, les dio las gracias en breves palabras y concluyó con estentórea voz: «Bien, estar bien, bueno; vosotros buenos defensores de España, *mais le negre es siempre negre*», y los despidió saludándolos militarmente y volviéndoles las espaldas.

AGUSTÍN SUÁREZ

Había en las confiterías, a disposición de los fumadores, unas cajitas de fósforos para que el público encendiese tabacos o cigarros sin necesidad de pedir fuego para ello. Todo el mundo, pues, ponía las manos en los dichosos fósforos.

D. Agustín Suárez, señor de unos ochenta años, fuerte todavía, muy ocurrente y decidor, era uno de los asiduos concurrentes a la confitería *La Cubana,* calle de Santo Tomás casi esquina a San Jerónimo.

Una tardecita, dos mujeres, paseando, saludaron a D. Agustín con sonsonete de burla: «Don Agustín, adiós. Adiós, don Agustín.» El, corto de vista, al ver que se detenían acercóse para reconocerlas y, al estar cerca, soltándole la risa, echaron a andar con rapidez haciéndole una mueca. El, a su vez, echóse a reír también si que apostrofándolas y saludándolas con el sombrero en mano: «Andad, andad y adiós, ¡fósforos de nevería!»

GIRAUDY

Sin tener fijo el año, hubo gran escándalo en la iglesia de Santo Tomás. Un señor de apellido Giraudy atraviesa la iglesia repleta de fieles, se llega al altar del sagrario y se acerca a la lámpara que cuelga en el centro, luz perpetua; enciende en la mecha un cigarro, se lo lleva a la boca y sale con él fumando irrespetuosamente.

ZAYAS Y HECHAVARRÍA

Fallece en París el señor D. José M. Zayas y Hechavarría, «en donde se hallaba educando sus hijos... Su muerte es muy sentida por ser la de un buen patricio».

DICIEMBRE 1869

RECOGIDOS

(Diciembre).—En una goleta de cabotaje llegan 22 individuos de uno y otro sexo recogidos por las tropas en lamentable estado de miseria y enfermedad. Son trasladados al hospital civil.

MARTÍNEZ MUÑOZ

Se alista como simple voluntario el señor D. Julián Martínez Muñoz, alcalde mayor de la ciudad.

Castillo

Fallecimiento de la señora D.ª Luisa Castillo, de familia principal.

Hilas

Distintas damas de nuestra mejor sociedad hacen donativos de hilas para los heridos que resulten en las operaciones de la campaña.

Sopas

Las comisiones encargadas del socorro de los pobres continúan distribuyendo diariamente en seis puntos distintos sopa caliente y galleta abundante.

Weyler, Valera y Navarro

Llegan a bordo del vapor *Cienfuegos* el señor coronel, teniente coronel, jefe de Estado Mayor, D. Valeriano Weyler, jefe del Batallón de Cazadores de Valmaseda, y los señores coronel de las Reservas de Santo Domingo D. José Vicente Valera y Alvarez y el capitán D. José Ramón Navarro.

La Concepción

El día 8, con motivo de ser el de la Concepción, Patrona de España, hay salvas de artillería y grandes funciones religiosas.

Gran número de personas salen de esta ciudad con rumbo al Caney para asistir a la fiesta de la Guadalupe, patrona de aquel lugar, y donde además se verifica la bendición de la bandera de la compañía de voluntarios de aquel pueblo.

«El Mariani»

El vapor de guerra *Fernando el Católico* trae a remolque el vaporcito haitiano *Mariani,* que debido a una descomposición de su máquina se había visto obligado a anclar en la desembocadura del río Baconao.

Cazadores de Valmaseda

Llegan seis compañías del Batallón Cazadores de Valmaseda y medio escuadrón del mismo nombre, fuerzas que salen inmediatamente a campaña.

Epidemias

Van decreciendo las epidemias del cólera y la viruela.

Valmaseda

La Bandera Española felicita con entusiasmo al señor conde de Valmaseda por su reciente ascenso a teniente general.

Orden de Carlos III

En el templo de San Francisco tiene lugar el acto de condecorar con la cruz de la Orden de Carlos III al teniente del batallón de voluntarios D. Pablo Simón y Vives.

Actuó de padrino D. José Joaquín Hernández, y de maestro de ceremonias D. Francisco Baralt; de gran maestre, el señor marqués de Villaitre en representación del Comandante General, y de secretario el de S. M. don José María Rodríguez.

Portuondo y Mariño

Fallecimiento de la señora D.ª María de Jesús Portuondo y Mariño a la edad de ochenta y ocho años.

Mancebo

Fallecimiento del señor D. Bertín Mancebo, capitán de Infantería retirado que fue por espacio de mucho tiempo primer jefe del Primer Batallón de Voluntarios, y actual presidente del Club de San Carlos.

Voluntarios catalanes

Fondea en el puerto el vapor de guerra *San Francisco de Borja* trayendo medio batallón del Segundo de Voluntarios Catalanes.

Publicaciones

En este año se publicaron:

Reglamento de la sociedad Club de San Carlos; imprenta de Espinal y Díaz.

Apuntes para la historia médica de la campaña de Santo Domingo, por el doctor D. Luis Martín y de Castro; imprenta de Espinal y Díaz.

Apuntes biográficos del doctor D. Gabriel Marcelino Quiroga, Deán de la Catedral, por J. B. Sagarra; imprenta de *El Santiago de Cuba.*

Manual de Homeopatía, por el prebendado D. Wenceslao Callejas y Asensio (el padre Callejas), dos tomos; imprenta de Gabriel Díaz.

Piedad, leyenda cubana por «Adonhirán» (José Antonio Collazo); imprenta de *El Redactor.*

El puñal verde, tradición cubana por José Antonio Collazo; imprenta de *El Redactor.*

Tropas

Llega el vapor mercante *Pelayo,* procedente de La Habana, con 1.000 hombres de Infantería.

Pozos instantáneos

Por los desperfectos causados al Acueducto por los insurrectos falta el agua potable en la ciudad y se establecen pozos instantáneos en la calle del Jagüey esquina a la del Hospital; Santa Rita entre San Félix y Carnicería y otro en la plaza de la Trinidad.

Estrada Palma

En Cauto Embarcadero, el día 1 de diciembre, estando de sobremesa, la cual presidía Carlos Manuel de Céspedes, acompañado de todo su Estado Mayor, del cual formaba parte Tomás Estrada Palma, estaban en disputa de méritos y ascensos el comandante Juan García y el capitán Emilio Mayo.

Para dar término a la discusión sostenida por ambos seis, tomó la palabra D. Tomás Estrada Palma, y dirigiéndose a don

16

Juan García le pidió una explicación de su título de guerra con el siguiente verso:

> En qué batalla, señor García,
> Ganó usted esta distinción.
> Dígame cuantas balas de cañón
> Ha oído su señoría.

con lo cual se dio por terminada la discusión y por vencido el señor García.

VÍCTOR HUGO

Hemos dejado para el último mes de este año el copiar el siguiente documento que vio la luz en enero por pensar que la voz del genio, oída una vez más en defensa de la Libertad, merece un lugar en nuestras *Crónicas,* porque todo documento revolucionario que llegaba a Santiago de Cuba se hacía leer, entusiasmaba y servía de acicate para estimular a confortar en el *via crucis* que había emprendido un pueblo:

VICTOR HUGO Y LA ESCLAVITUD.

A ESPAÑA

«De muchos puntos de España, de La Coruña, por medio del órgano del Comité democrático; de Oviedo, de Sevilla, de Barceulona, de Zaragoza, la ciudad patriótica de Cádiz, la ciudad revolucionaria de Madrid por medio de la generosa voz de Emilio Castelar, se apela a mí, por segunda vez se me interroga. He aquí mi respuesta: ¿De qué se trata? De la esclavitud.

España, de una sola sacudida, acaba de arrojar de sí todos los antiguos oprobios, fanatismos, absolutismos, patíbulo, derecho divino. ¿Conservará de todo el pasado lo que hay en él de más odioso, la esclavitud? ¡Respondo que no!

Abolición y abolición inmediata. He ahí su deber.

¿Hay acaso lugar a la lucha? ¿Es esto posible? ¡Qué! Lo que hizo Inglaterra en 1648, lo que hizo España en 1848, no lo hará España en 1868? ¿Cómo? ¿Será una nación libertada y mantendrá bajo su planta a una raza en la servidumbre y en las cadenas? ¡Qué contrasentido!, ser en su casa la luz y fuera de ella las tinieblas; ser en su casa la justicia y fuera de ella la ini-

quidad! ¡Ciudadano aquí y negrero allí! Haber hecho allí una
revolución que tendría un lado glorioso y otro lleno de vergüenza! ¿Después de arrojar la monarquía puede quedar en pie la
esclavitud? ¿Tendríais a vuestro lado a un hombre que os per-
teneciera, que sería vuestra cosa? ¿Tendríais para vosotros un
gorro de la libertad en la cabeza y para él una cadena en la
mano? ¿Qué es el látigo del hacendado sino el cetro del rey sin
pretensiones y sin oropel? Roto el uno, cae el otro.

Una monarquía con esclavos es lógica, pero una república
con esclavos es cínica; lo que realza a aquélla deshonra a ésta.
La república es una virginidad.

Ahora bien, desde este momento y sin esperar voto alguno,
sois una república. ¿Por qué? Porque sois España la grande.
¡Sois una república! ¡La Europa democrática ha tomado acta
de ella! ¡Oh! Españoles, no podéis permanecer altivos sino a
condición de ser libres. ¡Decaer os es imposible! Crecer está en
la naturaleza; empequeñecerse no.

Vosotros continuaréis siendo libres. Ahora bien, la libertad
es entera y tiene los celos sombríos de su magnitud y su pureza! No admite concesiones, no admite disminuciones. ¡Excluye
por arriba la monarquía, por debajo la esclavitud! Tener esclavos es merecerlos. El esclavo por debajo de nosotros justificaría
al tirano por encima.

Hay en la historia de la trata un año horrible, 1768. En aquel
año el crimen llegó a su máximun. La Europa robó a Africa
104.000 negros y los vendió en América. ¡Ciento cuatro mil!
Jamás se había visto un guarismo tan espantoso en la venta de
carne humana. Han pasado desde entonces cien años cabales.
Pues bien, celebrad ese aniversario secular con la abolición de la
esclavitud: que responda un año augusto a un año infame, y
mostrad que entre la España de 1768 hay más de un siglo, hay
un abismo, hay la profundidad impasible que separa la mentira
de la verdad, al mal del bien, lo injusto de lo justo, la abyección de
la gloria, la monarquía de la república, la servidumbre de la libertad. Hay un precipipio siempre abierto y cae en él irremisible-
mente el que retrocede.

Un pueblo crece merced a los hombres que liberta. Sea la
grande España completa. Lo que necesitáis es Gibraltar de más
y Cuba de menos. Una palabra más y será la última. En las pro-
fundidades del mal se encuentran el despotismo y la esclavitud,
y producen el mismo efecto. No hay identidad más perfecta. El
yugo del esclavo pesa más sobre el amo que sobre el mismo es-

clavo. ¿Cuál de los dos posee al otro, preguntamos? Está en el error el que crea ser el propitario de un hombre que se compra y se vende. Es antes su prisionero, él es el que os posee. Tenéis que participar de su rudeza, su grosería, su ignorancia, su salvajismo, y si no os causaríais horror a vosotros mismos.

Creéis que ese negro os pertenece; sois vosotros los que pertenecéis a él. Os habéis apoderado de su cuerpo y él se apodera de vuestra inteligencia y de vuestro honor. Entre vosotros y él se establece un nivel misterioso.

El esclavo os castiga porque sois su amo. Tristes y justas represalias, cuanto tiene el esclavo es vuestro sombrío dominador, no tiene conciencia de ello. Sus vicios son vuestros crímenes y sus desgracias llegarán a ser vuestras catástrofes.

El esclavo en una casa es el alma feroz que está con vosotros y dentro de vosotros. Penetra en vosotros y os ciega. ¡Lúgubre envenenamiento! ¡Ah!, no se comete impunemente ese enorme crimen: la esclavitud. Cuando la fraternidad se desconoce, se convierte en fatalidad. Si sois un pueblo renombrado e ilustre, al aceptar la esclavitud como institución os hacéis abominables. La corona en la frente del déspota y el dogal en el cuello del esclavo son el mismo círculo, y en él está encerrada el alma del pueblo. Todos vuestros esplendores tienen esta mancha: el negro. La esclavitud os impone sus tinieblas. Vosotros no le comunicais la civilización y ella os comunica la barbarie; y por medio del esclavo, la Europa percibe la inoculación africana. ¡Oh, noble pueblo español!, ésa es para vosotros la segunda libertad. ¡Os habéis libertado del déspota, libertaos ahora del esclavo!

CRIOLLO

¿Qué son crónicas de un pueblo? Para nosotros, todo aquello bueno o malo, justo o injusto, que en su día hizo vibrar en un momento dado los sentimientos, las pasiones de sus habitantes.

La Guerra por la Independencia fue una feroz intransigencia: aquí y en la Península se convivía en 1869, en ciertos círculos, en ambiente de tolerancia mutua que terminaba por una fraternidad que la educación y el compañerismo hacía convertir en sátira aceptada y aplaudida por los nacidos aquí o que vieron la luz en la Península Ibérica.

El licenciado Vicente Jústiz educóse en España y allá tuvo amigos muchos que le apreciaron por su raro talento y su carácter expansionista. Al estallar la Revolución en la Isla de Cuba trasladóse, en 1869, de nuevo a España suponiendo quizá de que el movimiento revolucionario terminaría por un abrazo entre cubanos y peninsulares, abrazo natural y lógico por los que habían derrocado un trono y levantado a gran altura a Castelares, Pí Margales, Ruiz Zorrilla, etc. ¡Grave error del pensar! España, con su alma clerical, alma carlista que no debe olvidarse que había producido o produjo una guerra sin cuartel, tenía que reaccionar y continuar siendo dura e intransigente.

Vicente Jústiz, vuelto a Madrid, halló que entre los compañeros dejados, uno de los más apreciados y que como él seguía la carrera del foro era militar y había alcanzado el grado de coronel.

—¿Cómo es eso? —le preguntó.

—Pues sencillamente, de abogado hubiera hecho pobre carrera, y aquí, donde el militarismo es oficio fácil para ser algo me halago y ya vés, héteme aquí hecho un... coronel.

Reuníanse casi todas las noches en café de su predilección, en tertulia de literatos, de políticos y de gente que todo lo discutía y burlaba con ese verbo de gentes que siente la alegría del vivir sin odios ni rencores. En una de esas noches en que el café y las copas esparcían la alegría entre los comensales, díjole el coronel a Vicente Jústiz después de haber charlado de Cuba y su insurrección:

—Me permites que te improvise una décima que se me ha ocurrido ahora.

—Dila, ¿por qué no?

—Es que es la definición tuya —le agregó riendo—; la palabra «criolla».

—Venga la décima —exclamaron todos, y entre ellos Vicente Jústiz.

—Pues allá va.

CRIOLLA

En la lengua portuguesa
Al ojo lo llaman *crí*,
Y esto de nombrarse así
Sólo en su lengua se expresa.

También en lengua holandesa
Al *ollo* le llaman *culo,*

Y así con gran disimulo
Uniendo el *cri* con el *ollo*
Lo mismo es decir *criollo*
Que decir *ojo*.........

Los aplausos, los bravos y la risa se desgranaban libremente, y sin encono estimularon a Vicente Jústiz, quien a su vez pidió la venia para responder improvisando también.

Aceptado por todos con mayores aplausos aún, dijo el cubano:

GACHUPIN

Gachu, en arábigo hablar,
Es es castellano *mula;*
Pin en Guinea articula
Lo que en nuestro idioma *dar.*

Donde viene a resultar
Que este nombre *gachupín*
Es un *muladar* sin fin,
Y siendo el criollo *culo,*
Puede sin gran disimulo
Cagarse en gente tan ruin.

Y escribiéronse las décimas que transcribimos, suponiendo que han de agradar como agradaron entonces, sin fijar la mente en palabras más o menos sucias, que... *El Quijote* está lleno de ellas tal como se escriben y significan.

OCTUBRE 11 DE 1868 A DICIEMBRE 31 DE 1869

Dice el escritor Llofríu: «Aunque sea una ojeada retrospectiva, interesa mucho conocer estos datos por lo que puedan influir en el esclarecimiento de la verdad.» Octubre 1868.

Día 10.—Grito de independencia en *La Demajagua,* ingenio de Carlos Manuel de Céspedes, sobre la costa, a dos leguas al sur de Manzanillo.

Manifiesto firmado por Céspedes donde se exponen las razones que inducen a los cubanos a levantarse en armas contra España reclamando su independencia. Agitación de toda la comarca que atraviesa el Cauto.

Estado de sitio en Manzanillo. Proclama del general Ravenet en Santiago de Cuba anunciando la insurrección.

Día 11.—Primer encuentro en Yara con una columna del Regimiento de la Corona salida de Bayamo. El brigadier Mena declara en estado excepcional la jurisdicción de Puerto Príncipe. Por la noche sale de La Habana el Batallón Cazadores de San Quintín en dos mitades: una en el vapor de guerra *Unión,* con dirección a Gibara, al mando del comandante Boniche; la otra, mandada por el teniente coronel Campillo, sale en ferrocarril para embarcarse en Batanabó con destino a Manzanillo.

Día 12.—Sale de Puerto Príncipe una columna del Regimiento de la Reina al mando del capitán D. Leonardo Abril. Llega a Nuevitas y se embarca para Matanzas en el vapor de guerra *María Francisca.* El gobernador de Manzanillo declara en nombre del Capitán General que todos los insurrectos que sean cogidos con las armas en la mano «serán fusilados». Da al mismo tiempo una amnistía de cuarenta y ocho horas. El gobernador de Las Tunas se atrinchera en la población temiendo un ataque.

Día 13.—Ataque a Las Tunas. La guarnición se sostiene en sus trincheras. Sale de Puerto Príncipe un destacamento de lanceros del rey, al mando del capitán Gastón y Machín. Primera salida de la guarnición de Manzanillo, cuya jurisdicción entera está pronunciada.

Día 14.—Desembarque en Manatí de la columna del capitán Abril, que inmediatamente se pone en marcha para Las Tunas. Acción en el ingenio *Las Lagunas.* Desembarca en Manzanillo la fuerza del teniente coronel Campillo. Salen de esta ciudad dos columnas que vuelven a retirarse. Acción de Jibacoa. Por la noche llega a Gibara el comandante Boniche con sus tropas.

Día 15.—Acción en Las Tunas contra un destacamento del Regimiento de la Reina. Acción en la sabana del Corojo, camino de Manatí, con el capitán Abril. Acción del Yareyal, en las cercanías de Holguín. Llega a esta ciudad la columna de Boniche.
Toma de Barrancas, en la jursidicción de Bayamo.

Día 16.—Acción de Cerro Pelado con las fuerzas de Campillo. Acción de las Minas de Rompe contra la caballería de Gastón y Machín. Llega a Las Tunas el capitán Abril. Sale de Manatí la columna del capitán Martínez, desembarcada el día anterior, y se dirige a Las Tunas.

Día 17.—El general Ravenet declara en estado de sitio todo el Departamento Oriental. Acción de la Cuaba, con muerte del capitán Martínez. Zarpa de La Habana el vapor de guerra *Francisco de Asís* conduciendo un batallón del Regimiento de La Habana al mando del coronel Loño, nombrado comandante en jefe de las fuerzas de operaciones españolas.

Día 18.—Ataque de Bayamo. La población entera es ocupada por los patriotas, viéndose obligado el gobernador Udaeta a atrincherarse en el cuartel con toda la guarnición. La columna de Boniche emprende la marcha de Holguín para Las Tunas. Salen de La Habana pertrechos de guerra para Nuevitas. Salen de Batabanó para Manzanillo fuerzas de caballería del Regimiento de la Reina al mando del comandante Halliday.

Día 19.—Alocución del brigadier Mena, en Camagüey, prometiendo armas a los propietarios de fincas que quieran usarlas contra los insurgentes. Sale de Santiago de Cuba una columna de 1.200 hombres de todas las armas, al mando del coronel Quirós. Bombardeo de Manatí por el vapor *Francisco de Asís*. Encuentros en La Cuarentena y en Plazuelas, entre Holguín y Las Tunas.

Día 20.—Acción del Contramaestre. Acción de Arroyo del Muerto, entre Holguín y Las Tunas. El Capitán General Lersundi expide un decreto extendiendo a los delitos de infidencia la jurisdicción de las comisiones militares. Capitulación de la guarnición de Bayamo, quedando prisionera de guerra con todas las armas, efectos y municiones.

Día 21.—El coronel Quirós ocupa a Baire. Salida de la guarnición de Las Tunas al mando de Boniche.

Día 22.—El general Ravenet, en Santiago de Cuba, proclama una amnistía para los insurrectos que se presenten a las autoridades antes de ocho días.

Día 24.—Agitación en La Habana. Rumores de un levantamiento de negros.

Día 25.—Combate de Baire. La población vuelve a ser ocupada por los patriotas y el coronel Quirós se ve obligado a pronunciarse en retirada hacia Santiago de Cuba, de donde había salido.

Día 26.—Acción de Vicana, en la jurisdicción de Manzanillo.

Día 27.—Acción del Portillo, jurisdicción de Santiago de Cuba. La corbeta de guerra *Andalucía* se apodera de un pailebot de los insurrectos.

Día 28.—Céspedes publica una orden en Bayamo para que todas las autoridades revolucionarias den cuenta por escrito de los «atroces excesos» cometidos por las tropas españolas.

Día 29.—El coronel Loño, con medio batallón de Cazadores de San Quintín, el Regimiento de la Reina y el Segundo Batallón de La Habana, sale de Las Tunas. Acción de Arroyo de la Palma. Episodio de las Abejas. La columna vuelve a retirarse a Las Tunas. Por la tarde llega a esta ciudad el Batallón de Cazadores de Bailén, habiendo dejado una compañía en Manatí y otra en Gibara.

Día 30.—Manifiesto dado en Bayamo por Céspedes en que declara que sólo en las circunstancias actuales acepta los cargos que se le han confiado. Declara que no trata de imponer su gobierno a los demás pueblos de la isla y que está pronto a someterse a lo que decida la mayoría de los habitantes.

Noviembre:

Día 3.—Alzamiento en el Camagüey. La juventud de Puerto Príncipe deja la ciudad y va a pronunciarse en los campos.

Día 4.—Sale de La Habana una compañía de Artillería para Nuevitas.

Día 5.—Ataque a Manzanillo. Quema del puente de Yara y del tejar de Caragol.

Día 6.—Decreto de Céspedes facultando para dejar el territorio conquistado por el ejército libertador a todas aquellas personas que no estén conformes con el nuevo orden de cosas; a este fin se expedirá a todo el que lo solicite un salvoconducto. Sale de La Habana el conde Valmaseda para tomar en Manzanillo el mando en jefe de las tropas españolas.

Día 7.—Entra en Santiago de Cuba la columna derrotada de Quirós. Toma del Cobre y del Caney. Desde las calles de Cuba se ve la bandera tricolor ondear en los campamentos cubanos.

Día 8.—Corren rumores en La Habana de un levantamiento en Vuelta Abajo. El tren del ferrocarril entre Nuevitas y Puerto Príncipe es detenido. Varios oficiales españoles son hechos prisioneros.

Día 9.—Sesenta hombres de la goleta de guerra *Africa* desembarcan en Nuevitas para defender la población. La guarnición de Puerto Príncipe se encierra y fortifica en los cuarteles y conventos. Desembarca Valmaseda con sus tropas en Manzanillo. El general Lersundi declara cerrados al comercio, tanto de travesía como de cabotaje, todos los puertos menos siete de los departamentos Central y Oriental.

Día 10.—Prisión, en San Cristóbal, de 14 jóvenes salidos de La Habana para sublevarse en Vuelta Abajo.

Día 11.—Es fusilado en Palma Soriano, jurisdicción de Santiago de Cuba, Isaac Borges, cubano, por homicidio de Manuel de Jesús Colza, natural de Santander. La sentencia, dada por un consejo de guerra, es aprobada por el teniente general Luis Marcano, el cual asiste a la ejecución.

Día 12.—Decreto del capitán general Lersundi perdonando un año de contribución territorial a todo campesino o sitiero que se arme para defender a España.

Día 13.—Sale de La Habana para Vuelta Abajo una columna de Infantería y Caballería a las órdenes del coronel Arcilla. Sale de Batanabó, en el vapor *Cienfuegos,* una columna de Caballería compuesta de 110 rurales de Fernando VII.

Día 15.—Primer deportado a España.

Día 16.—El general Valmaseda sale de Manzanillo. En dos vapores, con dirección a la jurisdicción de Puerto Príncipe, lleva una columna de 1.100 hombres, 100 caballos y seis piezas de artillería.

Día 17.—Salida de la guarnición de Santa Cruz reforzada con la tripulación de los buques de guerra *Huelva, Neptuno* y *Guadalquivir.* Acción de Caimanera. Desembarca Valmaseda en Vertientes.

Día 18.—Ataque a la plaza y fortificaciones de Manzanillo.

Día 19.—Se ordena en La Habana la creación de los batallones del Orden y de España, primeros movilizados para la guerra. La columna de Valmaseda llega a Puerto Príncipe.

Día 20.—Alocución del conde de Valmaseda prometiendo reformas liberales en el gobierno a los sublevados de Camagüey.

Día 22.—Combate del Cobre, jurisdicción de Santiago de Cuba. La población, primero ocupada y después perdida, queda definitivamente en poder de los insurrectos.

Día 27.—Ataque y combate de Guantánamo. El general Valmaseda sale de Puerto Príncipe con su columna reforzada, dirigiéndose a Nuevitas.

Día 28.—Acción de Altagracia, entre Puerto Príncipe y Nuevitas.

Día 29.—El coronel Acosta y Alvear, al mando del batallón de movilizados del Orden, sale de Batanabó en el vapor *Villaclara*.

Día 30.—Llega a Sancti Spíritus el batallón del Orden. Acción en el camino de Puerto Príncipe.

Diciembre:

Día 1.—Entra Valmaseda en San Miguel de Nuevitas. El coronel Méndez Benegasi, al mando del Batallón de Movilizados de España, un destacamento de Caballería y una sección de Artillería sale de La Habana en el vapor *Moctezuma*.

Día 3.—Desembarca en Gibara la columna del coronel Benegasi.

Día 4.—Agitación en las jurisdicciones de Morón y Sancti Spíritus. Baricadas en Morón y Ciego de Avila. La columna de Benegasi sale de Gibara para Holguín. Salen de Batanabó refuerzos del cuerpo de Ingenieros en el vapor *General Dulce*.

Día 5.—Acción del Trapiche, a una legua de Morón. Salida de la guarnición de Manzanillo, reforzada con la tripulación de los buques de guerra *Huelva* y *Neptuno*.

Día 8.—Agitación en Jagüey Grande, jurisdicción de Colón. Rumores de un movimiento abortado.

Día 9.—Salen para Nuevitas un destacamento de zapadores y tres piezas de artillería en el vapor *Barcelona*.

Día 10.—Embárcase en Matanzas, a bordo del *Barcelona,* el Batallón Movilizado de Matanzas.
Salida de la guarnición de Manzanillo. Primer prisionero fusilado (Hilario Tamayo). Barricadas en Remedios. Empieza a publicarse en Nueva York el *Boletín de la Revolución.*

Día 12.—Cincuenta y cuatro jóvenes de los más distinguidos de La Habana se embarcan para Nassau en el vapor *Morro Castle* con ánimo de trasladarse al campo insurrecto.

Día 13.—Llegada del vapor *España* procedente de la Península con las primeras tropas de refuerzo, a saber: 6 oficiales, 20 sargentos y 736 soldados. El conde de Valmaseda llega a La Habana para conferenciar con el general Lersundi.

Día 15.—Vuelve a salir Valmaseda para Nuevitas con numerosos refuerzos. En la Candelaria, estación del ferrocarril del Oeste, sorprende la policía española un cargamento de armas.

Día 16.—Llega a La Habana el vapor *Santander* con 1 comandante, 2 capitanes y 732 soldados de refuerzo.

Día 18.—Acción de San Jerónimo, entre Ciego de Avila y Puerto Príncipe.

Día 19.—Salida de la guarnición de Nuevitas. Acción en el ingenio *La Caridad.*

Día 20.—Circular de Céspedes a los jefes de las columnas españolas lamentando la ejecución de prisioneros de guerra y amenazando con represalias si antes de quince días no recibe seguridad de que ha de abandonarse tan bárbaro sistema. Entra en Puerto Príncipe la columna del coronel Acosta y Alvear.

Día 21.—Sale de Nuevitas con dirección a Bayamo la columna de Valmaseda, compuesta de medio Batallón Cazadores de San Quintín, el Batallón de España, el Batallón Movilizados de Matanzas, una batería de montaña, un escuadrón de lanceros de la Reina y ocho carretas y más de cien acémilas. Cesa en La Habana la publicación del periódico liberal *El País.*

Día 23.—Acción en el río Cauto contra el vapor *Damují,* armado en guerra. Fuego continuado contra la columna de Valmaseda.

Día 24.—Entra un parlamentario en Santiago de Cuba (Pío Rosado), el cual conferencia largamente con el gobernador. La ciudad está estrechamente bloqueada, el acueducto cortado. Por la noche, tiroteo en las afueras.

Valmaseda quema todas sus carretas y la mayor parte de los bagajes para facilitar sus movimientos.

Día 27.—Decreto de abolición de la esclavitud fechado por Céspedes en Bayamo. Desembarca en la Guanaja el general Quesada con 71 expedicionarios todos cubanos y un armamento de 2.605 rifles «Enfield» y 150 carabinas «Spencer», primer refuerzo que reciben los patriotas.

El coronel López Cámara se embarca en Santiago de Cuba para Guantánamo con una columna de mil hombres y cuatro piezas de artillería.

Día 29.—Muere en las prisiones de La Habana Camilo Cepeda, patriota de Sancti Spiritus, víctima de los malos tratamientos.

Día 30.—El nuevo gobernador de Santiago de Cuba prohibe salir de la ciudad sin salvoconducto. Reglamento para proveerse de agua en las afueras de la población con custodia del ejército.

Día 31.—Entierro de Camilo Cepeda. Gran manifestación: más de cinco mil personas, sombrero en mano, asisten a la ceremonia.

1869

Enero:

Día 1.—Entra Valmaseda en Las Tunas. Acción en el ingenio *Sevilla,* cerca de Santiago de Cuba. Llega a Sancti Spiritus la primera compañía movilizada de contraguerrillas al mando del capitán Cassola.

Día 2.—Salida de la guarnición de Santa Cruz reforzada con la tripulación del vapor de guerra *Guadalquivir.*

Día 3.—Salida de la guarnición de Santiago de Cuba. Acción de San Antonio. Alocución de despedida del general Lersundi a las tropas españolas. Dice que hasta la fecha se han librado 26 combates con los insurrectos. Salen fuerzas para Gibara.

Día 4.—Llegada del general Dulce a La Habana con 497 hombres de refuerzo. Acción de Chino de Boza. Llega a Sancti Spiritus la columna del coronel Acosta y Alvear.

Día   5.—Sale de Las Tunas la columna de Valmaseda y marcha sobre Bayamo.

Día   6.—Muerte en reyerta del joven habanero Tirso Vázquez por un oficial del ejército español. Gran excitación en la ciudad. El general Dulce toma el mando de la Isla. Lersundi embarca para España. Alocución de Dulce proponiendo olvido de lo pasado y esperanza en el porvenir. Salida de la guarnición de Nuevitas.
Quema del puente del Gorgojo en el ferrocarril del Cobre, inmediaciones de Santiago de Cuba.

Día   7.—Acción de La Palma, cerca del Cobre. Entierro de Tirso Vázquez en La Habana. Gran excitación. En el cementerio se pronuncian gritos revolucionarios. Paso del río Salado por Valmaseda.

Día   8.—Acción del Puerto de Bayamo, cerca de Santiago de Cuba. Combate del Saladillo.

Día   9.—Decreto del general Dulce suprimiendo las comisiones militares. Combate de Cauto el Paso. Las fuerzas de Valmaseda fuerzan el paso del río Cauto.

Día 10.—Sale de La Habana una comisión compuesta de José de Armas y Céspedes, Ramón Rodríguez Correa y Hortensio Tamayo con cartas y proposiciones del general Dulce para los jefes de la insurrección, ofreciéndoles una transacción. Al mismo tiempo salen en dos vapores para Nuevitas dos batallones de tropa.

Día 11.—Incendio de Bayamo. Los patriotas, en la imposibilidad de resistir a las fuerzas de Valmaseda, queman su propia ciudad. Salida de la guarnición de Gibara. Salida de la guarnición de Santiago de Cuba. Acción de Hongolosongo.

Día 12.—Descúbrese por la policía un depósito de armas en la calle de Figuras, Habana. Resistencia a la policía y ataque de las fuerzas del gobierno, con muerte de un celador y dos salvaguardias. Prisión de Francisco León y Agustín Medina. Decreto de amnistía expedido por Dulce. Todos los insurrectos que se presenten en el término de cuarenta días quedarán indultados; todos los condenados quedan en libertad; todas las causas se suspenden.

Día 13.—Salen de La Habana Francisco Tamayo Fleites, Joaquín Oro y José Ramírez, segunda comisión que envía el general Dulce a procurar arreglos con los insurrectos. Salida de la guarnición de Gibara.

Día 15.—Entrada de Valmaseda en las ruinas de Bayamo.

Día 16.—Ataque de Manzanillo. Los insurrectos tratan de quemar la ciudad. La columna de Méndez Benegasi sale de Gibara para Holguín.

Día 18.—Salen de La Habana refuerzos de todas las armas y la segunda compañía de contraguerrilleros movilizados al mando del capitán Lacasa.

Día 19.—Salida de la guarnición de Santa Cruz. Salida de la guarnición de Manzanillo.

Día 20.—Acción del Caney, jurisdicción de Santiago de Cuba. Salida de la guarnición de Manzanillo. Acción del Palmar.

Día 21.—Representación en La Habana, en el teatro Villanueva, a favor de los patriotas heridos. Gran manifestación en el teatro.

Día 22.—Sucesos en el teatro Villanueva. Importante manifestación republicana del público habanero. Del palco escénico salen gritos patrióticos. Los voluntarios hacen fuego sobre la multitud, matando e hiriendo a hombres, mujeres y niños.

Día 24.—Sucesos del café del Louvre y de la casa de Aldama. Los voluntarios de La Habana, ocupando militarmente la ciudad entera, asaltan al Louvre haciendo numerosas víctimas y saquean el palacio de Aldama. Colisión en Sancti Spiritus, en un café, entre el pueblo y la tropa. Disturbios en Cienfuegos. Alarma en Cárdenas.

Día 25.—Numerosas prisiones en La Habana.

Día 27.—Asesinato de Augusto Arango, parlamentario, por las tropas españolas en las afueras de Puerto Príncipe. La Asamblea del Camagüey, en vez de tomar represalias ordena a Correa y Tamayo, emisarios españoles, que salgan al instante del territorio libertado.

Día 28.—Carta de Céspedes al general Dulce en respuesta a la de éste enviada con los emisarios, negándose a toda transacción.

Día 29.—Circular del general Dulce sobre los delitos de imprenta.

Día 31.—Alarma en Villaclara.

Febrero:

Día   1.—Verifícanse numerosas prisiones en el territorio de Vuelta Abajo.

Día   2.—Toma de Mayarí por los patriotas.

Día   5.—Fracaso de un alzamiento en Santa María del Rosario. Prisión de once comprometidos y ocupación de una caja de armas.

Día   6.—Alzamiento de las Cinco Villas. Se proclama el estado de sitio en Sancti Spiritus. En Camarones, jurisdicción de Cienfuegos, se reúne un gran número de insurrectos. Destrucción del telégrafo en toda esa comarca. Ruptura de las líneas del ferrocarril entre Cienfuegos y Villaclara y entre Villaclara y Sagua. Salen de La Habana para Nassau 83 jóvenes con objeto de desembarcar armados en el territorio libre.

Día   7.—Acción de las Cruces entre Villaclara y Sagua. Asalto y toma de Güinia de Miranda (Trinidad). En Manicaragua, jurisdicción de Villaclara, se reúnen 10.000 insurrectos desarmados en su mayor parte. Sale de La Habana, con dirección a Cienfuegos, una columna de Artillería al mando del coronel Morales de los Ríos. Sale de Fernandina, en Florida, el vapor *Henry Burden* con 47 patriotas, al mando de Javier Cisneros, que vienen a traer material de guerra a los independientes.

Día   8.—Alarma en Cienfuegos. Los insurrectos llegan hasta las mismas puertas de la ciudad. Salen tropas de Matanzas, Cárdenas, Colón, Villaclara y Sagua para sofocar la rebelión de las Cinco Villas.

Día   9.—Ordénase en La Habana el armamento de otros cinco batallones de Voluntarios.

Día 10.—Acción de Güisa, jurisdicción de Bayamo. Alzamiento de Jagüey Grande, jurisdicción de Colón. Toma del pueblo de Mayajigua, en la jurisdicción de Remedios. La guarnición capitula, quedando prisionera de los insurrectos. El territorio de Villaclara y el de Trinidad son declarados en estado excepcional por sus respectivos gobiernos.

Día 11.—Llega a Rum Key, en las Bahamas, el vapor *Henry Burden* con los 47 expedicionarios. Encuéntrase allí al bergantín *Mary Lowel,* que tiene a su bordo 3.000 ri-

fles, tres cañones, 250 monturas, 280 sables, 250 revólveres y una tonelada de pólvora.

Día 12.—Acción de Güinia de Miranda, jurisdicción de Trinidad. Llega a Manzanillo el coronel Loño con una columna de prisioneros españoles que estaban en poder
de los insurrectos. Decreto del general Dulce suspen-
diendo la libertad de imprenta y estableciendo consejos de guerra para juzgar los delitos de infidencia.

Día 14.—Acción de Manicaragua, jurisdicción de Villaclara.

Día 15.—En el vapor *España* llegan de la Península dos comandantes, 16 oficiales, seis sargentos y 994 soldados de
refuerzo.

Día 16.—Acción de Sipiabo, jurisdicción de Trinidad. En el vapor *Antonio López* llegan de España cinco tenientes
coroneles, cinco comandantes, 60 oficiales, 32 sargentos y 510 soldados. Llegan a Rigged Island, a 60 millas de Cuba, el vapor *Henry Burden* con las expediciones y el bergantín *Mary Lowel* con el cargamento.

Día 17.—Acción en el poblado de Santo Domingo, en la jurisdicción de Sagua la Grande. Es puesta en estado de
sitio dicha jurisdicción. Salida de la guarnición de Santa Cruz. Acción del Guayabal. Bombardeo de la Guanaja por la escuadra menor española.

Día 18.—Decreto de Céspedes declarando represalias contra los
españoles. Todo prisionero de los que voluntariamente hayan tomado las armas para pelear contra los cubanos después de declarada la independencia será pasado por las armas. Los soldados del ejército regular
podrán esperar benevolencia. Desembarca en La Guanaja el brigadier Lesca, procedente de Nuevitas, con
una columna de 1.000 hombres. Despáchase de Rigged Island la goleta *Julia* para Cuba.

Día 19.—En el vapor *Isla de Cuba* llegan de España el Batallón
de Cazadors de Baza y parte de los regimientos de Burgos y Murcia, componiendo en todo 67 oficiales y jefes y 1.021 soldados.

Día 20.—Decreto del general Dulce dando por terminada la amnistía de los cuarenta días, si bien había siempre indulto para los insurrectos que se presenten, con excepción de los jefes. Fracasa por completo el movimiento
de Jagüey Grande.

Día   21.—Sale de La Guanaja con dirección a Puerto Príncipe
la columna del brigadier Lesca. En el vapor *Santander* llega de España el Batallón Cazadores de Chicla-
na con 68 oficiales y jefes y 1.040 soldados.

Día   23.—Combate en Cubitas. La columna española pasa la Sierra sufriendo graves pérdidas.

Día   24.—Manifiesto en Nassau de José de Armas y Céspedes
exponiendo los móviles al aceptar la comisión del general Dulce. Acción de Vicana (Manzanillo). Acción
de Hoyo Limón (Sancti Spiritus).

Día   25.—Entra en Puerto Príncipe la columna del general Lesca.

Día   26.—Decreto de emancipación inmediata de los esclavos expedido por la Asamblea de Representantes del Camagüey. Vuelven a Rigged Island el vapor *Henry Burden* y la goleta *Julia* de retorno de su viaje a Cuba sin
novedad.

Día   27.—Retírase de Rigged Island el vapor *Henry Burden,* dejando en el cayo a los expedicionarios y anclada la
Mary Lowel.

Día   28.—Llegan a Rigged Island tres buques de guerra españoles, *Andaluza, Guadiana* y *Fernando el Católico.* An-
clan a la vista de la *Mary Lowel.*

Marzo:

Día   1.—Es fusilado en Sagua la Grande el capitán cubano Juan
Daniel Araoz. Llegada a La Habana del vapor de guerra español *Cádiz* con un batallón de marina, 10 oficiales y 186 soldados del Batallón Cazadores de Simancas.

Día   4.—Mensaje de inauguración del presidente Grant en Washington; ni una palabra de simpatía a favor de los
cubanos. Acción de La Macaca, jurisdicción de Manzanillo. Fusilamiento en Remedios.

Día   5.—Combate en Mayarí. La columna del coronel López y
Cámara ocupa la población. Llega a La Habana el vapor *Comillas* conduciendo 17 jefes y oficiales y 350
soldados de refuerzos.

Día   6.—Ataque de Jiguaní por los independientes.

Día   8.—Ataque del poblado de Santo Domingo, jurisdicción
de Sagua la Grande. Acción de Ceja Grande (Sancti
Spiritus). El monitor peruano «Manco Capac» entra
en Puerto Naranjo y comunica con los patriotas.

Día   9.—Fusilamientos en Cienfuegos.

Día 12.—Acción en el Roble, jurisdicción de Villaclara.

Día 13.—Combate del Potrerillo (Villaclara).

Día 15.—La goleta de guerra *Andaluza* se apodera en Rigge Island del bergantín *Mary Lowel* con todo su cargamento. Los expedicionarios no son apresados. Combate en Guanabacoa (Remedios). Fusilamientos en Remedios.

Día 16.—Llega el vapor *Canarias* a La Habana con el Batallón de León y parte del de Cazadores de Aragón. Total, 1.288 hombres.

Día 17.—Ataque y toma de Alvarez (Sagua la Grande) por los independientes. Acción cerca de Mayarí.

Día 18.—Sale de Manzanillo un convoy para la guarnición de Bayamo. Fuego en todo el camino.

Día 19.—Acción de Jatibonico (Sancti Spiritus). Sale para Nuevitas una columna de catalanes movilizados.

Día 21.—Salida para Fernando Poo de 255 deportados sin formación de causa a bordo del vapor *Francisco de Borja* y escoltados por la fragata *Lealtad*. Tumulto en La Habana promovido por los voluntarios. Asesinato del comisario Romero. Fusilamiento de un joven inocente. Entra en Nuevitas una columna de refuerzos ascendente a 804 hombres.

Día 22.—Sale de La Habana un convoy para ser conducido a Las Tunas al mando del comandante Boniche.

Día 23.—Apresamiento del vapor *Comanditario* por 18 cubanos al mando de Eloy Camacho y Agustín Santa Rosa. Acción en Las Piedras (Remedios). Fusilamientos en Sancti Spiritus. El vapor de guerra *San Quintín* llega a La Habana con el Batallón Cazadores de Antequera.

Día 24.—Decreto del capitán general Dulce declarando piratas y sujetos a ser tratados como tales a todos los pasajeros y tripulantes de todo buque con cargamento de guerra que sea cogido en aguas de Cuba o en mares libres, cualquiera que sea su destino y procedencia.

Día 26.—Primera entrevista del C. Morales Lemus con el ministro Fish.

Día 27.—Fusilamiento en Santiago de Cuba.

Día 28.—Expedición contra la Siguanea. Salen simultáneamente de Cienfuegos, Trinidad y Villaclara los generales Buceta, Peláez, Escalante y Letona con una fuerza de 5.000 hombres. Fusilamiento en Santiago de Cuba.

Día 30.—Acción de Chico Cordero (Cienfuegos). Fusilamiento en Santiago de Cuba.

Día 31.—Reconcentración en La Siguanea de todas las fuerzas al mando de los generales Buceta, Peláez, Escalante y Letona. Largas horas de cañoneo. Los insurrectos han desaparecido de la Sierra.

Abril:

Día   1.—Sale de Puerto Príncipe una fuerte columna al mando del brigadier Goyeneche con dirección a Santa Cruz.

Día   2.—Llega el vapor *Pizarro* a La Habana con refuerzos. Fusilamientos en el Cobre. Entra en Las Tunas el convoy de Boniche. La guarnición había estado ochenta y seis días sin recibir refuerzos ni provisiones. Acción en El Corojito, cerca de Guaracabuya.

Día   4.—Cruel proclama de Valmaseda en Bayamo. Todo el que teniendo más de quince años de edad sea encontrado fuera de su casa será fusilado. Todas las mujeres serán conducidas a la fuerza a Bayamo o Jiguaní. Llega a Santa Cruz la columna de Goyeneche, con grandes pérdidas en el camino. Acción de La Isabelita (Santiago de Cuba).

Día   5.—La Cámara Legislativa de Méjico autoriza al ejecutivo, por más de 100 votos contra 12, para que reconozca a los cubanos como beligerantes.

Día   6.—Fusilamiento en Holguín del C. Justo Aguilera.

Día   7.—Ordenan los españoles la construcción de 30 cañoneros en varios arsenales particulares de los Estados Unidos.

Día   9.—Suplicio de garrote, en La Habana, de los ciudadanos León y Medina. El primero pronuncia desde el patíbulo entusiastas vivas a la independencia. El pueblo responde con otros gritos patrióticos. Las tropas hacen fuego sobre la multitud. Numerosos muertos y heridos. Intensa agitación en La Habana. Llega a esta ciudad el vapor *Antonio López* con 603 hombres de refuerzo.

Día 10.—Primera sesión de la Cámara de Representantes del pueblo libre de Cuba en Guáimaro. Resuélvese que la forma de gobierno será la república federal, entendiéndose subdividida la Isla en cuatro estados: Occidente, Las Villas, Camagüey y Oriente. Discútese y apruébase la constitución democrática que ha de regir durante la actual guerra de independencia. El ciudadado Céspedes resigna el cargo de capitán general de las tropas y el de jefe del gobierno provisional.

Día 11.—La Cámara de Representantes, en uso de las facultades que le designa la Constitución, elige por aclamación unánime al ciudadano Carlos Manuel de Céspedes para presidente de la república, y al ciudadano Manuel de Quesada para general en jefe del Ejército Libertador.

Día 13.—Creación por el gobierno español de un nuevo tercio de la Guardia Civil de 1.000 plazas. La ciudad de Trinidad se ve amenazada por numerosas fuerzas insurrectas.

Día 15.—El vapor *Francisco de Borja,* que conduce los deportados a Fernando Poo, entra en Puerto Rico. Despacho del general Dulce a su gobierno anunciando el fin de la insurrección.

Día 16.—Decreto del general Dulce sobre los bienes de los patriotas. Primeras confiscaciones. Acción del Papayal. Las fuerzas cubanas que amenazaban a Trinidad se ven forzadas a retirarse.

Día 17.—Combate en el camino de Manatí a Las Tunas. El general Vicente García derrota a una columna española, haciendo más de 100 prisioneros.

Día 19.—Llega a La Habana el vapor *España* con 1.000 soldados catalanes. Gran recepción por los voluntarios.

Día 20.—Segundo decreto del general Dulce sobre confiscaciones. Sale de Nueva York la goleta *Grapeshot* con armas y municiones para Cuba y 30 patriotas al mando de Antonio Jiménez.

Día 21.—El Congreso de la República ratifica las amplias facultades discrecionales concedidas al ciudadano Morales Lemus, encargado de negocios, enviado extraordinario y ministro plenipotenciario de la República en los Estados Unidos de América.

Día 23.—El general Lesca sale de Nuevitas para Puerto Príncipe con una columna de 1.200 hombres. En los cuatro días consecutivos salen más tropas hacia el mismo destino.

Día 24.—Fusilamiento de Delfín Aguilera en Santiago de Cuba.

Día 26.—Llega el vapor *Comillas* con el Batallón Cazadores de Reus, fuerte de 1.010 hombres. Entra de arribada en

Beaufort (Carolina del Sur) la goleta *Grapeshot,* salida de Nueva York para Cuba.

Día 28.—Incendio de ingenios en Santiago de Cuba.

Día 29.—Fusilamiento de los Anaya, padre y tres hijos, y de Homobono Portuondo en Santiago de Cuba. Serias señales de desafección de los voluntarios de La Habana hacia el capitán general. El Seguno Batallón, de guardia en La Cabaña, rehusa obedecer la orden de libertad de un preso. El general Dulce, de uniforme, con todo su estado mayor, sube a la fortaleza y se hace obedecer.

Día 30.—Le República de Cuba reconoce derechos de beligerantes en los cubanos.

Mayo:

Día 1.—Acción de Altagracia contra las fuerzas del brigadier Lesca.

Día 3.—Combate de Las Minas. La fuerza española que se dirige a Puerto Príncipe sufre grandes pérdidas.

Día 4.—Gran *meeting* en Nueva York, en Cooper Institute, demostrando simpatías por la causa de Cuba. Fusilamientos en Santiago de Cuba.

Día 5.—El general Angel Castillo ocupa el pueblo de San Miguel de Nuevitas y lo reduce a cenizas. Sale de Cayo Hueso el vapor cubano *Salvador* llevando un grupo de patriotas e incorporarse a la expedición preparada en Nassau para su desembarco. Sale de Nueva York el vapor *Perit* conduciendo a Cuba 364 expedicionarios al mando del general Jordán y un cargamento de 3.000 fusiles.

Día 6.—Salen de Nuevitas cuatro convoyes para abastecer a Puerto Príncipe.

Día 7.—Se adhieren a la causa de la república, ofreciendo sus servicios militares, seis oficiales españoles prisioneros: Miguel Moreno y Celme, Francisco Troyano, Luis Paz y Villarín, Esteban Ruiz, Rogelio Gómez y Norberto Valle.

Día 9.—Incendio de ingenios en Las Cinco Villas.

Día 10.—Protesta del ciudadano Morales Lemus, ministro plenipotenciario en Washington, contra la inhumana proclama de Valmaseda del 4 de abril. Protesta igualmente contra las confiscaciones deccetadas por el general

Dulce, a reserva de lo que ulteriormente disponga el gobierno de la República.

Día 11.—Sale de Nassau el vapor *Salvador* conduciendo 150 patriotas al mando del coronel Quesada y un cargamento de 600 fusiles «Springfield», 200 carabinas «Spencer», pólvora y medicinas.

Día 13.—Desembarca en la bahía de Nipe la expedición del *Perit* al mando de Jordán. Es fusilado en San Jerónimo el valiente octogenario José Quesada. La república de Perú reconoce como beligerantes a los cubanos.

Día 14.—Desembarca en el puerto de Nuevas Grandes la expedición del *Salvador* al mando del coronel Quesada. Acción de Cerro Pelado (Manzanillo).

Día 15.—Entra en la bahía de Nipe el vapor español *Marsella* y es recibido con varias descargas de artillería que le obligan a retirarse con averías. Acción de Vázquez (Las Tunas).

Día 16.—Combate de Mayarí entre las fuerzas del general Jordán y la columna del capitán Mozo Viejo. Los españoles, que alcanzan primero alguna ventaja, son finalmente derrotados con grandes pérdidas.

Día 17.—La goleta *Grapeshot,* detenida largo tiempo en Baufort para arreglar sus papeles, sale definitivamente para Cuba.

Día 18.—Acción de Santa María (Manzanillo).

Día 20.—Acción de Canalito. Numerosas fuerzas españolas tratan de impedir la salida de la península del Ramón a los expedicionarios del *Perrit.* Estos fuerzan el paso.

Día 21.—Acción del río Jarico (Manzanillo). Acción de la Ceiba (Santiago de Cuba).

Día 22.—Son extraídos de La Cabaña y transportados a un buque de guerra los 22 prisioneros de la goleta *Galvanic,* condenados a ocho años de presidio por un consejo de guerra. Motín entre los voluntarios de la Cabaña; gritos contra el general Dulce.

Día 23.—La fragata de guerra *Carmen* sale para España con los 22 prisioneros de la *Galvanic.*

Día 24.—Acción del Ramón entre el general Jordán y el coronel Quintana. La expedición del *Perrit* se une definitivamente a las fuerzas de los independientes. Fusilamientos en Cienfuegos.

Día 25.—Desembarca en Puerto Padre el brigadier Ferrer con

una columna de 1.000 hombres. Se pone en marcha para Las Tunas. Fuego en todo el camino. Después de sesenta y tres días de penosa navegación, llegan a Fernando Poo, sobre la costa de Africa, los 255 deportados políticos a bordo del *Francisco de Borja*.

Día 26.—Acción de Gibara (Sancti Spiritus).

Día 27.—Combate de la toma de la Cruz (Villaclara). Dos compañías del Regimiento de Tarragona son completamente destruidas. Entra en La Habana la fragata acorazada *Vitoria*.

Día 28.—La Cámara de Representantes de la República declara nulos y sin ningún valor los traspasos y ventas de propiedades de los ciudadanos o amigos de la República efectuados por el gobierno español, haciendo responsables, a los que acepten dichos bienes, de las reclamaciones, daños y perjuicios que sobrevengan.

Día 30.—Llega a Las Tunas la columna del brigadier Ferrer.

Día 31.—Entra en el puerto de Baitiquirí, al Este de Guantánamo, la goleta *Grapeshot*.

Junio:

Día 1.—Llegada a La Habana del general Peláez. Motín de los voluntarios. Agitación en la ciudad. Gritos sediciosos. El general Dulce ve desconocida su autoridad. Circular del general Luis Marcano, en Oriente, prometiendo indulto a los soldados españoles que se presenten con las armas a las autoridades cubanas. Desembarco de los 30 expedicionarios de la *Grapeshot* con su cargamento en Baitiquirí.

Día 2.—Continúan en La Habana los desórdenes del día anterior. Deposición del general Dulce por los voluntarios. El general Espinar se hace cargo del mando de la Isla. Llegada a La Habana de los Tercios Vascongados.

Día 3.—Ocupación militar de la Siguanea. Fusilamientos en Cienfuegos. Deposición del gobernador de Matanzas por los voluntarios de esta ciudad.

Día 4.—Fusilamientos en Villaclara. Acción de Baitiquirí con los expedicionarios de la *Grapeshot*.

Día 9.—Combate de la Cuaba. Las fuerzas del general Jordán atacan las trincheras de los españoles, siendo rechazadas. Acción de Naranjo.

Día 10.—Fusilamientos en Santiago de Cuba. La república de

Bolivia reconoce a los cubanos como beligerantes. Nuevo arreglo para la organización del ejército cubano expedido por el Secretario de la Guerra.

Día 12.—Acción de Ciego Montero (Cienfuegos).

Día 14.—Acción de La Floresta (Cienfuegos). Comunicación del general Quesada al general español Letona, jefe de Puerto Príncipe, lamentando los excesos de las tropas españolas sobre mujeres y niños inofensivos y proponiendo a dicho general sea hecha la guerra con más humanidad.

Día 16.—Acción del río Najas (Camagüey). Prisión de Morales Lemus, Alfaro y otros miembros de la Junta Cubana en Nueva York acusados de haber armado y despachado una expedición a Cuba.

Día 17.—Acción de La Esperanza (Camagüey). Los individuos presos de la Junta Cubana son puestos en libertad bajo fianza. Acción en la Sabanilla (Villaclara).

Día 18.—Combate de Sabana Nueva, cerca de Puerto Príncipe. La guarnición es completamente destruida, cayendo en poder de los cubanos cinco oficiales y 75 soldados prisioneros. Los oficiales, en ley de represalias, son fusilados.

Día 19.—Acción en el ingenio Sabanilla.

Día 20.—Acción de Caimanera, en las cercanías de Santa Cruz. Acción de Juniticum (Santiago de Cuba).

Día 21.—Diecisiete deportados logran evadirse de la isla de Fernando Poo. Fusilamientos en Santiago de Cuba.

Día 25.—Acción de la loma del Quemado.

Día 26.—Combate de Nagua, en la Sierra Maestra. Después de una tenaz lucha, los españoles lograron destruir un arsenal y fábrica de objetos de guerra de los independientes. Embárcase sigilosamente en Nueva York la expedición de Goicuría en tres vapores remolcadores que deben transbordar la gente a otro buque mayor. Es detenido al mismo tiempo por un buque de guerra el vapor *Katherine Whiting,* a cuyo bordo va el ciudadano Goicuría, el cual es trasladado a la prisión de Ludtow Street.

Día 27.—Acción de Maraguaya (Cienfuegos). Llegan de noche a Gardner Bay's, punto de cita con el *Katherine Whiting,* los tres vapores remolcadores con los expedicionarios de Goicuría. Llega también el cargamento de tres goletas, pero el *Katherine Whiting* no aparece. Temores de un fracaso.

Día 28.—Uno de los remolcadores va a New London (Conneticut) a buscar provisiones. Noticia del apresamiento del *Katherine Whiting*. Fracaso de la expedición. Decídese volver con la gente a Nueva York. Llega a La Habana el general Caballero de Rodas.

Día 29.—Uno de los remolcadores desembarca 30 expedicionarios en New Haven (Connetticut). Los otros dos son apresados, con todos sus pasajeros, a la entrada del puerto de Nueva York por un vapor de guerra.

Día 30.—Los prisioneros de la expedición de Goicuría son trasportados al arsenal de Brooklyn a bordo de la fragata *Vermont*.

Julio:

Día 1.—Es fusilado en Puerto Príncipe el septuagenario Agustín Socarrás y Bonora. Sale de Washington para Madrid el general Sickles, enviado por el gobierno americano, para tratar de la cuestión cubana.

Día 3.—Son puestos en libertad los prisioneros de la *Vermont* en el arsenal de Brooklyn. Acción de Plato Palo (Cienfuegos).

Día 5.—Ataque y toma de Güinía de Miranda por los republicanos.

Día 6.—Acción de Comecara (Santiago de Cuba).

Día 7.—Circular de Caballero de Rodas derogando la orden de 24 de marzo respecto a los apresamientos en las costas de la Isla. Quedan cerrados todos los puertos del Este de Cienfuegos y Sagua, a excepción de siete. Acción de Naranjo (Sancti Spiritus). Acción de Manajanabo (Villaclara).

Día 8.—Circular reservada de Caballero de Rodas recomendando a las autoridades militares no traten con crueldad a los habitantes pacíficos y que no sean fusilados todos los prisioneros de guerra. Asalto y toma de Arroyo Blanco (Sancti Spiritus) por los independientes.

Día 9.—La Cámara de Representantes vota una ley organizando los diferentes departamentos del ejército y ordenando que todo ciudadano, de los dieciocho hasta los cincuenta años de edad, se considere obligado a llevar las armas.

Día 12.—Acciones en Guanamaquilla y en el potrero La Caridad (Camagüey). El general Valmaseda, desde Bayamo, ofrece un nuevo indulto por doce días a los insurrectos.

Día 15.—Acción de Cauto la Vuelta. Fusilamientos en Santiago de Cuba.

Día 20.—Asalto a Puerto Príncipe. La ciudad es invadida por cuatro puntos. Son quemados varios almacenes del gobierno. El barrio de la Caridad se subleva. Numerosas familias se retiran con los independientes.

Día 21.—Acción en las cercanías de Cumanayagua. Un convoy español salido de este puerto vuelve a retroceder.

Día 24.—Ataque simultáneo a diez ingenios fortificados en la jurisdicción de Santiago de Cuba por las tropas de Donato Mármol.

Día 25.—Acción de Melones (Villaclara).

Día 30.—Fusilamientos en Trinidad.

Día 31.—Acción de los Mameyes (Villaclara). Acción del Desengaño (Nuevitas).

Agosto:

Día 2.—Sale de La Habana un batallón de milicias de color disciplinadas. Desórdenes y gritos de independencia. Alarma en la población.

Día 3.—Son embargadas por el *marshall* de los Estados Unidos las 30 cañoneras españolas en construcción.

Día 4.—Fusilamiento en Guantánamo.

Día 6.—La Cámara de Representantes vota una ley que regulariza la administración de justicia. Esta comprende una corte suprema, jueces de lo criminal, jueces civiles, prefectos y subprefectos, cortes marciales.

Día 7.—Una columna española salida de Ciego de Avila es completamente derrotada por el general Angel Castillo. El teniente coronel español es fusilado. Fusilamientos en Camarones. Acción de Campechuela (Bayamo).

Día 8.—El vapor *Hornet* es detenido por las autoridades al salir de Filadelfia. Acción en la loma de Yaguajanay (Holguín).

Día 9.—Acción del Potrerillo (Villaclara). Vuelven a ocupar los españoles el faro de Lucrecia, perdido desde el principio de la guerra.

Día 10.—Acción de Mataguá.

Día 13.—La república del Perú reconoce la independencia de

la república de Cuba. El vapor *Hornet* sale de Filadelfia debidamente despachado.

Día 16.—Ataque de Las Tunas. La mayor parte de la población es tomada por asalto. Numerosas familias son libertadas. Los almacenes del gobierno español son incendiados. Todos los oficiales prisioneros son fusilados.

Día 17.—Acción de Hicotea (Camagüey). Sale de Maniabón el coronel D. Francisco Méndez Benegasi con un convoy para Las Tunas de 543 hombres y 280 caballos.

Día 19.—Fusilamientos en El Ranchuelo (Villaclara).

Día 22.—Acciones de La Peña y de los Tibes (Manzanillo). Acción del Guayabal, en el río Yara.

Día 23.—Acción de Sevilla (Manzanillo).

Día 24.—Acción del río Máximo (Camagüey).

Día 26.—Asalto y toma de Arroyo Blanco por los independientes.

Día 27.—Cuatro cubanos residentes en Nueva York publican un manifiesto protestando contra las acciones de la junta cubana y las gestiones del general Sickles en Madrid.

Día 30.—Acción de Sidonia (Guantánamo).

Día 31.—Fusilamientos en Cifuentes (Sagua la Grande).

Septiembre:

Día   1.—Ataque de Yara por los independientes. Un destacamento español salido de Puerto Padre es completamente destruido.

Día   3.—El vapor *Hornet* entra en Halifax (Canadá).

Día   4.—Prisiones en Vuelta Abajo.

Día   5.—Embargo del *Hornet,* en Halifax, por las autoridades inglesas.

Día   6.—Muere el general Rawlins, secretario de la Guerra de los Estados Unidos, firme apoyador de los derechos de los cubanos.

Día   9.—Asalto de Lázaro López. Muerte del general Angel Castillo.

Día 10.—Princípiase en La Habana el consejo de guerra contra el teniente coronel Udaeta, gobernador de Bayamo al comenzar la insurrección.

Día 12.—Salida del *Hornet* de Halifax. Acción de Güinía de Miranda.

Día 13.—Ataque de Arimao por los independientes.

Día 15.—Son detenidos por el gobierno americano varios cubanos al salir de las playas de Massachussetts para embarcarse a bordo del *Hornet.*

Día 16.—Acción de San José de Tínima (Camagüey).

Día 20.—Incendios de ingenios cerca de Jagüey Grande.

Día 21.—Acción del Palmarito (Villaclara). Acción de Samá (Holguín).

Día 22.—El senador Sumer, en la convención republicana de Worcester, pronuncia un discurso contra los derechos de los cubanos, aconsejando al gobierno no reconozca a Cuba como beligerante.

Día 26.—Preséntase a las autoridades españolas Carlos García, agitador de la Vuelta Abajo.

Día 27.—Sale de Nueva York, abordo del vapor *Alabama,* una expedición de 350 hombres mandados interinamente por el ciudadano Cristo.

Día 28.—El vapor de guerra cubano *Cuba,* antes *Hornet,* sale de Nueva York. Acción cerca de Camajuaní (Remedios).

Octubre:

Día   1.—Llega de Fernandina (Florida) el vapor *Alabama* conduciendo los 350 expedicionarios al mando del ciudadano Cristo, los cuales desembarcan y se trasladan por ferrocarril a Cedar Key, sobre la costa occidental de la Florida.

Día   3.—El vapor *Cuba* entra en Wilmington a proveerse de carbón. Lleva izada la bandera cubana. Las autoridades federales detienen la salida del buque. Entra en La Habana el vapor *Comillas* con 1.012 hombres de refuerzos. Llega a Cedar Key el general Goicuría y toma el mando de los expedicionarios allí reunidos.

Día   4.—Entra en La Habana el vapor *España* con 495 hombres de refuerzos.

Día   5.—Sale de Cedar Key el vapor *Lilliam* con la expedición de Goicuría, consistente en 311 hombres, 700 rifles «Winchester», 2.000 «Enfield», 2.000 «Remington», seis cañones, vestuario, torpedos, armas blancas y pólvora.

Día   6.—Acción de Banao (Sancti Spiritus). El vapor *Lilliam,* después de acercarse a la parte Occidental de Cuba, cambia de dirección encaminándose al Oriente. Tranquilidad a bordo, confianza en los jefes y entusiasmo por el pronto desembarco.

Día   7.—Acción en la loma de los Chinos (Jiguaní).

Día   8.—Acción en Camajuaní. El vapor *Lilliam,* después de
       haber recorrido la costa Norte de Cuba, llega a la al-
       tura de Manatí, a cinco horas de la costa. Hace rumbo
       hacia el Nordeste. Acción en las inmediaciones de Ba-
       riay.

Día   9.—El *Lilliam* llega a Nurse Key, en las Bahamas; los ex-
       pedicionarios son mandados a tierra a cortar leña. Ac-
       ción en Taranero (Santiago de Cuba).

Día   10.—Primer aniversario de la independencia. Fiestas con-
       memorativas en Nueva York, Cayo Hueso y Mérida.
       El *Lilliam,* por la madrugada, sale de Nassau. Una
       comisión va a esta ciudad en busca de carbón.

Día   12.—Fusilamientos en Villaclara.

Día   15.—Acción de Fray Juan (Jiguaní).

Día   16.—Acción del Ojo de Agua (Cienfuegos). El vapor de
       guerra inglés *Lapwing* apresa y conduce a Nassau al
       vapor *Lilliam.*

Día   17.—Entra en La Habana el vapor *París* con 728 hombres
       de refuerzos.

Día   18.—Proclama del Presidente de la República en virtud de
       autorización de la Cámara, disponiendo sean quema-
       dos los campos de caña de la Isla. Entra en La Haba-
       na el vapor *Guipúzcoa* con 816 hombres de refuer-
       zos. Acción de Tuinicú (Sancti Spiritus). Acción de
       Bayamito. Es puesto en libertad por las autoridades
       inglesas el vapor *Lilliam,* que sale inmediatamente de
       Nassau.

Día   19.—Acción de Seborucal (Remedios).

Día   20.—Acción de Ginamayara (Trinidad).

Día   21.—Vuelve a entrar en Nassau el *Lilliam.* Embargo defi-
       nitivo del vapor y el cargamento.

Día   23.—Fusilamientos en Matanzas. Acción del Gíbaro (Villa-
       clara).

Día   24.—Acciones de Filipinas y Boca de Meca (Guantánamo).
       El vapor inglés *Lapwing* llega a Nurse Key y apresa
       a los expedicionarios acampados en el cayo con todas
       sus armas y municiones.

Día   25.—Los expedicionarios son embarcados a bordo de una
       goleta que el *Lapwing* toma a remolque para condu-
       cirla a Nassau.

Día 27.—Acción en Caguajal (Villaclara). Acción en el puerto de Manatí. Llegada a Nassau de los expedicionarios del *Lilliam*. Son puestos inmediatamente en libertad. Acción en Bayatabo (Camagüey).

Día 29.—Es detenido el tren del ferrocarril entre Cienfuegos y Villaclara, cayendo toda la carga en manos de los independientes.

Día 30.—Acción en Mijialita (Villaclara).

Día 31.—Acción en Palmarito (Villaclara).

Noviembre:

Día 3.—Expedición a la Ciénaga de Zapata. Numerosas fuerzas españolas entran por varios varios puntos en la Ciénaga. Desastrosa marcha. Fracasos y retirada.

Día 4.—Acción en Tobosí (Sancti Spiritus).

Día 6.—Acción en Tiquibú (Remedios).

Día 8.—Ataque y toma de Taguayabón (Remedios) por los independientes. La población es incendiada.

Día 10.—Acción de Yaragüesa (Santiago de Cuba). Fusilamientos en Sancti Spiritus.

Día 11.—Incendio de siete ingenios en las Cruces (Villaclara). Acción de Hoyo de Pandilla (Villaclara). Acción del Macío (Santiago de Cuba).

Día 12.—Reorganización de la Junta Cubana de Nueva York.

Día 15.—Acción de Arroyo Manaca.

Día 16.—Acción de Agualito (Trinidad). Ataque de Santa Cruz por los independientes.

Día 18.—Sale de La Habana para Vuelta Abajo el Segundo Batallón de Voluntarios. Acción del río Higuanojo.

Día 19.—Acción del Quemado (Cienfuegos).

Día 20.—Acción de San José (Camagüey).

Día 21.—Combate del Mogote. Una columna española salida de Santiago de Cuba, fuerte de 2.000 hombres, es completamente batida, sufriendo graves pérdidas. Instálase definitivamente en Nueva York el Club Cubano.

Día 22.—Combate de Arroyo Guerra (Santiago de Cuba).

Día 23.—Princípiase a instruir sumario en Nueva York en averiguación de los hechos que produjeron el fracaso de la expedición de Goicuría.

Día 24.—Acciones en Cabaiguán y Arroyo Blanco (Sancti Spiritus).

Día 25.—Acción en Caunao (Cienfuegos). Fusilamientos en Sagua y Cienfuegos. Acción en las Tíquimas (Sancti Spiritus).

Día 26.—Acción en Los Azules (Villaclara). Sale de Guamo
(Manzanillo) un convoy para Las Tunas. Fuego y gran-
des bajas en el camino. Acción en Pirindingo (Sancti
Spiritus).

Día 27.—Acción de Cambute (Santiago de Cuba).

Día 28.—Entra en La Habana el vapor *Canarias* con 1.090 hombres de refuerzos.

Diciembre:

Día 3.—Acción de Mijial (Santiago de Cuba).

Día 6.—Entrada en La Habana del vapor *Comillas* conduciendo el Batallón Voluntarios de Covadonga, fuerte de
1.033 hombres.

Día 10.—En el vapor *Francisco de Borja* llega a La Habana el
Batallón Voluntarios de Cádiz, fuerte de 867 hombres. Se levanta el embargo de las 30 cañoneras españolas detenidas en Nueva York.

Día 16.—El honorable G. Tomas Fish pronuncia en la Cámara
de Representantes de Washington un elocuente discurso defendiendo los derechos de los cubanos.

Día 18.—Sale de Nassau para Cuba en una goleta una expedición de 50 hombres con 1.000 rifles y pólvora. Acción
de Manicaragua (Villaclara).

Día 19.—Acción de Rosa María (Remedios). El vapor de guerra inglés *Lapwing* apresa a la expedición salida de
Nassau para Cuba y la conduce a aquel puerto.

Día 20.—Fusilamientos en Sagua la Grande.

Día 21.—Acción de Manaca (Sancti Spiritus).

Día 24.—Fusilamientos en Matanzas.

Día 25.—Sale de Nuevitas con dirección a Guáimaro el general
Puello a la cabeza de 3.000 hombres de ejército. Fusilamientos en La Habana.

Día 27.—Deportación en masa de más de 50 miembros de la
sociedad habanera.

Día 28.—Sale de Nueva York el vapor *Anna* conduciendo una
expedición a Cuba al mando de Javier Cisneros.

Día 29.—Circular del general Caballero de Rodas prohibiendo
fumar y hasta el uso de fósforos a los empleados de
ingenios y demás propiedades agrícolas.

Los anteriores datos servirán para establecer comparaciones entre las noticias que a los insurrectos convenía publicar y las que de origen oficial recibía el gobierno español.—*N. del A.*

ENERO 1869

(Día 27).—Asesinato de Augusto Arango a la entrada del puente de la Caridad, de Puerto Príncipe, por el comisario Ibargarai, el teniente de voluntarios Ramón Recio Betancourt y algunos policías subalternos.

A Augusto Arango, que venía a acogerse al indulto de los cuarenta días ofrecido por el general Dulce en su decreto de 12 de enero, se le encontró en el bolsillo el *Diario de la Marina,* que insertaba el referido decreto, y un salvoconducto del gobernador de Nuevitas.

Fue muerto a tiros por la espalda.

JUNIO 1869

(Día 19).—Ingresaron en la cárcel nacional de esta ciudad los políticos siguientes: D. Juan Castillo, natural de Cuba, vecino del Saltadero, soltero, de treinta y cinco años de edad y del campo; D. Rafael Estévez, natural de Méjico, soltero, de veintitrés años y militar; D. Carlos Quiñones, natural de La Habana, soltero, de dieciocho años y estudiante; D. Martín Jústiz, natural de La Habana, soltero, de dieciocho años y estudiante.

ANONIMO REMITIDO PARA EL SEMANARIO
«EL BEJUCAZAS»
LIBERTAD DE IMPRENTA

1869

Sección de Bejucazas

—¿Vive aquí el Sr. D. Farruco (a) el de treinta y pico de años de *buenos y honrosos* servicios?

—Sí, señor.

18

—Don Farruquito, don Farruquito (llamando); aquí un caballero que desea...

—Adelante —interrumpió una voz *aguardentosa,* de contramaestre rayuno, *allende* más abajo de la cocina.

—Disimule usted, señor don Farruco, si tan temprano me
permito molestarle.

—No hay de qué. Adelante. Mire usted por aquí..., aquí
estoy.

¡Qué horror! El veterano de los treinta y pico de años de
marras hacía dos imperdonables porquerías: estaba... y leía *El
Redactor.*

Se recomienda su publicación.—*F. Beguecu.*

A MI MADRE

PIO ROSADO

Si lejos de ti estoy, madre querida,
La patria así lo ordena en su aflicción.
Suya es mi libertad, suya mi vida,
Tuyo madre, mi amante corazón.

En él no encontrarás ya las ilusiones,
Marchitólas el fuego del pesar:
Si tú sabes mis crueles decepciones
Decir que soy feliz fuera engañar.

Mas si no hallas en él las bellas flores
Que embalsaman del hombre el existir,
Tampoco encontrarás los sinsabores
Que un delito, una falta, hace sufrir.

Si no hay placer en él, no hay el tormento
Que hace al alma probar el deshonor;
Ni lo hiere el cruel remordimiento
El dardo envenenado, y punzador.

Pero si del amor perdí los años
Y en humo convertir la gloria vi,
Réstame aún, para curar mis daños,
La ternura que guardas para mí.

Perdona madre si olvidé un instante,
Sumido en dolorosa distracción,
Que un manantial de amor, puro y constante,
Tengo yo en tu materno corazón.

Perdona si en letal melancolía
El precio de ese amor pude olvidar;
Yo no soy infeliz, no, madre mía,
Se disipan las brumas del pesar.

Ya huye de mi pecho la amargura,
Se ilumina mi oscuro porvenir:
Y sueños de esperanzas y ventura
Vuelve, madre, mi mente a concebir.

Así como la sombra desparece
De la mañana al nacarcido albor,
Así también mis penas desvanece
La luz divina de tu santo amor.

No llores en mi ausencia, madre mía,
Que es un agravio a Cuba tu dolor;
Resignada y tranquila espera el día
En que vuelva a tus brazos vencedor.

Cuando libre de esclavos y tiranos
La heroica patria, que me vio nacer.
Corro a decirte, madre, los cubanos
Redimidos están, cumplí el deber.

Esto recuerda y menguará tu duelo,
Y cobrará tu pecho la quietud;
Pide fuerza, valor, pide consuelo
Al augusto poder de la virtud.

Y si muero en la lid, si en la pelea,
Debo toda mi sangre derramar,
Si decretado está que un mártir sea
Que se te ofrezca a Cuba en el altar;

También en esta vez enjuga el llanto
Y acepta tu destino con valor;
Y sírvale de alivio a tu quebranto
Que si tu amor perdí, salvé mi honor.

ENERO 1870

ALCALDES

(1 de enero).—Son nombrados por el gobernador, conde de Valmaseda, alcalde municipal D. Manuel de la Torre y Griñán; primer teniente el señor Marqués de Villaitre y segundo don Antonio Norma y Lamas.

BESTARD

Es nombrado capellán del cementerio interinamente el presbítero D. Ismael José Bestard. Dicha plaza fue solicitada también por los sacerdotes D. Rafael Tirado y D. Sebastián Heredia.

PERITOS Y TASADORES

Son elegidos para peritos tasadores públicos los siguientes: Tasadores rurales: D. Félix Ferrer y D. Rafael Portuondo Veranes.

Id. de maquinarias: D. Nicolás Sánchez Hechavarría.

Id. de pintura: D. Emilio O. de Aguirreozábal.

Id. diamantista: D. Miguel Cardona.

Id. de relojería: D. Alejo Sauque.

Id. de armería: D. Hipólito Beziet.

Id. de contraste: D. Simón Castellanos.

Id. de cerrajería: Modesto Pérez y Manuel Céspedes.

Id. de ebanistería: D. Manuel López.

Id. de veterinaria: D. Francisco Monserrat.

Id. de sastrería: D. Bernardo Clemenceau y D. Pedro Taquechel.

Id. de cordonería: D. Santiago Amat.

Id. de tonelería: D. Clemente Hereau.

Id. de hojalatería: D. Carlos Mariño.

Id. de talabartería: D. Julio Machirán.

LASTRA

Toma posesión del destino de alcaide de la cárcel de esta ciudad D. Tomás de la Lastra.

Ayuntamiento

El día primero se constituye el nuevo Ayuntamiento bajo la presidencia del general Valmaseda, y nombra síndico al licenciado D. Lino Guerra, que ya venía desempeñando el mismo cargo en la corporación.

Arria

Los hacendados celebran un contrato con D. Melchor Catasús, dueño de una gran arria, quien se compromete a tener a disposición del Gobierno hasta 140 mulos aperados por la suma de 100 onzas mensuales. Esta cantidad la facilitan los 200 mayores contribuyentes del impuesto territorial e industrial en justa proporción.

Couverville

Llegada del cónsul francés Couverville, «obsequiado con un banquete por los ciudadanos franceses de la localidad, fue duramente criticado el obsequio por el partido integrista por considerarlo inoportuno». El cónsul Couverville mostróse, durante su permanencia en esta ciudad, enérgico defensor de los intereses de sus conciudadanos.

«La Bandera Española»

Muestra de la literatura usada contra la mujer cubana según estos párrafos que copiamos del diario integrista *La Bandera Española:* «Pues, señores, está probado que algunas personas, ciegas adoradoras de Emilia Vieja Verde, necesitan que se les dé duro para que se corrijan y no practiquen el sistema manigüero, que no solamente las pone en ridículo sino que pierden la reputación que habían adquirido. Estas individuas, además del mal ejemplo que es consiguiente, pues en sus acciones, en sus hechos y hasta en su descaro, revelan que ha echado profundas raíces en ellas el maléfico sistema de Cuba Libre que han adoptado, del que blasonan algunas con orgullo y de que hablamos en días, pasados, fingen a las mil maravillas lo que no sienten y quieren, cuando les conviene, vender gato por liebre y hacerse las modestas y las santitas. ¡Pobres diablos!»

GARIBALDI

El periódico *La Revolución,* el cual hemos recibido por correo, dice así:
«Publicamos la siguiente interesante correspondencia que ha mediado entre la señora Villaverde y el ilustre Garibaldi con motivo de los sucesos de Cuba.

Señor general José Garibaldi.

Caprera

Mott Haven, Nueva York, enero 3 de 1870.

Muy señor mío:

No debe usted extrañar que una persona que le es absolutamente desconocida le dirija a usted estas líneas. Es usted ciudadano del Orbe, amigo de todos los pueblos ilustrados, campeón de la libertad, y estos títulos me dan derecho para ello.

Desde que estalló la revolución de mi patria en octubre de 1868, vengo observando la prensa europea por si encontraba una palabra siquiera de aliento en favor de los cubanos del heroico Garibaldi, jamás y en ningún caso ha negado su espada ni apoyo e influencia de su gran nombre a ninguno de los pueblos que han luchado por la libertad. Después de algunas reflexiones me he convencido que la causa del silencio de Garibaldi es porque no conoce la cuestión cubana ni sabe el alcance de sus aspiraciones políticas.

Nosotros principiamos la revolución dando libertad a nuestros propios esclavos, armándolos e incorporándolos en las filas patrióticas, y por esto comprenderá usted que nuestro propósito de libertad universal es digno de la consideración de todos los hombres libres.

Con el lema de abolición de la esclavitud, libertad e independencia, hemos conmovido toda la población criolla, y a estas horas, a pesar de los grandes inconvenientes con que hemos tropezado, ya los patriotas dominan la tercera parte de la Isla.

A veces se me figura que la indiferencia aparente de vosotros hacia el movimiento de los cubanos nace del errado concepto que de él se tiene generalmente en Europa. Se me figura que vosotros, los políticos europeos, no creéis que nuestro propósito es sacudir el yugo español y erigirnos en estado republicano e independiente, sino agregarnos a la Unión Americana.

No niego que entre mis paisanos haya muchos anexionistas, pero la mayoría inmensa del pueblo cubano está resuelta a constituirse independiente.

De otra manera yo no me explico por qué hasta ahora los caudillos de la libertad de Europa callen respecto a nosotros, al paso que aplaudieron a los candiotas apenas se alzaron contra los turcos y a los españoles no bien triunfó la revolución militar que derribó de su trono a Isabel de Borbón, aunque en aquel caso no se sabía el objeto final del alzamiento y en éste todo ha venido a parar en la sustitución de un despotismo por otro. Al cabo de más de un año de guerra de indepedencia contra los españoles de hoy, que no han variado de los españoles del principio de este siglo, he esperado impacientemente, con tanta más impaciencia cuanto que soy una mujer, esa palabra de aprobación que conforte al menos de boca del inmortal Garibaldi. Yo soy Secretaria de la Sociedad Secreta de las Hijas de Cuba, creada para levantar fondos, socorrer al ejército patriota, y ella me ha facultado para escribir a usted no con el fin de pedirle socorro pecuniario, pues por una parte no creemos que usted sea rico y por otra estamos persuadidas que la palabra escrita suya aprobando el gran movimiento radical cubano, como esperamos que lo apruebe ahora que lo conoce, equivaldrá a un verdadero capital para nosotros. Concédanos, pues, la gloria, ilustre Garibaldi, de ser el conducto por donde llegue su voz a oído de los bravos cubanos que, casi inermes y absolutamente solos, luchan hoy y llevan camino de triunfar contra el despotismo español en Cuba.

No queriendo distraer su atención por más tiempo, tengo el honor de suscribirme con la más alta consideración de usted atenta admiradora,

Emilia C. de Villaverde

GARIBALDI

Caprera, 31 de enero de 1870.

Señora E. C. de Villaverde.

Mi querida señora:

Con toda mi alma he estado con ustedes desde el principio
de su gloriosa revolución. No es sólo la España la que pelea por
la libertad en casa y quiere esclavizar a los demás pueblos fuera.
Pero yo estaré toda la vida con los oprimidos, sean reyes o naciones los opresores.

De usted afectísimo,

G. Garibaldi

VALIENTE

Fallece en Kingston, Jamaica, el abogado revolucionario hijo
de esta ciudad D. Porfirio Valiente.

INDUSTRIA CUBANA

Con el nombre de «La Industria Cubana», D. Justo Hazas
y D. Saturnino Fernández y González establecen en la calle de
San Fermín una fábrica de jabón y de velas.

BUENO

Es herido en Baire D. Cristóbal Bueno, procedente de Bayamo, y se entabla una competencia por negarse los ayuntamientos
a pagar las estancias causadas en el hospital por dicho herido y
significarse que dicho pago corresponde al Ayuntamiento de Bayamo: «... no puede alterar ese concepto, el pago al Ayuntamiento, la circunstancia casual de la herida que recibió en Baire,
la de habérsele transportado a Jiguaní, ni la solicitud que se hizo
para que fuese admitido en el hospital de Bayamo, de donde era
su procedencia, ¿de Santa Rita, donde acaso durmió?, ¿de Jiguaní, donde almorzara, o de Baire, donde reposara del camino y recibió la herida? El individuo no es de los puntos intermedios,
sino de aquél de donde partió.

Pacificación

Proclama dada hoy, 21, por el Conde de Valmaseda, declarando pacificada la jurisdicción de Santiago de Cuba.

Pacificación

En la noche del 20 empiezan a repartirse por la ciudad hojas sueltas que contenían la comunicación del comandante general al jefe superior de la Isla participándole la pacificación del Departamento y la proclama que dirige al pueblo haciéndoselo saber, anunciando su próxima salida para ir a continuar las operaciones contra el Centro. Los elementos adictos a España acogieron la noticia con regocijo. En la mañana del 21 hubo un repique general de campanas en las iglesias; las músicas recorrieron las calles y las casas se engalanaron con banderas, cortinajes, colgaduras y ramajes. La Plaza de Armas fue engalanada con gallardetes y por la noche se iluminó *a giorno,* costeando los gastos el Círculo Español, que tomó la principal iniciativa de los festejos. A las nueve de la mañana se reunió el Ayuntamiento, y en cuerpo y bajo mazas acudió a felicitar a su presidente, el gobernador. Luego se reunió en sesión extraordinaria y acordó consignar en sus actas un voto de gracias al pacificador del Departamento; que se celebrasen tres días de regocijos públicos, permitiéndose toda clase de diversiones lícitas; que se invitara al vecindario para que todas las casas se engalanasen de día y se iluminasen de noche; que al día siguiente, sábado, se cantase por la mañana un solemne *Te Deum* en la Catedral llevándose, para mayor solemnidad del acto, el pendón de Castilla, de que es custodio fiel la Corporación, y que dicha insignia fuera paseada por las calles en procesión cívica, invitándose al efecto a todas las corporaciones, asociaciones y particulares de distinción para mayor lucimiento de la ceremonia.

Durante los tres días de popular regocijo hubo cucañas, bailes, regatas, músicas por las calles, paseo de los pendones provinciales, fuegos artificiales y función patriótica en el Teatro Principal. Oficialmente hubo felicitación general del ejército, cuerpos de voluntarios y bomberos, corporaciones civiles, cónsules extranjeros, caballeros cruzados, asociaciones particulares y personas de arraigo al comandante general, quien recibió a corporaciones y particulares en su residencia.

AYUNTAMIENTO

El Ayuntamiento, de rigurosa etiqueta, con sus maceros a la cabeza, acude a palacio a saludar al conde de Valmaseda por la pacificación de la jurisdicción de Santiago, y el alcalde municipal, llevando la palabra: «... felicita a su excelencia por el triunfo obtenido sobre las hordas insurrectas que infectaban nuestra siempre tranquila y pacífica comarca; fausto acontecimiento que no podía menos que ser augurio feliz y gaje seguro de la paz general, dando principio este día a una nueva y dilatada era de prosperidad, de orden, de engrandecimiento y de venturas bajo la égida santa del pabellón de Castilla que plantó Velázquez en estas colinas y que S. E. acaba de asegurar y cimentar tan gloriosamente.»

Valmaseda contestó: «... que agradecía la felicitación del señor alcalde en nombre del Ayuntamiento y vecindario, y que la obra de pacificación se continuaría con denuedo y que no dudaba quedaría muy pronto terminada, cifrando en ello el colmo de todos sus deseos y aspiraciones.»

PENDÓN DE CASTILLA

Por la proclama de la pacificación se canta solemne *Te Deum* en la Catedral, acudiendo los empleados civiles y militares y cubriendo las tropas de la guarnición la carrera de Palacio a la Catedral, por donde había de pasar el Pendón de Castilla, llevado en procesión y saludado con 21 cañonazos a la salida y entrada del mismo, colocación del retrato del general Valmaseda en el salón de sesiones del Ayuntamiento, etc.

MARCANO

(24 de enero).—Es conducido a la cárcel, escoltado por la fuerza de caballería de la Reina, el jefe rebelde D. Francisco Marcano, donde es juzgado por un consejo de guerra que le condena a pena de muerte.

FUSILAMIENTO

(26 de enero).—Es pasado por las armas en la explanada del Matadero D. Francisco Marcano, natural de la isla de Santo Domingo, vecino de Manzanillo, casado, de treinta y cuatro años

de edad, militar que había pertenecido a las Reservas de Santo Domingo y que en la actualidad era coronel prestigioso del Ejército Cubano. A las tres de la madrugada fue puesto en capilla, en la cárcel, donde estaba desde el día 24. Fueron inútiles las súplicas de varios oficiales del Ejército Español que intercedieron para salvarle la vida a él, que se la había salvado a ellos cuando fueron sus prisioneros de guerra.

DONATIVO

El gobernador del Arzobispado, Sr. Orberá, entrega $ 510.00 para socorrer a 60 familias pobres designadas por cada parroquia.

PRESOS

Son trasladados a La Habana los presos D. Manuel Carlos Fernández y el negro Timoteo.

SUSCRIPCIÓN

Se inicia una suscripción nacional para recaudar fondos para los hijos del conde de Valmaseda «... como gratitud por los servicios prestados por la paz».

VALMASEDA

El conde de Valmaseda contesta a las ofertas del Ayuntamiento con las siguientes palabras: «... se me da por anticipado un premio del que en lo sucesivo debo, con mi comportamiento, hacerme digno. Con esta creencia, con este firme propósito en mi cabeza y en mi corazón, marcharé adelante en la obra de pacificar el país; seguiré el mismo sistema que hasta aquí he empleado y que me ha hecho recoger algunos frutos, y si alguna vez se apodera de mí el desaliento que produce una lucha entre los hijos de una misma patria, yo recordaré que llevo la representación de los hombres de orden, de aquellos que desean la paz y prosperidad para este suelo, la moralidad en las costumbres, el respeto a la propiedad legalmente adquirida y el acatamiento y la obediencia a la autoridad constituida; en una palabra, la de aquellos que son felices cobijándose bajo la bandera de Castilla.»

Voluntarios

El conde de Valmaseda reorganiza los Voluntarios, formando con ellos dos batallones de ocho compañías cada uno, habiéndoseles agregado como octavas las dos compañías de Obreros que estaban ya armadas. Fue nombrado coronel del primer batallón D. Antonio Norma, y del segundo D. Manuel de la Torre, éste alcalde municipal y aquél teniente de alcalde. Comandantes, respectivamente, D. Benigno Dorado, antiguo empleado de Hacienda, y D. José Joaquín Hernández, que desempeña la Mayordomía de Propios del Ayuntamiento.

Carvalho

La señorita Amanda Catalina Carvalho, de nacionalidad inglesa, regala al Primer Batallón de Voluntarios tres banderolas de damasco de seda bordadas y confeccionadas por la donante.

Serenata

La oficialidad del cuerpo de Voluntarios (día 27) da una serenata al Conde de Valmaseda con motivo de haberse recibido de oficio la noticia de su ascenso a teniente general.

Escuela suprimida

Queda suprimida la Escuela 5.ª, dedicada a niños de color, dirigida por D. Juan Portuondo Estrada.

Castañón

El Síndico Municipal propone una suscripción para socorrer a los hijos de D. Gonzalo Castañón: «... si hombres oscuros, aborto miserable de la alevosía y de la perfidia, han manchado allá en el extranjero el hermoso título de españoles cubanos que toca a todos los que hemos nacido en este pedazo de suelo americano, parte integrante de la Nación, nosotros, hombres de orden, de lealtad y de honor, en nombre de la ilustrada ciudad de Santiago de Cuba que representamos, protestamos que no podemos ni debemos comprender como cubanos a los asesinos traidores y alevosos del escritor patriota D. Gonzalo Castañón».

PRESO

Es remitido a Manzanillo el preso José Agustín Núñez.

EL GRITO DE CUBA

Copiamos del periódico rebelde *La Revolución,* que se publica en Nueva York, el siguiente artículo, copiado a su vez del periódico *La República,* de Buenos Aires.

LA EMANCIPACION DE AMERICA
EL GRITO DE CUBA

«Cuba ha sentido en su seno la enérgica palpitación de la la libertad, ha tenido conciencia de su propio poder y se ha puesto de pie para poder proclamar su independencia y poder romper sus cadenas en la frente de sus tiranos.

¿Cuál es el deber de la América republicana que le precedió medio siglo en el camino de la libertad? La América tiene el noble y sagrado deber de prestar su concurso eficaz a la redención de Cuba, deber traído por dobles consideraciones y supremos intereses.

Si las repúblicas independientes de América tienen ese doble y sagrado deber han de ser lógicas con la revolución a la que deben su origen y libertad; si han de respetar las glorias de sus antepasados y cumplir los solemnes compromisos que emanan de esos precedentes históricos no pueden dejar a Cuba abandonada a sus esfuerzos aislados cuando cada una de ellas contó con sus esfuerzos aislados y cuando cada una de ellas contó con dar cima a la grandiosa empresa de emancipaciones.

¿Qué habría sido de cada una de las repúblicas del continente si hubiesen tenido que confiar exclusivamente en un elemento local para destruir el poder de la conquista y alcanzar su independencia?

La revolución habría sido sofocada bajo la presión de los grandes elementos militares de la conquista; entonces la lucha, localizada, fraccionada, sólo habría servido para afirmar más aún el odioso coloniaje.

La América independiente que toleró la dominación española en Cuba ¿puede ser indiferente a esa consideración, dejarla sacrificar a un error que no es suyo, permitir que los opresores caven la tumba de un pueblo hermano que quiere venir hacia nosotros aunque haya retardado su marcha? ¡Ay de la América republicana si deja que la Europa se abrigue en su seno como la serpiente que ha de herirla; si así le abandona la perla que debe brillar en su diadema, si tolera que la Santa Alianza tenga en ella sus ejércitos! ¿Qué significación tendría entonces para el mundo la doctrina de la solidaridad adoptada y sostenida por las naciones independientes de América y a que dio forma más pronunciada y enérgica para los Estados Unidos el presidente Monroe y su sucesor Adams?

¿Qué importaría entonces la expresión del Gobierno Norteamericano que no hace mucho decía a su ministro en París «que la emancipación de este continente de la Europa ha sido el rasgo principal de su historia en la última centuria?»

¿Y a qué quedaría reducida la opinión del gobierno de Washington, que en su imponente despedida al pueblo decía: «que los celos de un pueblo libre deben estar constantemente alerta contra los insidiosos extremos de influencia, es uno de los más terribles enemigos que tiene un gobierno republicano?» ¿Y qué alcance tendrán las frases de la comisión de negocios extranjeros de la Cámara de Diputados de los Estados Unidos, que con motivo de la cuestión de Méjico reconocía esta severa verdad: «nuestro pecado es nuestra libertad, y la única seguridad del poder monárquico, aristocrático o despótico, está en nuestra ruina o destrucción.»

¿O se esperarán acaso, para reproducir estas declaraciones, que Cuba se emancipe por sí, ella que posee lo que no había conseguido ninguna otra colonia, que no realizaron los Estados Unidos, que en la lucha de su emancipación vieron flotar a su lado la bandera tricolor de Francia y brillar en sus filas la espada de Lafayette? En ese caso la Europa monárquica sabría a qué atenerse en cuanto al alcance de nuestras patrióticas manifestaciones.

Pero cualquiera que sea la manifestación, la actitud del continente en presencia de la lucha que sostienen valerosamente los patriotas cubanos, no desfallecerán un instante en su heroica y perseverante resolución de ser libres.

La libertad es una semilla que arrojada al viento tiene que fructificar en las tierras a despecho de los opresores, porque ella es el destino de los pueblos y tiende a amparar, como Briaco en sus brazos, a la humanidad regenerada.

No es la perspectiva del éxito cercano lo que electriza a los combatientes y los familiariza con el peligro y los engrandece en el heroismo. Con la poderosa conciencia de su derecho, ellos prefieren sepultarse entre los escombros de su último baluarte a arastrar una vida estéril y miserable bajo el peso abrumador de la tiranía. Ellos lo saben que es más simpático a la humanidad el glorioso infortunio de la Polonia que la inmovilidad cobarde de los eslavos.

Pero la gloria es el premio de los sacrificios y del mártir, y si tiene a veces su eclipse aparece más radiante y majestuosa después de las nubes que la oscurecieron.

También en la gran lucha de la emancipación americana los patriotas sufrieron más de una vez reveses y combates que supieron dominar con heroica resolución.

Sin las gigantescas proporciones de la lucha, sin las grandes dificultades y las enormes contrariedades que vencieron, no se habrían elevado Bolívar, San Martín y Páez sobre el pedestal augusto de la inmortalidad.

La victoria sonríe al fin a los que lidian sin descanso por la redención de la patria, y los esforzados revolucionarios de Cuba deben inspirarse en el sublime ejemplo de los ínclitos defensores de Méjico, ante los cuales retrocedieron atónitos los primeros soldados del mundo; inspírese Cuba en el ejemplo del pueblo que supo asombrar al mundo con la justicia de Querétaro, que supo desagraviar a la América ofendida y realizar la aspiración ardiente de los libres, que separando al monarca invasor le decían por la lira del poeta:

«Entiérrale en las sienes la corona.»

El denodado Céspedes debe ser en Cuba lo que ha sido Juárez en la república de Méjico: Este ha conquistado ya la palma de la inmortalidad. La gloria prepara sus coronas para el triunfador de Cuba.

Entre tanto, que sepa la simpática, la heroica Cuba, que el mundo republicano tiene fijas en ella sus ávidas miradas y que las repúblicas del Plata la acompañan con los votos ardientes de su alma, los aplaudes en sus victorias y se entristecen con los obstáculos que retardan todavía el triunfo definitivo de su libertad y de su independencia.»

GENERAL LETONA

El periódico insurrecto *La Revolución* dice y copia lo siguiente de una revista de Madrid.

Dice *La Revolución:* En la *Revista de España,* que se imprime en Madrid, ha publicado recientemente el general Letona un artículo sobre *La Cuestión Cubana* en el cual hace revelaciones importantes. Aunque algo tarde, lo insertamos a petición de muchos suscriptores.

Hablando de los voluntarios, dice que censuran las operaciones militares porque no se hace la guerra con suficiente crueldad con el enemigo; que es doctrina considerar insurgentes a todos los cubanos, atacar su propiedad cuando inspiran sospechas y no dar cuartel a persona alguna nacida en el país. Que el capitán general quiso seguir al principio una política razonable, pero que de cierto tiempo a esta parte ha cedido al poder de las circunstancias y aparece ahora en perfecta armonía con los que quitaron del mando al general Dulce.

Habla Letona:

"Estamos mandando a Cuba refuerzos considerables, pero si los asuntos han de continuar allí como en los tiempos de Dulce, lo mejor sería que estas tropas no fuesen. La revolución cubana no puede sofocarse con 20.000 hombres si el gobierno tiene que fluctuar a merced de apasionadas maquinaciones. La guerra no podría acabarse mientras no se exterminase a los cubanos, y el mundo civilizado no consentiría en la prolongación de una lucha bárbara que no podría justificarse sin razón ni derecho de nuestra parte. Nosotros ocupamos todas las ciudades principales y el enemgio todo el interior. Como ellos están convencidos de nuestra superioridad en recursos y disciplina, su sistema consiste en mantener solamente algunos puntos estratégicosv y no presentarnos acción a menos que tengan la seguridad del triunfo. Por la actividad de nuestras operaciones podemos, aunque raras veces, sorprender sus partidas. Si diseminamos nuestras fuerzas para cazarlos como bestias feroces, ellos se reúnen inmediatamente valiéndose de sus caballos, y por supuesto se hacen así superiores a nuestros destacamentos separados cuando salimos en su persecución; nos fatigan con la marcha hasta llegar a un punto en que tengan las ventajas de la posición, y nosotros nos vemos de nuevo obligados a retroceder. Cuando estamos estacionados en algún lugar vienen y nos fuerzan a perseguirlos, y el resultado no puede ser más que una pérdida para nosotros, porque cuando nos imponen una operación tenemos que aceptarla. ¿Por qué no podemos darles alcance cuando vamos en su persecución? ¿Por qué no hacemos nosotros lo mismo? Porque nuestros soldados no pueden pelear a caballo en terrenos montañosos. Per-

derán sus caballos al desmontarse para entrar en pelea y además
nos sería de todo punto imposible alimentar a tan inmenso número de animales, y esto obviaría la actividad de las operaciones.
Los insurgentes toman en los campos todo cuanto encuentran,
y si algo pierden alguna vez, en realidad no pierden nada, porque lo que toman no es de ellos.

¿Qué son, pues, 20.000 hombres más en un territorio de
unas 30.000 leguas cuadradas, con pocos caminos y sin vías de
comunicación necesarias? ¿Cuál será para nosotros el resultado
si no se modifica el sistema de guerra y no lo conducimos a sentido más filosófico y razonable que el que lo guía hasta el presente? Y para apreciar la pérdida de hombres, particularmente
en verano, debemos hacer observar que aun en estado normal,
la razón de la muerte pasa del 10 por 100 en los soldados europeos, y que no hay marcha en campaña sin pérdidas accidentales al día de 4 a 5 por 100, las cuales, como es de suponerse,
aumentan dondequiera que se tienen los campamentos a la in-
temperie.

En casos como el nuestro nos vemos precisados a llevar nuestros enfermos y heridos en literas, y así cada enfermo o herido
emplea cuatro hombres, y esto requiere otros cuatro para que se
les releve.

Tal es el sistema, tal es la táctica, tales son las ventajas con
que nos hacen la guerra los cubanos insurgentes. Su número es
incalculable porque nunca es determinado. Llevan consigo toda
la población de un lugar cuando les conviene para una operación
y la dejan y la diseminan cuando consiguen su objeto.

No necesitan considerables provisiones porque son generalmente frugales y viven del ganado, que es abundante entre ellos,
así como de yucas, ñames y plátanos. Carecen de municiones y
armas todavía, y sin embargo han aprendido a pelear después
de algunos meses de práctica. Esto no será satisfactorio, pero es
verdad, bien que contradice el juicio que se ha formado en España por los despachos, los telegramas y las relaciones de los
periódicos sobre la lucha.

Al abrir una campaña formal en Cuba es necesario que se
determinen el objeto y los enemigos; el objeto no queda duda
de que es pacificar el país y restablecer el respeto a las leyes;
los nemigos son los insurgentes que están sobre las armas y los
conspiradores. Sobre estos criminales debería caer toda la rigidez
de la guerra, pero al mismo tiempo se requiere toda la energía
de la autoridad para proteger al inocente. Podemos hacer la gue-

rra sin cuartel, pero que sean responsables de sus actos aquellos que atentan contra la vida de los perdonados. Igual conducta debe seguirse en lo que respecta a la propiedad para evitar lo que ha estado sucediendo, que cuando el hacendado ha logrado escapar del incendio de los rebeldes, ha visto perecer sus fincas por el fuego de los peninsulares, de que tiene que ser un insurgente aquel cuya propiedad ha sido respetada.

En las principales ciudades que nosotros ocupamos es preciso que la ley sea una garantía sagrada para todos los que habitan en ella. ¿Cómo es posible que un desgraciado abandone las filas de los rebeldes, a las cuales puede haberse incorporado contra su voluntad, si tiene a la vista la amenaza de la muerte o de la muerte sin amenaza en cada ciudadano que encuentra en su camino antes de llegar a la autoridad? Y lo que a veces es peor, después de haber sido recibido por la autoridad y habérsele proporcionado protección, ¿cómo va un cubano a permanecer en una ciudad, si tiene miedo de emprender la fuga, cuando las palabras más conciliadoras que llegan a sus oídos son las de que todos los cubanos son rebeldes y todos deben ser asesinados? ¿Es semejante política favorable a España o a la insurrección? Como era natural, todo esto ha influido en las operaciones militares. En primer lugar, en vez de atenderse a las verdaderas conveniencias de la guerra se han distribuido las fuerzas en las más importantes localidades para llenar las exigencias de sus residentes, y las operaciones se han emprendido principalmente para satisfacer la opinión pública, sin objeto decidido de ir en busca de un éxito positivo y, lo que es más sensible, a costa de un sacrificio y de una salud que en nada han aprovechado a nuestra causa. A las escaramuzas se da el nombre de batalla. Se gastan miles de cartuchos para corresponder a los primeros tiros que salen de los bosques. Un simple movimiento de avanzada se bautiza con el título de carga a la bayoneta, y cuando en realidad ocurre alguna acción —que ocurre pocas veces porque el enemigo la evita siempre a menos que esté seguro del triunfo— la tal acción es uno de aquellos actos que, conforme a los buenos principios militares, merecería que se juzgase y condenase en un consejo de guerra."

CARTA ABIERTA AL C. ANTONIO ZAMBRANO

(Recibida por Correo.)

Ciudadano: Acabáis de dar a luz un manifiesto al pueblo en el cual he visto algunos conceptos que considero erróneos, y con vuestro permiso paso a refutarlos.

Decís que la revolución de Cuba atraviesa hoy una crisis suprema; habláis de discordia, de pasión, de partidos. Exageráis, ciudadano Zambrana. La situación no tiene nada de crítica, por lo menos en el sentido a que aludís; ni hay temor de discordias, pasiones ni rencillas intestinas. Pudo haberlas habido, sí, y ¿quién habría tenido la culpa? Pero la sensatez, el patriotismo y la recta intención de mi hombre las conjuró. ¡Bien por ese hombre!

Convenís hoy en que debemos preferirlo todo a la dominación española. No hace quince días era otra vuestra opinión, pero celebro que la hayáis variado; hoy estais más en el espíritu de la revolución; nuestra guerra es, antes que todo, de independencia.

Decís que no creéis que la tiranía de ahora pueda conducir a nuestro pueblo a la victoria ni hacerlo digno de la libertad. A fe que no os comprendo. ¿A qué tiranía aludís? Tened presente que habláis en 1 de enero de 1870, tercero de nuestra independencia. Que no tenemos otro gobierno que una Cámara de Representantes cuyos decretos son forzosos, inapelables. ¿Es ésta la tiranía a que aludís o acaso os asusta aún el fantasma que vuestra imaginación se había forjado, el alto funcionario militar en quien suponíais tendencias a la dictadura? ¿Pues no se ha desvanecido el fantasma ante un simple decreto de esa Cámara?

Decreto que da mucho en que pensar, es verdad.

Por ejemplo: nos demuestra que la Cámara puede deponer a cualquier empleado civil o militar por simple sospecha, por mero capricho, por pasión, por cualquier motivo. ¿Cómo no enjuicia, cómo no da lugar a defensa? ¿Cómo no da explicaciones? Y no se diga que la Cámara está autorizada para deponer a ciertos funcionarios solamente, no; a todos.

La Cámara está autorizada a hacer lo que le acomode con sólo pasar una ley sobre el particular. ¿Cómo esa ley es forzosa, inapelable? ¿Cómo el veto del presidente no dura más que hasta que la Cámara vuelve a acordar la ley?

Nos demuestra también que si un funcionario, por cualquier

motivo, hace dimisión de su empleo, la Cámara puede tener más
gusto en deponerlo que en admitir su dimisión. Y no se diga que
la dimisión puede no llegar a tiempo, pues está probado que aun
cuando llegue a tiempo eso no influye lo más mínimo en la Cámara. Ni se me diga que no se admite la dimisión para imponer
la deposición como un castigo, pues ¿qué derecho hay a castigar
cuando no se ha probado por medio de un juicio la culpabilidad?
A menos que la Cámara no pueda también por sí y ante sí declarar culpable o no culpable, lo cual no tendría nada de ilógico.

Nos demuestra que hay mayorías en la Cámara que se dejan
arrastrar por la minoría, puesto que cinco representantes asistieron a una reunión, luego fueron a la Cámara, convocaron a una
sesión, habló uno y, sin discutir, sin averiguar si lo que aquél o
aquéllos decían haber oído y visto en la reunión era cierto, todos
por aclamación adoptaron una medida de trascendental importancia.

Nos demuestra que si los que prestan servicios a la patria
lo hacen con el objeto de que ésta se los agradezca, van muy equi-
vocados, pues hemos visto a hombres venir a Cuba con peligro
de su vida a ofrecerle su espada, retirarse de nuevo porque según algunos aún no era tiempo; volver después llamados por el
gobierno, traerle a su patria, sin que ésta le hubiese proporcionado un ochavo, elementos materiales y morales: materiales, en un
buen armamento; morales, en jóvenes de ilustración y juicio,
como algunos que hoy figuran en la Cámara. Le hemos visto
llegar en momentos que la revolución expiraba, darle vida, orga-
nizarla, sostenerla un año con grandes ventajas contra un enemigo inmensamente mayor, mejor armado y mejor disciplinado; le
hemos visto durante ese año no recibir un centavo de sueldo ni
de gratificación, y al cabo de ese tiempo decirle la patria por
boca de sus representantes: "Estáis depuesto; entregad inmediatamente el mando." Sin explicación de ningún género, sin juicio
previo, sin nada, ni las gracias siquiera por tantos servicios, por
tantos esfuerzos, por tantos sacrificios. ¿No es esto para desco-
razonar a cualquiera? ¿Es ese el modo de recompensar que tiene
Cuba?, dirán muchos.

Todo esto y otras cosas que callo nos da a entender el decreto en cuestión.

¿Decís que no véis traidores entre nosotros? Mala vista tenéis, ciudadano Zambrana. Buscad bien no en el ejército ni entre sus jefes, que el que pone su pecho a las balas enemigas podrá no ser un sabio, pero seguramente no es un traidor; buscad

a éstos en otros círculos, que no faltará alguno que no hace dos meses aconsejaba que nos arreglásemos con el español, «pues aún era tiempo», y se halla hoy ocupando un elevado puesto civil; pero tal vez vos no estimáis eso como traición, ciudadano Zambrana. Otros hay que aún no están en la revolución y abiertamente la contrarían; pero tal vez esa no es para vos traición. Otros juraron ayer primero africanos que españoles, y hoy dicen públicamente: primero españoles que bajo el régimen militar. Pero quizá no tenéis eso por traición. Tal vez tengáis más bien por traición el dar de comer al ejército, porque la ley no autoriza para ello; tendréis por traición retirar los azúcares del alcance del enemigo, porque a todo esto llamáis vos romper la ley. Y decís que no es honrado el que en una república no empuñe el puñal de la venganza contra el que rompe la ley.

¡La república os perdone, C. Zambrana, este sangriento ultraje que la hacéis! Yo, por mi parte, ciudadano representante del pueblo, a vos que llamáis al pueblo al orden, a la concordia, a la ley; yo os reto, en nombre de Dios y de la justicia, a que ante un tribunal de hombres honrados me sostengáis «que no es hombre honrado el que en una república no empuña el puñal de la venganza contra el que rompe la ley!»

Dais a continuación una bonita definición de lo que es *la república;* pero ¿aplicáis seriamente la palabra república a lo que existe en Cuba? Lo que hoy existe aquí, una Cámara omnipotente, elegida por una pequeña fracción del pueblo; un presidente *nominal* elegido por esa misma Cámara, deponible sin previo juicio, etc. Esto no es lo que se llama república. La república, ya lo habéis dicho, es el gobierno del pueblo por el pueblo. Pueblo es un número de hombres que se reúnen para vivir en sociedad. Esa sociedad aún no existe en Cuba porque el pueblo de Cuba se ocupa hoy en disolver la antigua sociedad en que vivía para fundar otra nueva; hasta que esta nueva sociedad, ese nuevo pueblo, no exista, no podrá él establecer el gobierno del pueblo por el pueblo, es decir, la república.

Hoy por hoy no existe más que la revolución; ninguna revolución puede sujetarse a *leyes precisas;* la revolución necesita apoyarse en leyes transitorias que correspondan a la situación o a las circunstancias especiales del momento; de acuerdo éstas con la justicia, sí, pero teniendo presente que la necesidad es la base de la justicia, que todo lo que es necesario es justo.

Y no me arguyáis que las leyes de nuestra Cámara determinan que el orden administrativo establecido se rompa siempre que sea necesario. Hacer una ley y autorizar el que se rompa es peor mil veces que no hacerla.

No, yo no os tacharé de tiranos, pero vos lo habéis dicho: habéis cometido errores. ¿Por qué con la misma franqueza que hacéis esa declaración no los enmendásteis? Pero no, antes de enmendarlos quisísteis vengaros de alguno que os lo echaba en cara, y os vengásteis con saña, confesadlo al menos: las palabras de vuestros decretos lo dicen bien claro, lo *aclaman* a gritos. No os he contestado para atacar una determinada medida de la Cámara ni por hablar contra ella, sino para refutar los errores en que habéis incurrido, y estoy dispuesto a seguir defendiendo mi opinión.

Haré también, como vos antes de concluir, un llamamiento al pueblo; vos lo llamáis a la concordia, al orden, a la abnegación de todo sentimiento personal; vos lo llamáis a la ley. Enhorabuena. Yo por mi parte lo llamo a las armas.

Sí: *probemos al mundo que somos dignos de llevar la toga viril,* pero tengamos presente también que soldados, no *legisladores,* he ahí lo que necesita Cuba en la actualidad.

Adolfo Varona

Esta carta debió escribirse en 1870, puesto que el manifiesto a que se contraía llevaba la fecha de 1 de enero del mismo.

FEBRERO 1870

Esparza

(Febrero).—Fallecimiento de D. Teodoro la Esparza, capitán de Voluntarios.

Valmaseda

Parte el conde de Valmaseda a operaciones embarcándose en el vapor mercante *Cienfugos* para ponerse al frente de las tropas del Departamento Central. Queda de gobernador interino don Juan Ojeda, coronel de Artillería.

Caballero de Rodas

El capitán general de la Isla, Caballero de Rodas, «... desaprueba el acuerdo de abrir una suscripción, con el carácter de

nacional, a favor de los hijos del Excmo. Sr. Conde de Valmaseda por razones de alta consideración que están en consonancia
con las leyes 14, título 3, libro 48; 7 y 9 del título primero de
la Novísima Recopilación, reiterada por la 48 y 49 del libro 2,
título 16, de Indias, así como el artículo 313 del Código Penal».

«EL LEBREL»

Entra en puerto la cañonera número 17, *Lebrel,* que manda
el teniente de navío D. Camilo Arana y Hechavarría.

CASTAÑÓN

El Círculo Español de esta ciudad expresa su sentimiento por
la muerte violenta, en Cayo Hueso, del periodista español don
Gonzalo Castañón.

TROPAS

La cañonera *Lebrel,* que en unión del vapor *Guantánamo*
había salido a una expedición a la costa, vuelve a salir llevando
a bordo 200 hombres, entre voluntarios y soldados, al mando
del coronel de Infantería de Marina D. Emilio Calleja e Isasi.
Trae 22 individuos recogidos en la manigua, en su mayor parte
mujeres.

AMPUDIA

Sale a campaña una columna al mando del señor Ampudia.

REGIMIENTO DE CUBA

Parte para Bayamo el Regimiento de Cuba.

GONZALO Y HERNÁNDEZ

Llega en el vapor *Cienfugos* el intendente militar D. Juan
Gonzalo y Hernández. Viene a inspeccionar los servicios administrativos militares de esta plaza después de haberlo verificado
en diversos puntos de la Isla.

SOTO Y MORILLO

Llega el comisario de guerra de primera clase D. Guillermo
de Soto y Morillo, que viene a encargarse de los servicios admi-

nistrativas militares de esta plaza en relevo del subintendente militar graduado D. Antonio de Aldaya y López, que pasa a La Habana.

PERALTA

Tachado por alguien de laborante el señor D. José Antonio Peralta y Zayas, director del periódico integrista *La Bandera Española,* hijo de Holguín, hace en el periódico ferviente protesta de españolismo.

«EL CAROLINA»

El vapor mercante *Carolina* llega cargado de reses del puerto de Tunas, de Sancti Spiritus.

BOET

Los voluntarios de caballería regalan una espada de honor y un traje de campaña al jefe de guerrillas D. Carlos González Boet.

DOT Y MITJANS

A consecuencia de hallarse vacante la Asesoría Militar de esta Comandancia General ha sido nombrado interinamente el alcalde mayor D. Juan Dot y Mitjans para el despacho de las causas de infidencia.

MANZANO

Es nombrado con carácter de interino para asuntos ordinarios del Juzgado y Comandancia General, el promotor fiscal don Joaquín M. Manzano.

GUARDIA CIVIL

Se reúne el Ayuntamiento con un crecido número de contribuyentes para deliberar sobre la creación de un tercio de la Guardia Civil. Se nombra una comisión compuesta del segundo teniente de alcalde D. Antonio Norma, concejales D. Eusebio Faustino Capaz, D. Francisco Alvarez Villalón, y mayores contribuyentes

D. Juan Vaillant, D. Luis Despaigne y D. Joaquín Ruiz, para
que, calculando los recursos con que pueda contarse, proponga
el medio práctico de llevar a cabo dicha creación.

Ablanedo

Al son de bandas de música y entre vítores de los voluntarios, entra en la ciudad el comandante D. Fernando Ablanedo
al frente de su columna, trayendo dos pequeños cañones cogidos
a los insurrectos.

«La Revolución»

Copiamos del periódico insurrecto *La Revolución,* circulado
a escondidas, la siguiente correspondencia que se le envió de esta
ciudad:

«Correspondencia de *La Revolución.*
Santiago de Cuba, febrero 4 de 1870.
Respondiendo a un plan combinado de antemano por el Capitán General y el Conde de Valmaseda, se ha obligado al pueblo a celebrar tres días de festejos por la soñada pacificación del
Departamento. El objeto de esta farsa es el que en el extranjero
se crea que la insurrección está dominada: sólo los negros con-
gos y los catalanes tomaron parte en la fiesta.
La noche anterior, el Círculo Español, revestido de los grandes poderes que él mismo se ha dado, circuló una comunicación
firmada por José Antonio Peralta, director de *La Bandera Española,* y D. Juan Tarrida, administrador de los bienes confiscados, excitando a todas las Corporaciones y Sociedades para que
al día siguiente a las doce (21 del pasado) se presentasen en Palacio a felicitar al Conde por sus esclarecidos hechos de armas.
Todos cumplieron, y aunque no aparecía oficialmente el Círculo,
obró por orden del Conde, que quería dar a entender que él
espontáneamente se precipitaba a darle la enhorabuena por sus
gloriosos hechos.
Como se ha dicho antes, sólo los negritos tomaron parte en
las fiestas, pues hasta la naturaleza negó su apoyo a este ridículo alarde, lloviendo como estuvo incesantemente los dos primeros días. Hubo un incidente en el fuerte de Punta Blanca que
debe mencionarse, pues prueba la mala suerte que asiste a esta
gente: al hacer las salvas murieron dos artilleros y uno quedó
gravemente herido.

El Gobierno se empeña en vano en asegurar de que todo está terminado, y hoy más que nunca se puede asegurar que la revolución crece con aspecto formidable e invencible. Muy ocultamente fue fusilado el teniente Ochoa, que fue capturado la noche del 21 a cuatro leguas del Cobre en momentos en que marchaba a unirse a las filas patrióticas. Un cuerpo de 2.000 cubanos atacó la hacienda *El Retiro,* de la propiedad de un español zapatero llamado Antonio Puente y Flores, y la sección de movilizados que allí había se rindió cobardemente, pasándose a todos por las armas y retirándose los patriotas después de haber quemado la hacienda.

Todos los días van al Cobre partidas de patriotas de 200 y 300 hombres; entran y salen sin que nadie los moleste, y en una de sus excursiones se llevaron 14 movilizados, armas, víveres, pertrechos y un gran botiquín de la Mina Grande. El capitán pedáneo fue traído preso a esta ciudad y se le juzgó en consejo de guerra. Asimismo el capitán del Caney, por asegurarse que ha sido sorprendida la correspondencia que mantenía con los libertadores, y dos flanqueadores más.

El asesino Campillo conducía a Cauto Abajo un convoy en el punto nombrado *La Ceiba;* fue sorprendido por una fuerte columna de libertadores que lo derrotó, matándole cinco hombres, haciéndole grandes bajas y apoderándose del convoy, consistente en 40 acémilas cargadas de armas y municiones. El jefe pudo huir y se presentó en Santiago al Conde, quien lo ha mandado a juzgar diciéndole que no se le presentase sino con el convoy. En *Lajas Coloradas,* jurisdicción de Palma, y cerca de la hacienda de D. Agustín Suárez, atacaron las contraguerrillas de Boet y Guzmán, en número de 600 hombres, a una columna patriota al mando del valiente Donato, que les hizo más de 200 bajas y los desorganizó completamente; dicen que las tropas del denodado Mármol les gritaban a cada balazo que enviaban que las llevasen al *Tigre* para que celebrase sus fiestas; soldados hubo que se aparecieron en la Palma descalzos y sin armas aún bajo la impresión de valor tan temerario. Vino a confirmar esa nueva la llegada del tren por la noche con los heridos en gran número. La partida de Villaverde, en el cafetal *La Mora,* y las de Cayamo y Vega en *El Ermitaño,* han batido a los movilizados que por allí había, causándoles de 40 a 45 bajas; abandonaron el terreno precipitadamente y se vengaron fusilando a dos mujeres.

En *Palmarito* y *Santa Isabel* hubo dos buenos encuentros en

los que se dice que jugó el machete patriota y que causó grandes
bajas.

El general Puello salió malamente herido en un brazo y fue
perseguido en toda la línea hasta San Miguel del Baga, habién-
dosele quitado seis cañones, muchos pertrechos y armas de todas clases. Para que pueda graduarse el valor de esta derrota,
basta decir que de un cuerpo de 2.500 hombres que acompañaba
al general Puello sólo han vuelto 600; los demás han muerto
a tres leguas de Guáimaro, donde tuvo lugar la acción, frente a
la primera línea de fortificaciones, o se hallan prisioneros de
guerra esperando el fallo de la ley. Por lo pronto sabemos que
se ha expedido un correo a todos los campamentos de patriotas para que den aviso inmediatamente si hay algún jefe prisionero por esta parte o por Cinco Villas para canjearlo con los 40
jefes y oficiales, o de no fusilarlos al respecto de ocho o diez por
cada uno que les maten.

Esta es la acción más gloriosa que se ha dado durante la revolución, y se nos dificulta creer que piensen dar un segundo
ataque los españoles en la imposibilidad de reunir un cuerpo com-
pacto y numerosos después de este gran descalabro.

Sabedor el brigadier Hidalgo de que por Palmarito había un
campamento de patriotas acabado de establecer, salió de Cayo
Rey con una gruesa columna con objeto de batirlos, pero con
tan poca suerte que toda su vanguardia cayó en poder de los patriotas, y más luego el general Mármol presentó acción con el
grueso, arrollándolo completamente.

El brigadier Hidalgo trató de volver sobre el enemigo, y la
presencia sólo de Mármol con 300 hombres fue lo suficiente
para que emprendiese la más vergonzosa fuga, sin que nada lo
detuviese hasta San Luis. En esta acción ha habido muchos prisioneros, muertos y heridos, y el Conde de Valmaseda ha puesto
al brigadier Hidalgo como ropa de pascuas. No sabemos si, como
el señor López Cámara, será depuesto del mando de Comandante General de Operaciones, pero lo cierto es que tan fatal ha
estado el uno como el otro, y que el general Mármol se está
portando admirablemente en la campaña.

El gobierno prohibió la salida de arrias en esas direcciones.
Nunca ha habido mayores temores que ahora, pues las fuerzas patriotas se mueven hacia esta plaza y no hay tropas con que hacerles frente. Esto sucede en los momentos en que se representa
la farsa de la pacificación, y como debe usted saber trae mohino
al Conde, que publica proclamas haciendo creer que todo se aca-

bó. En prueba de ello, el 2 y el 3 han llegado heridos en gran número; los hospitales de la ciudad atestados, además de los que tienen en los campos. La fragata de guerra *Gerona,* entrada en este puerto el día 31, ha traído confirmada la noticia que ya teníamos del general Puello frente a las fortificaciones de Guáimaro. Según la versión de un caballero oficial español y carta de persona fidedigna, Puello, con 2.500 hombres y mucha artillería salida de Puerto Príncipe el día 25 de diciembre con dirección a la capital de la República (1) y en combinación con el brigadier Goyeneche, debía atacar a Guáimaro por diferentes puntos. Tres líneas de fortificaciones con fosos de seis varas y bien custodiados por una fuerza de 6.000 hombres y 38 piezas de artillería había que echar a tierra para penetrar en Guáimaro, y la tropa española, que desde el primer momento comprendió la imposibilidad del ataque, muy a disgusto entró en acción. Parece que el campo no fue explorado suficientemente, pues de ocurrido no hubiera intentado el ataque a la bayoneta delante de aquellos fosos y aquellas trincheras tan bien construidas por el valiente y atrevido general Quesada; pero es el caso que bien pronto el fuego se hizo general, y después de una orden tuvo que darse otra, introduciéndose en las filas españolas el desorden y teniendo de tocar retirada después de dejar en aquél más de 300 cadáveres, 400 heridos e inmenso número de prisioneros, entre ellos 40 entre jefes y oficiales.

El 24 fue traído prisionero Francisco Marcano, que junto con la familia Figueredo fue sorprendido por denuncia que hizo un negro asistente del segundo; otros dicen que D. Tomás Stable los denunció y que sólo denunciados hubiera sido dable a los españoles saber el punto donde estaban, pues tardaron las tropas dos días y una noche en llegar a él.

Marcano fue juzgado y apareció un bando citando a todos los que tuviesen quejas en su contra; al día siguiente se presentaron varios oficiales y soldados manifestando que Marcano los había tratado bien cuando estaban prisioneros, facilitándoles hasta caballos para su fuga, y que así pedían su vida, pero el Círculo Español quería a todo trance matarlo, y puesta a votación su vida resultó condenado a muerte: justicia española. Los que querían matarlo trataron de que fuese agarrotado en la Plaza de Armas, pero ¡cosa rara!, no hallaron verdugo para la ejecución, cuando cada uno de estos tigres es peor mil veces que el ejecu-

(1)   Guáimaro.—*Barrera.*

tor de la ley. A las oche de la noche se le puso en capilla, y al
día siguiente por la mañana fue pasado por las armas, muriendo
como un valiente. Todo cuanto se diga para tratar de denigrar
su memoria es falso; tratóse de arrancarle una carta de arrepentimiento, pero lo rechazó con energía. El desgraciado Marcano
era coronel del Ejército Libertador y se hallaba curando numerosas heridas recibidas en defensa de la Independencia del país
que adoptó por patria.

Una ramera dominicana apareció una mañana en la misa de
Santa Lucía con tal profusión de cintas amarillas y coloradas en
la cabeza que causó la risa general de toda la concurrencia; al
día siguiente apareció un comunicado en *La Bandera Española*
insultando a las señoritas París; el padre (1) fue a la redacción
y calentó las orejas al sacrílego Peralta y al chino Blanch (2). La
venganza no se hizo esperar: por la noche, y en momentos en
que no estaba el padre en la casa, los *bizarros voluntarios* se aparecieron y dieron a las pobres niñas asustadas una cencerrada.

Siguen entrando vapores cargados de reses para el consumo,
las cuales proceden de un gran acopio que de ellas hizo el Conde
durante su ocultación en la Torre de Zarragoitia, y se le calcula
que a esta fecha ha puesto a buen recaudo unos 150,000 pesos,
producto neto de sus rapiñas; su consocio Juan Tarrida no se
descuida, y como administrador de los bienes confiscados hace
gran bocado con las peluconas que percibe de... sí mismo. Moralidad fue una de las frases del déspota Rodas, y he aquí apli-
cada la máxima por sus subordinados. Añádese que Villate rinde
también buena cuenta de los caudales del Gobierno que se le
envían para las tropas.

Manuel de la Torre ha sido nombrado coronel del Segundo
Batallón de Voluntarios, y al tomar posesión del mando ha dirigido una proclama al batallón que merece ser leída como prueba
de su gigantesco talento; el joven Joaquín Pezuela, capitán de
Caballería, ha sido traído a esta ciudad en completo estado de
demencia, siendo su tema «los pícaros insurrectos». Parece que
cayó del caballo que montaba en momentos en que huía de que
lo matasen «esos pícaros insurrectos». Antonio Griñán y Mariño, hijo de esta ciudad, teniente al servicio de España, fue en-

<hr>

(1) Don Manual París, dueño de una fábrica de tabacos y cigarros,
en la calle de Santa Lucía, casi frente al templo.—*Barrera*.
(2) Don José Antonio Peralta y Zayas, director, y don Francisco
Blanch y Mateos, redactor de dicho periódico.—*Barrera*.

terrado el 14 del pasado de resultas de una afección pulmonar.
Dios le haya perdonado su mucha adhesión a España.

Los patriotas cada día más animados y resueltos a vencer o
morir; parece que su plan es internar cuanto más puedan a los
españoles para poderlos copar con más facilidad, enviando las
mujeres y los niños a las poblaciones a fin de evitar el mayor consumo de los víveres y de las tropas que se emplean en su custodia. Esto hace decir, cuando algunos se presentan, que todo
se acabó. ¡Siempre imbéciles estos godos!

Me contestan de que acaban de recibir un auxilio bastante
poderoso de pólvora, armas y medicinas.

El intrépido Donato, con 2.000 hombres, situado en el *Co-
rralillo,* a seis leguas de Santiago; Pérez y Figueredo, con 1.500,
cerca del Cobre, y se dice que Jordán, con 2.000, en la La Cruz,
ingenio de los *Correosos,* amenazan esta ciudad, que en breve
será teatro de grandes acontecimientos.

La señora del patriota Manuel Ros fue conducida a la cárcel
entre cuatro soldados; se la interrogó si era viuda o casada: contestó que lo segundo; que quién la sostenía y si no recibía dos
onzas cada mes de la insurrección: dijo que su suegra la alimen-
taba; allí quedó presa por tres días, y después se la puso en
libertad.

Estos dos hechos son una prueba patente de la galantería de
esos hombres sin sentimiento, que ya que no pueden matar a los
hombres se vengan en el sexo débil y en los niños.

Parece que vuelve a ponerse en práctica el reinado del terror: un pardo francés fue sustraído de la cárcel a media noche
y fusilado bárbaramente; el 31 sacaron del hospital civil, donde
estaba enfermo, al jovencito D. Tomás Tamayo, hijo de D. Benigno, y en un bote con ocho soldados y un sargento fue trasladado al otro lado de la bahía y fusilado cruelmente.

En una reunión que tuvo el M. I. Ayuntamiento, presidido
por el obeso Conde de Valmaseda, propuso éste que el Cuerpo
Capitular tomase la iniciativa de una suscripción nacional que debía hacerse a favor de sus hijitos, los cuales, según manifestaciones propias, arena acreedores a que el país les indemnizara por
los desvelos de su padre por la pacificación de estos dominios
y toda vez que él invertía todo su sueldo en limosnas; la idea
fue ardientemente acogida, y el asesino, hipócrita, cínico, Blas
Villate hizo de su puño y letra la minuta de la moción que entregó al loco alcalde municipal D. Manuel de la Torre, quien la
presentó y fue aceptada, produciendo en esa primera noche, y

entre los capitulares y corifeos, sobre 7.000 pesos, que llegarán tal vez a centuplicarse, porque los degradados cubanos que aún están al lado del español intentan hacerla extensiva a toda la Isla. Figuran en primer lugar, con 510 pesos cada uno, D. Juan Vaillant y Valiente y D. Juan José Colás; después figuran D. Manuel de la Torre, D. Alfredo Kindelán, etc. Esto es el último grado de humillación a que podían llegar algunos hijos de Cuba a quienes Dios o la Patria reservan el condigno castigo en algún día no lejano.»

MAZZINI

Del periódico *La Revolución,* recibido de Nueva York, copiamos lo siguiente:

UNA CARTA DE MAZZINI

Traducimos los siguientes párrafos de una carta del ilustre demócrata italiano José Mazzini dirigida al general Cluseret.

«Estoy dolorosamente afectado por la actitud indiferente de los Estados Unidos hacia Cuba. El último acto del gran drama americano se está representando en aquella Isla: la insurrección cubana es la consecuencia directa de vuestra guerra de ̄emancipación.

No es lógico ni es digno que los Estados Unidos levanten una bandera y que después abandonen con indiferencia a la muerte a aquellos que se han dicho a sí mismos: ya ha llegado la hora.»

«La política iniciada por los doctrinarios de Luis Felipe de que cada uno no se ocupe más que de sí mismo, es un crimen y una torpeza para los republicanos como vosotros; un crimen, porque niega uno de los intereses de la cristiandad en una de las cuestiones que habéis promovido, y una torpeza, porque destruye el prestigio que habéis conquistado no sólo en Europa, sino en todo el mundo. Esto os contradice y os aisla. Aparte de lo sagrado del objeto, aparte del interés que tiene el pueblo americano en la causa porque por el pueblo están muriendo los cubanos, ¿hay algo más grandioso y de nuevo en el espectáculo de amos y esclavos que pelean juntos en la misma fila? El corazón de hombres tales como Grant, Summers y Fish ha debido palpitar lleno de entusiasmo.

¿Es que los Estados Unidos escogen un momento semejante para dar cabida al miedo, y ésta es la palabra, que haya podido inspirarle la doplomacia monárquica de Europa? ¿Por qué escoger un momento como éste en que la monarquía está agonizando entre nosotros, en España, en todas partes?

¿El niño que ha crecido —y ha crecido hasta ser un gigante— no comprenderá su misión providencial sobre la tierra?

¿No sentirá jamás que el republicanismo no es simplemente un miserable hecho local, sino un principio decretado por Dios y la humanidad, una creación, una fe?

Si algo hubiera en el mundo capaz de rendir mi espíritu será la actitud inerte y negativa que ha tomado vuestra nación en presencia de la lucha cubana.»

3 de Febrero de 1870.

José Mazzini

«LA REVOLUCIÓN»

El periódico insurrecto *La Revolución* que nos ha sido remitido a esta ciudad habla del asesinato del ciudadano americano en La Habana como sigue:

ASUNTO DE GREENWALD

«Dijimos a su tiempo que era de extrañarse en el asunto de Greenwald el no haberse buscado entre los cubanos una víctima para llenar las formalidades de un juicio, y ya se cumplió la presunción que teníamos de que iba a llegarse a este resultado. También uno de nuestros corresponsales expresó su sorpresa de no haberse acudido a llenar el expediente con tan futil recurso, y los periódicos americanos, al saber que un tal Cabrera ha sido designado para expiar un crimen que probablemente no ha cometido, adivina cuál es el motivo que guía a las autoridades españolas y no admite como acto de justicia lo que sólo tiene visos de ser una infamia, como otra de las muchas que se cometen todos los días entre los voluntarios de La Habana.»

«Lo único que habíamos extrañado hasta aquí, dice el *Sun*, es que no hubiese sido ejecutado algún infeliz cubano en lugar de los verdaderos asesinos de Greenwald, que son muy conocidos de los voluntarios, cuando desde luego no hubiera faltado a quien matar entre los naturales del país si no hubiesen quedado con vida Foster y Gardner para poder servir de testigos. Más de dos semanas han pasado ya desde que el verdadero asesino, que fue un voluntario, fue entregado por sus propios compañeros y que se prometió sería juzgado en el término de dos horas, y sin embargo ni se le ha formado causa ni es de ponerse en duda que se le faciliten los medios de escaparse.»

El cubano será ejecutado, pero ¿mejora esto el caso de que se trata? ¿Serán tan necios los americanos que vayan a quedar satisfechos por un nuevo crimen y se seguirá tolerando en los Estados Unidos que no sólo sirven los cubanos para todas las venganzas españolas, sino que también tengan que responder con su vida por cada ciudadano del Norte que maten los voluntarios de La Habana? Hagan lo que quieran los voluntarios, pero sepan que pronto tendrán que pagar con creces los abusos que cometen contra las naciones extranjeras, y que por mucho que los haya tolerado la administración de Washington no siempre se puede estar jugando con esta tolerancia.

A son de trompa se anuncia hoy por telégrafo que Rodas ha declarado la libertad de 2.000 negros prisioneros de guerra. Es una noticia redactada de modo que parezca eso, pero es completamente falsa.

En primer lugar no hay tales prisioneros de guerra ni se había anunciado hasta ahora tan importante captura, absolutamente imposible. En segundo lugar, el general Rodas no puede decretar la libertad de ningún esclavo; ni puede ni quiere.

La verdad del caso es lo siguiente:

Hay en la Isla un gran número de negros venidos de Africa en expediciones que han sido capturados por el Gobierno. Esos negros deben ser libres según el tratado de España con Inglaterra, pero el Gobierno, dándoles por sarcasmo el nombre de emancipados, los declara sus esclavos y los alquila por un número de años, cobrando una crecida cantidad. Cumplido el término de alquiler, los renueva, y esos infelices siguen así eternamente esclavos.

En 1868, el Gobierno, cediendo a la presión de Inglaterra, expidió un decreto declarando que esos negros eran libres, pero el general Lersundi recibió dinero de los que los tenían en alquiler y no dio cumplimiento al decreto. Han pasado tres años y los emancipados seguían en el mismo estado y en peores condiciones que los demás esclavos, pues ni aun siquiera podían comprar su libertad.

Por todo serán unos 2.000, y esos son los que hoy el gene-

20

306 Crónicas de Santiago de Cuba

ral Rodas declara libres después de haberlos explotado durante
más de treinta años. Fueron prisioneros cuando capturaron las
expediciones, y en esto consiste la triquiñuela del telegrama, re-
dactado así para que parezca un acto liberal del Gobierno Español y caiga como una novedad en medio del Congreso Americano.

El telégrafo viene hoy mismo a confirmar nuestras reflexiones sobre la situación anárquica de España con respecto especialmente a su ya única Antilla, Puerto Rico. Dice textualmente:
«Madrid, febrero 22 de 1870.—Ha habido en las Cortes una
disputa anticipada con motivo de la aceptación de la nueva constitución para la colonia de Puerto Rico. Se teme que la disputa
provoque un rompimiento de la buena armonía que ahora existe
entre la mayoría.»
Esto quiere decir que no hay pensamiento sobre la organización política de la colonia; que las luchas que se dan en la comisión se patentizan en el Congreso, que no pueden entenderse
los unionistas, que quieren la asimilación, con los progresistas,
que no saben si quieren la autonomía; que desde el demócrata
ministro Becerra no saben por qué sistema decidirse.
Esto quiere también decir que es una conducta cobarde la
de los diputados puertorriqueños, que a todo se someten y no
saben sacar partido de la situación, y quiere por último decir
que es una esperanza huera la que tenían los conservadores de
la Isla en el advenimiento del Mesías español. No, no es posible
que la confusión, la incertidumbre y la ignorancia que reinan en
España sobre el gobierno de las colonias produzca juntas la libertad y la dignidad de la colonia.

«La mucha sabiduría ha enloquecido a muchos hombres, y
los muchos asesinatos han hecho estúpido al capitán general de
la Isla de Cuba.
Acusa a los cubanos en masa e individualmente del asesinato
de Greenwald y nos trae la historieta de los laborantes o los
conspiradores criollos, que han hecho entrar en las filas de los
españoles algunos emisarios con encargo de asesinar a algunos
extranjeros encubiertos con el uniforme leal a fin de envolver
a España en una nueva guerra. ¡Naciones de la tierra, escuchen
y abran los oídos! ¡Todo extranjero asesinado en Cuba ha sido
matado por algún cubano! Y vosotros, amigos íntimos del tigre
Valmaseda y del carnicero de Cádiz Caballero de Rodas.

El general Rodas, en consecuencia, ha ordenado, bajo pena
de muerte, que sea ahora moda en La Habana echar la culpa a
los cubanos de todos los asesinatos y limpiar así las manchas de
sangre de los asesinatos del Louvre y de Villanueva. Es un estúpido como cruel monstruo de la opresión española. Copiado de
El Tribune, de Nueva York.

«Yo no sabía entonces que la víctima era un extranjero inofensivo, desarmado, etc. Yo lo creía natural del país.»

Esta horrenda oposición de palabras, correspondiente a una
más horrible oposición de sentimientos, está textualmente ex-
puesta en la declaración del cónsul francés que el martes publicamos. Esas palabras son una monstruosidad y significan: «Yo,
que estoy acostumbrado a ver asesinar a los hijos del país por
los voluntarios españoles, ya no me escandalizo de esto. Pero
habían asesinado a un extranjero y me espantó.»

El hombre es tan débil que se acostumbra al mal que se repite. Por eso es posible el despotismo y por eso es posible el
pretorianismo de los voluntarios españoles, y por eso es posible
que esos crímenes se cometan a la faz de Europa, representada
en sus agentes, y que Europa se haya acostumbrado a ver asesinar cubanos y sólo proteste cuando maten extranjeros.

Al lado del telegrama anunciando la falsa emancipación de
los 2.000 esclavos viene otro horroroso. Una supuesta Junta Cubana fue descubierta en Santiago de Cuba: dieciocho personas
fueron encarceladas, juzgadas y fusiladas. Todo lo anuncia el telegrama al mismo tiempo. Dieciocho personas de una vez y en
un solo punto. La espantosa noticia viene tranquilamente remiti-
da por el mismo asesino. El frenesí español es acrece más y más.
¡Pero la hora bendita de la venganza llegará, y guay entonces
de los caníbales de hoy!

Nosotros nos esforzamos siempre cuanto podemos por apar-
tar la pasión de nuestra pluma cuando escribimos, pero hay actos que sublevan la conciencia de tal manera que es imposible
saberlos sin sacudidas de todas las fibras del corazón. Los españoles no buscan más que enemigos de muerte y los tendrán. Sería
una debilidad pensar y decir otra cosa a presencia de las noticias
que nos viene de todos los ámbitos de la Isla de Cuba.

HOSTOS

Llega a nuestras manos y copiamos:

Tiene la palabra Hostos.—Nuestro antiguo compañero y colaborador ahora Eugenio M. Hostos nos ha remitido la comunicación siguiente, a la cual no tenemos hoy tiempo de dedicar por nuestra parte observación alguna.

Señor director del *Diario Cubano.*

Señor y amigo mío:

De tal modo estoy dispuesto a complacer a usted que voy a hacer más de lo que usted pide. Pide una explicación firmada de los que usted llama discursos y llamo yo mis exhortaciones, y que declare bajo mi firma que no oyó bien el que habiéndome oído diga que yo he podido expresar otras ideas u obedecer a otros sentimientos que los siempre obedientes a mi conciencia.

Mi conciencia me dice que el anhelo supremo de mi vida, la Indepedencia absoluta de las Antillas, tan posible por las condiciones geográficas y económicas de esos pueblos, sería una obra difícil para la generación que está destinada a conquistarla si no se cura a tiempo de dos vicios que ha inculcado a nuestra raza el despotismo. Del primero, producto necesario de aquel funesto principio de autoridad que, además de nuestra libertad, ahogaba en nosotros la dignidad humana, se origina la falsa idea de libertad. Del segundo, engendro del gobierno personal, se produce aquella costumbre de encomendar a otros lo que debemos hacer por nosotros mismos. El primero engendra anarquía; el segundo procrea dictadores; una y otra se completan, y dondequiera que el odio sistemático a la autoridad produce la anarquía, hay un ídolo de la multitud que la esclaviza; y en donde quiera que hay idolatría política hay un estado latente o patente de anarquía. La sociedad que padece de esos males no es libre. Y si yo quiero la Independencia absoluta de las Antillas es porque quiero probar a nuestros detractores que las Antillas pueden ser libres.

Con tales propósitos, y obedeciendo a tales ideas, claro es que me opongo a todo lo que pueda contrariarlas. He aquí por qué a todas horas y en todas partes exhorto a los cubanos a que no amen otra cosa ni crean en otras que las ideas.

Por eso en Irving Hall empecé hablando de nuestra idea capital: la Independencia. Quien se oponga a ella es nuestro enemigo. ¿Se opone indirectamente quien desatendiendo el derecho de la autoridad legítima intente divorciarnos de ella? Pues es nuestro enemigo. Al primero combatidlo oponiéndole el derecho de la autoridad. A la segunda, haciéndole una oposición pública, clara, patente, yendo en corporación a decirle: «Te extravías, dejas de hacer esto o te excedes en lo otro. Haz lo que falta, abstente de lo que sobra.»

De modo que desatendiéndome de las personas y atendiendo a las ideas, yo no hablo ni en pro ni en contra de la Junta, en contra ni en pro de nadie. El día que yo descienda a personalidades y me haga la injusticia de secundar intereses personales habré puesto mi patriotismo al nivel de las personas, y es poco para mis ideas la estatura de cinco pies.

Que es posible hablar más claro tal vez lo piensen los que se abandonan al movimiento de las pasiones. Si hay quien esté firme en sus ideas, ése que juzgue.

Y pues supongo a usted más obediente a sus ideas que a sus pasiones, juzgue del discurso de S. A. S.

Eugenio M. Hostos

«La Revolución»

De Nueva York se nos remite ese periódico con correspondencia de esta ciudad.

«Santiago de Cuba, octubre 21 de 1869.

La poca seguridad que muchas veces tengo de que mis cartas lleguen a sus manos hace que no siempre escriba a usted dándole cuenta de lo que pasa en esta jurisdicción, lo cual va picando ya en historia y servirá, indudablemente, para presentarlo como dato de aquella soñada pacificación que tanto atormentó al «Conde de Barriga» allá por los meses de noviembre y diciembre del año pasado. El invierno avanza y los cubanos, en lugar de aguardar a que se les ataque, han comenzado con éxito brillante una campaña de mal ofensiva que trae a mal traer a estos visigodos, a quienes algunas veces se les pregunta si es cierto que don Blas, el plagiario de reses, ha pacificado el Departamento o los ha pacificado a ellos para que no vean que él hace su nego-

cio al grito de ¡Viva España!. El cable funciona dando partes
de soñadas victorias; en la oficina del Estado Mayor, el periódico oficial *La Bandera Española,* de Torquemada, publica columnas laudatorias de batallas; los que están cerca de él se reparten como buenos amigos el turrón a su gusto y se grita y se
gesticula, se celebran orgías, se baila, en fin, al son de una orquesta infernal que emite sonidos lastimeros para el oído de los
«bizarritos», que mohinos y recelosos empiezan ya a mirar a su
ídolo de Zarragoitia con malos ojos, porque dicen que es mucho
cuento éste de haber pacificado hace un año y ver sin embargo
que las cosas van de mal en peor para ellos, pues lo que más
les duele es ver cómo van desapareciendo de sus bolsas los su-
dores de algunos años de trabajo yendo a parar, sin que ellos lo
comprendan, a la de tantos tunantes con galones y más aspiraciones que un empleado español. Mal se encuentra aquí el Conde y malas lenguas añaden que a él le importan poco los gruñi-
dos de estos mozos que van ya cansándole con sus exigencias,
pues su vista está fija en la Capitanía General, que al fin y a la
postre tiene que desempeñarla. Sea de ello lo que fuere, los cubanos se aprovechan de la cuestión y se organizan y disciplinan
cada día más, atacando y capturando armas y municiones. Tres
serios encuentros han tenido lugar recientemente. El primero fue
en Tempú, donde el general Máximo Gómez, con 500 hombres,
se había fortificado hacía poco tiempo; la columna española se
componía de tres compañías de Infantería de Marina, dos de Ingenieros y dos piezas de Artillería, mandada por el coronel Crespo; el ataque fue renovado cuatro veces por espacio de cinco
horas y en todos fue rechazado, con graves pérdidas, entre ellas
el jefe español Crespo, el capitán Venancio Castillo y el teniente
cubano Antonio Portuondo, 20 soldados muertos y 70 heridos,
pronunciándose los españoles en desordenada retirada hacia el
Cobre. Las pérdidas de los patriotas fueron pocas porque las
trincheras eran muy fuertes.

El segundo encuentro tuvo lugar en *Arroyito,* donde una compañía mandada por el capitán Castro se hizo fuerte en una de
las casas del ingenio. Los cubanos al mando del coronel Villaverde atacaron cuatro veces, pero el tiroteo de los sitiados era mucho y tuvieron que poner fuego al fortín, obligando al enemigo
a salir a campo raso, en donde se trabó una lucha cuerpo a cuerpo, cogiendo los patriotas más de 30 prisioneros que fueron pasados por las armas en el acto. Se habla mucho de la serenidad
y aplomo con que mandó este combate el coronel Villaverde.

Emilio Bacardí Moreau

311

El otro encuentro, también serio, ha tenido efecto en los terrenos del ingenio *Borjita*. El famoso Campillo salió con 400 soldados, entre ellos unos 60 bomberos que casi a la fuerza pudo llevar, y allí lo esperaba Gómez atrincherado, que le dio una buena zurra que volvió con unos ciento y tanto hombres menos. Dice uno de aquellos bomberos que los cubanos se presentaron bien vestidos y armados.

Además han sido atacadas infinidad de haciendas guarnecidas que han dado por resultado la captura de armas y municiones de boca y guerra para los patriotas, en lo cual andan tan acertados que los hacendados se han presentado al Gobierno pidiendo que cese la obligación contraída de tener movilizados en sus fincas toda vez que ven que ninguna deja de ser atacada, tomada y quemada luego en justa represalia por los libertadores. La barrida que ha hecho el general Gómez en esta última semana en la jurisdicción ha sido tan importante como si hubiera desembarcado una expedición de armas en esta costa, siendo más glorioso indudablemente para él y su división el poseer hoy armas que han sido arrancadas valientemente al enemigo.

La escasez de soldados es tanta que Valmaseda ha pedido 400 negros escogidos para abrir camino por donde atacar a los mambises, pero con la decidida intención de armarlos y lanzarlos en contra de aquéllos; el proyecto ha fracasado, pero Campillo ha salido para Manzanillo a reclutar 400 montunos de los presentados en los partidos de aquella jurisdicción, quienes al tipo de 200 pesos mensuales pagados por los apretados hacendados deberán venir aquí para salir con ellos a campaña; el proyecto es diabólico, pero dudo por muchos motivos que lo realicen. No obstante sería conveniente que probasen, pues puede salirles el tiro por la culata.

Hace unos días llegaron 400 soldados de los venidos de España, y según manifiestan los oficiales que los traen, más que hombres son fieras indomables que van a dar mucho que hacer a los españoles. Pocos días después entraron en los hospitales 72 con la fiebre amarilla, y esto hizo provocar una reunión de hacendados en la cual Valmaseda propuso cambiar los movilizados que guarnecen las fincas, saliendo éstos a campaña hasta que aquéllos se aclimaten; los propietarios consintieron, pero al ir a consultar a los cachorros, como llaman aquí a los movilizados, se resistieron diciendo que ellos no cambiaban de posición, pues veían que los patriotas daban demasiado duro hacía algún tiempo. Merelo ha hecho entrega del gobierno de la ciudad, aunque los órganos españoles han dicho que es porque vuelve a España llamado por Prim, sábese que estaba en malos términos con Valmaseda porque ha reprobado la feroz política de este insaciable tigre; mientras estuvo aquí no se ha cuidado más que de enviar tropas a las haciendas de su esposa y cuñados (1) a fin de salvar la cosecha. Poco afortunado ha estado, porque uno de los mejores ingenios de la jurisdicción, perteneciente a la familia Bueno, fue destruido por los cubanos.

En estos últimos días me he reído mucho con el viaje que hacían los bizarros al ver nuevamente colocada en el Puerto de Bayamo, siete millas y a la vista de esta ciudad, la bandera tricolor con la estrella solitaria, que flameaba orgullosamente a pesar de todo el alarde de fuerzas y de pacificación de su idolatrado Conde. Casi todas las noches bajan partidas armadas y se acercan a las avanzadas, haciendo algunos disparos y manteniendo la alarma continuamente. Esto produce a los hijos del Cid continuos ataques de rabia que poco a poco vendrán a parar en la enfermedad del *mieditis*. Los acontecimientos se precipitan ahora que los jefes cubanos Pérez, Crombet, Villaverde y Cintra empiezan a operar activamente del lado del Cobre; vamos a presenciar algunas convulsiones entre estos valientes.

Algunos ven claro y tratan de ir poniendo sus familias y sus realitos en salvación. Permita el cielo que ni uno escape vivo de nuestras manos.

Muy apretado de recursos los españoles, ya no saben de qué echar mano para crearlos; han alzado mucho el precio del papel sellado y las cédulas, y Valmaseda ha llegado a indicar que no sólo deben los hacendados sostener a todo trance a los movilizados en sus fincas, sino también proveer al sustento de las tropas. A esto hicieron mala cara los sostenedores de España, y parecen dispuestos a resistir este ataque a la bolsa.

Nos consta de una manera evidente que *El Salvador* desembarcó en las Villas hasta el perro de a bordo, marchando los expedicionarios a juntarse a pocas millas con el grueso de las fuerzas de Cavada.

El Corresponsal

DONATO MÁRMOL

En primero del corriente mes de enero, el general de la Revolución Donato Mármol publicó la siguiente proclama:

(1) Doña Rosa, don José, don Tácito, don Eligio y don Gustavo Bueno y Blanco.—*Barrera.*

PROCLAMA

A los patriotas que componen la división de mi mando

Quince meses de nuestra gloriosa revolución han probado a nuestros opresores de más de tres siglos que los cubanos, comprendiendo sus derechos, están resueltos a derramar su sangre por la libertad de su patria.

De nada ha servido a los tiranos hacernos una guerra bárbara que repugnan las naciones civilizadas y que hace estremecer a todo corazón humano. Injustas expropiaciones que han reducido a la miseria a familias antes acomodadas; atropellos y asesinatos friamente perpetrados en gentes pacíficas, de que no han escapado los ancianos, las mujeres y los niños; la matanza en los prisioneros de guerra y aun en los hospitales de sangre; el incendio y la destrucción con que marcan su camino y las lágrimas de padres, hijos, hermanos y esposos, son pruebas elocuentes de que los españoles, con su historia de sangre, no se conforman sino con el exterminio de nosotros.

Todavía tienen el cinismo de dirigirnos proclamas ofreciéndonos paz y garantías. ¡Como si fuera posible engañarnos con la escuela de más de trescientos años! ¡Como si pudiera transigirse entre la libertad y la tiranía! Sus infames medidas han sido impotentes, la Revolución ha crecido, extendiéndose por toda la Isla y robusteciéndose día por día. Soldados a millares han desembarcado de España y en vano se han armado sin número de peninsulares para pagar con la más negra ingratitud la hospitalidad de nuestro rico suelo, que tanto han explotado. Más de 300.000 tiranos han perecido a estas horas.

Hoy que los españoles han emprendido una campaña activa para hacer sus últimos esfuerzos en los pocos meses que el clima les es menos hostil, debo dirigirme a vosotros para avisaros que el momento supremo se acerca ya.

Si en el tiempo que me habéis acompañado nada ha podido quebrantar vuestro valor, subordinación y patriotismo no obstante nuestras escaseces, nuestras muchas enfermedades y todas las incomodidades anejas a una cruda campaña, yo espero que en los presentes momentos no cederéis vosotros en esfuerzo a vuestros valientes hermanos de otros distritos, que seréis consecuentes con vuestra conducta anterior y que, concluida la campaña, podré yo siempre decir con orgullo que estuve a la cabeza de hombres verdaderamente libres. Confío en vosotros. Confiad en mí, que no os abandonaré en los peligros y sabré corresponder a la honrosa misión de mandaros que me ha confiado el Gobierno Supremo de la República.

¡Viva la Independencia!

¡Viva la Libertad!

Cuartel general en Palmarito, a 1 de enero de 1870.

El Mayor General.—*Donato Mármol*.

Almanaque cubano

Ha aparecido ya el Almanaque Cubano para 1870, anunciado desde hace tiempo.

Contiene, además de las observaciones astronómicas, cronológicas y meteorológicas habituales en esta clase de producciones, el personal civil y militar de este gobierno republicano de Cuba, del Cuerpo Diplomático, Junta, etc.; cinco retratos de los ciudadanos Céspedes, Aldama, Quesada, Villegas y Cavada, y además una efemérides, o sea «Rleación cronológica de los principales hechos acaecidos en Cuba desde el 10 de octubre de 1868 hasta el 31 de diciembre de 1869». Como muestra de este último, que es sin duda lo más notable del Almanaque, reproducimos la parte correspondiente al mes de octubre de 1868, que es es la más curiosa y quizá la menos conocida, porque todos los principios de las transformaciones sociales suelen haber sido oscuros.

Día 10 de octubre.—Grito de la Independencia en la *Demajagua,* ingenio de C. M. de Céspedes, sobre la costa, a dos leguas al Sur de Manzanillo. Manifiesto firmado por Céspedes donde se exponen las razones que mueven a los cubanos a levantarse en armas contra España reclamando su Independencia. Agitación en toda la comarca que atraviesa el Cauto. Estado de sitio en Manzanillo Proclama del general Ravenet en Santiago de Cuba anunciando la insurrección.

Día 11.—Primer encuentro en Yara con una columna del Regimiento de la Corona salida de Bayamo.

El brigadier Mena declara en estado excepcional la jurisdicción de Puerto Príncipe.

Por la noche sale de La Habana el Batallón Cazadores de San Quintín en dos mitades: una en el vapor *Ulloa* con dirección a Gibara, al mando del comandante Boniche; la otra, mandada por el coronel Campillo, sale en ferrocarril para embarcarse en Batanabó con destino a Manzanillo.

Día 12.—Sale de Puerto Príncipe una columna del Regimiento de la Reina al mando del capitán D. Leonardo Abril.

Llega a Nuevitas la misma y se embarca para Manatí en el vapor de guerra *María Francisca*.

El gobernador de Manzanillo declara en nombre del capitán general que todos los insurrectos que sean cogidos con las armas en la mano serán fusilados. Da al mismo tiempo una amnistía de cuarenta y ocho horas.

El Gobernador de las Tunas se atrinchera en la población temeroso de un ataque.

Día 13.—Ataque de las Tunas: la guarnición se mantiene en sus trincheras. Sale de Puerto Príncipe un destacamento de Lanceros del Rey, al mando del capitán Gastón y Machín.

Primera salida de la guarnición de Manzanillo, cuya jurisdicción entera está pronunciada.

Día 14.—Desembarque en Manatí de la columna del capitán Abril, que inmediatamente se pone en marcha para las Tunas.

Acción en el ingenio *Las Lagunas*.

Desembarcan en Manzanillo las fuerzas del teniente coronel Campillo.

Salen de esta ciudad dos columnas que vuelven a retirarse.

Acción de Jibacoa.

Por la noche llega a Gibara el comandante Boniche con sus tropas.

Día 15.—Acción en las Tunas contra un destacamento del Regimiento de la Reina. Acción en las sabanas del Corojo, camino de Manatí, con el capitán Abril.

Acción del Yareyal, en las cercanías de Holguín.

Llega a esta ciudad la columna de Boniche.

Toma de Barrancas, en la jurisdicción de Bayamo.

Día 16.—Acción de Cerro Pelado con las fuerzas de Campillo.

Sale de Manatí la columna del capitán Martínez, desembarcada el día anterior, y se dirige a las Tunas.

Día 17.—El general Ravenet declara en estado de sitio todo el Departamento Oriental.

Acción de la Cuaba, con muerte del capitán Martínez.

Zarpa de La Habana el vapor de guerra *Francisco de Asís* conduciendo un batallón del Regimiento de La Habana al mando del coronel Loño, nombrado comandante en jefe de las fuerzas de operaciones españolas.

Día 18.—Ataque de Bayamo. La población entera es ocupada por los patriotas, viéndose obligado el gobernador Udaeta a atrincherarse en el cuartel con toda la guarnición.

La columna de Boniche emprende la marcha de Holguín para las Tunas.

Salen de La Habana pertrechos de guerra para Nuevitas.

Salen de Batanabó para Manzanillo fuerzas de Caballería del Regimiento de la Reina al mando del comandante Halliday.

Día 19.—Alocución del brigadier Mena prometiendo armas a los propietarios de fincas que quieran usarlas contra los insurgentes.

Sale de Santiago de Cuba una columna de 1.200 hombres de todas armas al mando del coronel Quirós.

Bombardeo de Manatí por el vapor de guerra *Francisco de Asís*.

Encuentros en la Cuarentena y en Plazuela, entre los pueblos de Holguín y las Tunas.

Día 20.—Acción del Contramaestre.

Acción de Arroyo del Muerto, entre Holguín y las Tunas.

El capitán general Lersundi expide un decreto extendiendo a los delitos de infidencia la jurisdicción de las comisiones militares.

Capitulación de la guarnición de Bayamo, quedando prisionera de guerra con todas sus armas, efectos y municiones.

Día 21.—El coronel Quirós ocupa a Baire.

Salida de la guarnición de las Tunas.

Acción del Hormiguero.

Acción del Rincón.

Entra Boniche en el pueblo de las Tunas.

Día 22.—El general Ravenet, en Santiago de Cuba, decreta una amnistía para los insurrectos que se presenten a las autoridades antes de ocho días.

Día 24.—Agitación en La Habana. Rumores de un levantamiento de negros.

Día 25.—Combate de Baire. La población vuelve a ser ocupada por los patriotas y el coronel Quirós se ve obligado a pronunciarse en retirada hacia Santiago de Cuba, de donde había salido.

Día 26.—Acción de Vicana, en la jurisdicción de Manzanillo.

Día 27.—Acción de Portillo, jurisdicción de Santiago de Cuba. La corbeta de guerra *Andaluza* se apodera de un pailebot de los insurrectos.

Día 28.—Céspedes publica una orden en Bayamo para que todas las autoridades revolucionarias den cuenta por escrito de los excesos cometidos por las tropas españolas.

Día 29.—El coronel Loño sale de las Tunas con el Batallón Cazadores de San Quintín, el Regimiento de la Reina y el segundo Batallón de La Habana.

El Batallón Cazadores de Bailén deja una compañía en Manatí y otra en Gibara.

Día 30.—Manifiesto dado por Céspedes en Bayamo en que declara que sólo en las circunstancias actuales acepta los cargos que se le han confiado. Declara que no trata de imponer su gobierno a los demás pueblos de la Isla y que está pronto a someterse a lo que decida la mayoría de los habitantes.

«EL CUBANO LIBRE»

De *El Cubano Libre* del 24 de febrero tomamos lo siguiente: «La Revolución marcha cada día con más rapidez, con más seguridad, y si quisiéramos convencernos de ello bastaríanos echar una mirada sobre los dos principales poderes de la nación. La confianza mutua que reina entre ellos, su entusiasmo siempre creciente y la actividad con que ambos trabajan, no sólo nos sirven de termómetros para conocer el estado de nuestra causa, sino que prestan al pueblo la más segura garantía acerca del éxito de la lucha. El Legislativo y el Ejecutivo marchan en perfecto acuerdo, como lo prueba el hecho de haberse acercado el uno al otro últimamente con el objeto de despachar más brevemente algunos negocios pendientes a fin de que la marcha de éstos no sufra retardo de ninguna clase. Y como el segundo de estos poderes deseaba dar al primero una prueba de su deferencia y de su confianza, ha elegido a uno de sus miembros, el ciudadano Antonio Lorda, para que desempeñe la cartera de la Guerra, vacante por renuncia del general Aguilera. La Cámara ha aprobado la propuesta y, en consecuencia, el ciudadano Lorda se ha hecho cargo del nuevo puesto que se le ha confiado.

Nosotros creemos que un ministerio de tanta importancia no pudiera confiarse a mejores manos. El ciudadano Lorda, durante el tiempo de su representación en el seno de la Cámara ha dado pruebas repetidas de su carácter noble e independiente, de su capacidad, de su radicalismo en sus principios, de su celo en beneficio de la causa pública. Con semejantes dotes, de presumir es que la cartera de la Guerra será dignamente desempeñada, y que el ciudadano Lorda se habrá hecho una vez más acreedor al agradecimiento del País.

Dícese también que el ciudadano Rafael Morales ocupará la Secretaría del Interior, vacante por la renuncia que de ella hizo el ciudadano Eduardo Agramonte. Si esto es así, la salida del diputado Morales será una pérdida para la Cámara, pero el Gabinete del Presidente habrá adquirido una joya más y el país deberá recibir con aplauso la elección de una persona tan competente para desempeñar un cargo de tanta trascendencia.»

Cerca de diecisiete meses hace ya que dura la guerra de Revolución en nuestro hermoso país, y las continuas contiendas que durante ese tiempo ha sido preciso sostener contra nuestro enemigo no han permitido la introducción de ciertas medidas necesarias para que funcione con mayor regularidad la máquina gubernamental. Una de ellas es la organización del ejército.

Hasta ahora nuestros jefes han peleado al frente de las partidas que cada cual sacó al campo de la Revolución y con el grado que les quiso dar cada una de esas partidas, sujetos todos, sin embargo, a las disposiciones de un centro común de gobierno; sin que en ello rigiera un sistema fijo ni las graduaciones indispensables para establecer la disciplina y el buen concierto que deben regir en todo ejército bien organizado. El entusiasmo, el valor y la natural subordinación de nuestros soldados han suplido por el orden; mas ya es tiempo de que quede éste establecido para que, unidas a aquellas eminentes cualidades, aumente el éxito que éstas solas han producido. Aún hay otra razón que nos obliga a ello: la de dar a nuestros soldados los grados que por sus méritos les corresponden. Los que han tenido hasta la fecha carecían de validez no sólo porque eran debidos al origen de concesiones de un Gobierno Provisional, sino porque casi todos habían sido renunciados por los que los llevaban al realizarse la unión de los dos gobiernos el 10 de abril de 1869.

Es por lo tanto un deber de la República regularizar este orden de cosas, designando a cada uno un puesto y procurando que éste sea compatible con la justicia y con la conveniencia de la causa. Estas consideraciones han colocado al gobierno en el duro caso de no conservar la mayor parte de sus jefes en los grados que tenían. Reconociendo el mérito de todos y guardándoles las consideraciones a que son acreedores por sus importantes servicios, se ven en la necesidad de prescindir de sus deseos para conservar la relación que debe existir entre los comandantes y los comandados; mas al verificarlo se cree en conciencia obligado a hacer esta aclaración para que de ninguna manera ni en ningún tiempo pueda atribuirse a agravio inferido a esos dignos militares ni a ingratitud de la patria.

En tal virtud ha procedido a hacer los nombramientos de los mayores generales, generales de brigada y de algunos coroneles, dejando los que faltan de la última clase y los de jefes subalternos y soldados, sujetos a las indicaciones y propuestas de aquellos a quienes la razón y la ley facultan para el caso.

NOMBRAMIENTOS

ESTADO DE ORIENTE

Mayores generales: los ciudadanos Francisco Aguilera, Donato del Mármol, Máximo Gómez, Modesto Díaz y Luis Marcano.

Generales de Brigada: los ciudadanos Luis Figueredo, José María Aurreocochea, Calixto García y Javier de Céspedes.

Coronoles: los ciudadanos Eduardo Suástegui, Carlos Manuel de Céspedes, Jesús Pérez, Mariano Loño, Angel Barzaga, Isidro Benítez, Juan Hall, Manuel Calvar, Loreto Vasallo, Manuel Codina, Rafael Rufino, Luis Bello, Francisco Fortún y Juan Luis Pacheco.

ESTADO DE CAMAGÜEY

Mayores Generales: los ciudadanos Vicente García, Thos Jordán, Manuel Quesada, Ignacio Agramonte y Manuel Boza.

Generales de Brigada: los ciudadanos Cornelio Porro, Bernabé Varona y Francisco Rubalcaba.

Coroneles: los ciudadanos Francisco Vega, Pedro Recio, Magín Díaz, Julio Sanguily, Alejandro Mola y Cristóbal Mendoza.

ESTADO DE LAS VILLAS

Mayores Generales: los ciudadanos Federico Cavada, Salomé Hernández, Adolfo Cavada, Carlos Roloff, Juan Villegas y Mateo Casanovas.

Generales de Brigada: los ciudadanos Guillermo Lorda, Francisco Villamil, Luis de la Maza Arredondo, Antonio de Armas, José Inclán y Manuel Peña.

Coroneles: los ciudadanos Jesús del Sol, José González, Juan Spoturno, Manuel García, Manuel Torres y Mariano Larralde.

Jefe Superior de Sanidad del Ejército Libertador: Dr. Serapio Arteaga y Quesada.

Id. íd. de Oriente: Dr. Antonio Luaces.

Id. íd. del Camagüey: Dr. José Ramón Boza.

Id. íd. de las Villas: Dr. José Figueroa.

Id. de Farmacia de Oriente: Pedro Maceo y Chamorro.

Id. íd. del Camagüey: Manuel Valdés.

Coronel de Ingenieros de Oriente: Eduardo Suástegui.

Id. íd. de las Villas: Mariano Larralde.

Inspector general del Ejército Libertador: Mayor General Mateo Casanovas.

Preboste General del Ejército Libertador: Carlos Manuel de Céspedes.

EFEMERIDES DE LA REVOLUCION CUBANA.—LOS CRIMENES DE SAN JUAN DE WILSON.—50 ANIVERSARIO. GONZALEZ BOET Y SUS SECUACES.—RELATO DEL SUPERVIVIENTE SEÑOR BUENAVENTURA CRUZ, VECINO DEL COBRE

> La hsitoria debe escribirse sin amor y sin odio.—*Tácito.*

Acallando todo grito de la pasión y llamando en auxilio de mi pluma toda la serena imparcialidad del historiador honrado que sólo se inspira en la fría verdad de los hechos y mira en ella la única soberanía de sus pensamientos, voy a consignar con ingenua sencillez unos cuantos apuntes que podrían servir ahora para la historia de nuestra carísima redención, probando una vez más cómo ha sido fecundado el árbol de nuestra libertad y también, por la virtualidad del ejemplo, para edificar a los malos e inspirar a todas las almas buenas mayor afecto a la justicia y al generoso altruismo. No voy, pues, a despertar odios que deben dormir eternamente desde ahora, sino a contar la verdad, un trozo de verdad histórica, y a rendir tributo a la memoria de nuestros mártires en nombre de la posteridad, creyendo conveniente hacer constar que hablo como actor y testigo de sucesos en que me vi envuelto en los más terribles días de la opresión de nuestra Patria.

En los últimos días del mes de enero de 1870 celebróse un banquete en el Círculo Español de esta ciudad (Santiago de Cuba) presidido por el padre Lecanda y el comandante jefe de la guerrilla del Cobre D. Carlos González Boet; y en aquel acto, muy semejante a un conciliábulo de la Inquisición, se trató de «comer carne fresca de gente gorda», señalándose los nombres de varios prestigiosos ciudadanos que, considerados como sospechosos, quedaban desde aquel momento condenados a la más terrible de las muertes, confiriéndose a Boet la misión de prenderlos y fusilarlos por su cuenta y voluntad. Justo es hacer constar que, según parece, el entonces gobernador de la Plaza, coronel señor Ojeda, ignoraba los planes de aquella siniestra conspiración.

Denunciados y presos fueron, pues, a los pocos días en esta ciudad los señores Desiderio Hechavarría, Diego Palacios, Buenaventura y José María Bravo, Diego Vinagre, Magín Robert, Andrés Puente, Bernardo Cabezas, Joaquín Santiesteban, Juan F. Portuondo Mustelier, Ramón Garriga y otros, y sacados misteriosamente de la cárcel, por orden de Boet se les condujo al ingenio *San Juan de Wilson,* a tres leguas de la villa del Cobre y a la sazón convertido en campamento de la guerrilla del mencionado comandante Boet, quien en compañía de su «digna» oficialidad celebraba allí continuas orgías de sangre y alcohol.

Coincidiendo con las prisiones de Santiago de Cuba, se hicieron entonces otras muchas en la villa del Cobre, desde la cual fueron conducidos al tristemente célebre ingenio, a la par que otras cuerdas, los señores Víctor Limonta, Baldomero Cosme, Eugenio Trespalacios y Buenaventura Cruz (padre e hijo).

El día 13 de febrero se encontraron reunidos en *San Juan* todos los citados sospechosos más otros varios, como los señores Melchor Catasús y Manuel Camacho, que con diferencia de horas llegaron también al ignominioso calvario.

Atropellados de palabra y obra, oprimidos y vejados, iba la guerrilla de Boet amontonando a los presos, atados con bárbaras ligaduras, en los corredores de la casa de vivienda del ingenio, y allí nos encontrábamos tirados por el suelo, como bestias condenadas al sacrificio, sin derecho ni para respirar, pisoteados antes de ser muertos... ¡Espantosa capilla expiatoria de la dignidad y el patriotismo! En *San Juan de Wilson* eran apaleados ciertos presos, como aquel venerable ciudadano Estanislao Figue-

ras; se anticipaba la agonía por la sed y el hambre, se apretaban
sus ligaduras a los que se quejaban de ellas y en presencia de
las víctimas se repartían sus verdugos la comida y las ropas que
enviaban a los presos sus familias.

Al amanecer del día 13, y ya reunidos en la común desgracia casi todos los presos mencionados, oyóse la indignada voz de
uno de ellos, el altivo José María Bravo, preguntando quién era
el asesino Boet. Presentóse éste ante nosotros aún dominado por
la estúpida embriaguez de la última orgía, y Bravo, al verle cara
a cara, le apostrofó por sus crímenes. Boet, por toda contestación, llamó a cuatro de sus guerrilleros y les dijo: «Conduzcan
a ese a la vuelta y cuatro tiros.»

Minutos después oyóse la descarga asesina que hizo caer al
digno y viril Bravo.

Un gallego de apellido Estévez, alférez de la guerrilla, volvió participando a su jefe que su orden quedaba cumplida. Entonces, señalando a los demás compañeros de la primera víctima,
dijo Boet:

—Ahora, a todos.

Y atándonos más nos condujeron a un guayabal, cementerio
del ingenio, haciéndonos desfilar por encima del cadáver del señor Bravo. Aquellos instantes fueron terribles y se han grabado
de tal modo en mi cerebro que su recuerdo pavoroso morirá
conmigo.

—Nos llevan a matar —pensé—. Voy a morir a los veinte
años; a morir por la Patria, que es grato.

Y pensaba también en mi madre desolada, en mi anciano
padre, víctima como yo de aquella muerte y a quien veía caminar junto a mí sereno y tranquilo como un justo; en mis hermanos, en mi amada, ya imposible de amar y poseer...

Amanecía. El sol naciente convidaba a vivir, los pajarillos del
campo piaban, el aire fresco de aquella mañana de Febrero nos
envolvió en ráfagas suaves; las vecinas montañas, como un asilo de la libertad, se mostraban a nuestras miradas, las últimas
que fijaríamos en el mundo. Interrumpióme el curso de mis pensamientos mi compañero Diego Palacios hablándome con toda la
solemnidad que aquellos momentos inspiraban, de Dios y su justicia; hermosas palabras que yo entonces, vanidoso ateo, acogí
con absurdas negaciones, replicando a Palacios:

—Antes de nacer, nada; dentro de un momento, nada.

En aquel *vía crucis* nos pidieron los mismos guerrilleros que
iban a matarnos nuestros sombreros y frazadas, porque yendo a

morir no podían hacernos falta. cínica petición a la cual accedimos. El viejo Eugenio Trespalacios, al entregar su frazada, suplicó a nuestros verdugos que no le tiraran por la cabeza porque le deloría mucho. Si hubiera sido posible reír en aquella ocasión, la ocurrencia del infeliz anciano habría motivado la hilaridad de todos, como un rasgo cómico en una tragedia.

Y llegamos al cementerio del ingenio, yendo como unos treinta entre todos los prisioneros condenados a muerte. Se nos arrodilló en línea recta por el alférez Estévez, el cual desfiló ante todos colmándonos de sangrientos insultos. Recuerdo que fijándose en mi padre y en mi nos preguntó: «¿Quién mata a quién? ¿El padre al hijo o el hijo al padre?»

Tuve bastante serenidad para decir entonces a mi padre:

—Papá, entréguele su reloj de oro a este señor por si tiene a bien llevárselo a Juan como un último recuerdo.

Al llegar a Diego Palacios, le repitió Estévez unas frases que Boet había dicho a nuestro compañero cuando salíamos del ingenio:

—¿Treinta y tres años? ¡Mala edad para los redentores!

Y después de habernos mortificado de aquel modo el seide de Boet, llamó a cuatro números de los suyos y señalando a Baldomero Cosme les dijo:

—Este primero que todos.

Irguióse Cosme, aquel anciano de corazón honrado y franco, y con potente voz cuyo eco repitieron las montañas vecinas, gritó:

—¡So ca...! —y cayó desplomado por los tiros.

Fue designado como segunda víctima el señor Manuel Camacho, que dijo antes de caer:

—Muero asesinado, porque soy inocente.

En tales instantes todos deseábamos ser el inmediato fusilado. ¡Fatal deseo que nos inspiraba la necesidad de vernos libres de semejante horror! Pero súbitamente exclamó el alférez Estévez:

—Basta por hoy; mañana continuaremos.

Y nos volvieron a llevar al ingenio, a nuestra angustiosa capilla. Boet y sus oficiales nos recibieron cantando la Marsellesa. Desde aquel momento mis nervios quedaron como rotos, y en la vacía lucidez de mi espíritu sólo se agitó la idea del terror, un terror profundo que sentí. Los demás se mostraban aparentemente tranquilos. Por la tarde se nos sirvió un plato de comida regalo del administrador del ingenio, señor Putú, pero mi garganta comprimida por un nudo no daba paso a los alimentos. Poco a poco fui siendo presa de una especial insensibilidad, y al llegar la noche el sueño me rindió. Quedéme dormido al lado de un infeliz leproso, un nuevo prisionero que allí estaba, y mi buen padre me despertó diciéndome:

—Mira que puedes contagiarte con ese mal.

—¿Y qué? Días más o menos, nuestros cuerpos reposarán juntos —le contesté.

El día 14, de amanecer tan espléndido como el anterior, continuó nuestro lento suplicio en una eternidad anhelante. No hubo aquel día «carne fresca», pero sí un nuevo tormento al invitársenos, por la «magnánima» voluntad de Boet, a escribir a nuestras familias en son de mortal despedida. Todos o casi todos escribimos algunas líneas. No sé si las familias de los otros recibirían sus cartas, pero puedo asegurar que la de mi padre y la mía no llegaron a sus destinos.

Boet y su gente durmieron mucho aquel día, parece que por sentirse muy fatigados de sus faenas de verdugos y del exceso de sus «nobles» vigilias orgiásticas.

En la madrugada del 15 llegó de Santiago de Cuba el coronel D. Emilio Calleja (después gobernador y capitán general de la Isla) con fuerzas de caballería de Voluntarios, trayendo la orden de recoger y volver a la ciudad a determinados presos. Enterado Boet de aquella orden superior, dispuso que se separaran a los reclamados del número de los demás, murmurando entre sus cómplices:

—Quieren los de Cuba salvar a los más «gordos», pero sólo se salvarán los que no tienen padrinos.

Y agregándose al coronel Calleja procuró adelantarse en el camino y que se retardase la guerrilla que iba custodiando a los presos reclamados, que eran los ya mencionados señores Desiderio Hechavarría, Diego Palacios, Diego Vinagre, Buenaventura Bravo, Andrés Puente, Bernardo Cabezas, Joaquín Santiesteban, Juan F. Portuondo Mustelier, Carlos Dagnery («Chalí»), Juan Francisco del Pozo, N. Tomaseviche, Ramón Garriga y Baldomero Cosme.

Por el testimonio de este último señor —que no llegó a ser fusilado, como se verá— sábese que al llegar a los linderos de las fincas de Baldomero Cosme y el Cayo, la guerrilla, que llevaba órdenes secretas de Boet, fusiló impíamente a toda la cuerda de presos excepto a Ramón Garriga, salvado milagrosamente de la muerte por empeños de un oficial de voluntarios amigo suyo que pudo arrancarle de las garras de aquellos asesinos.

Detenida la marcha de los prisioneros por orden del alférez Estévez en el punto indicado, les manifestó éste que tenía que pasarlos por las armas en cumplimiento de órdenes recibidas.

El señor Andrés Puente le contestó «que eso era una iniquidad y una venganza por lo de Castañón, y que no podían negar que en todas las épocas eran asesinos».

«Chalí» les increpó y les dijo: «Denme un machete y me bato con todos.» El señor Desiderio Hechavarría, indignado, dijo: «¿A qué discutir con estos soldados asesinos? ¡Despachad pronto, verdugos de Cuba! ¿Cuál es el lugar?» Y, señalado, se colocó en él. De un solo tiro cayó... Luego Puente, «Chalí» y los demás, uno por uno y de un solo tiro, fueron cayendo, y todavía a la vista de los que supervivían iban despojando de sus prendas y ropas a los caídos.

Y así burlo el infame Boet las órdenes superiores de Ojeda y Calleja, que no supieron después castigar condignamente al insubordinado militar y espantable asesino.

En la tarde de ese mismo día, al ponérsenos en libertad por habernos perdonado la vida el pío Boet, emprendíamos los supervivientes el camino de nuestros hogares cuando tropezamos en medio del camino con el montón humano y sangriento de las víctimas del último asesinato, cuyos cuerpos estaban despojados de sus ropas por haber completado con el saqueo su obra de exterminio aquellos execrables malvados.

Quedamos pues con vida y en libertad Ramón Garriga, Melchor Catasús, Magín Robert, Víctor Limonta, Eugenio Trespalacios, Buenaventura Cruz (padre e hijo) y otros varios.

Muchos más hubieran sido los holocaustos de *San Juan de Wilson* en aquellos días a no haberle ordenado el gobernador Ojeda al alcaide de la cárcel, bajo pena de muerte en caso de infracción, que no entregara ningún preso político sin orden expresa suya, y a esto debieron su salvación los señores Manuel Mestre, Heraclio Rodríguez, Esteban Miniet, Eduardo Miranda Cotilla, Pedro Hechavarría, José Camilo Hechavarría, Manuel Mancebo, José Muñoz, Santiago Cuevas y otros.

También pudieron salvarse, desapareciendo a tiempo al saber que eran perseguidos, los señores Bernardo, Urbano y Nicolás Sánchez, Benjamín Odio y Pedro de Moya.

Aquellos tres días de febrero pueden servir de ejemplo vivo de lo que fue el terror de la opresión durante la década comenzada el 68, aquel imperio de la Inquisición resucitado en Cuba a fines del siglo XIX por la ferocidad de los Boet, los Palacio, los Cañizales, los Weyler, etc. Execración eterna para esos hombres y reconocimiento para equellos pocos que, aun cuando representaban el poder de la dominación, supieron distinguirse por algún rasgo de humanidad y justicia, rasgos tan frecuentes en el Ejército Cubano, que el heroismo y el perdón inspiraron siempre el alma de los que en homérica epopeya han conquistado la libertad de Cuba y ahora ansían, como coronación de su obra y ofrenda generosa a la memoria de tantos mártires, la paz fecunda y reparadora cimentada en la concordia y en la esperanza de un porvenir de justicia, progreso y libertad.

OTROS RASGOS DE BOET

La sangrienta fisonomía moral de este monstruo inspira todo el horror de uno de aquellos omnipotentes bandidos que, como Atila o Gengis-Kan, fueron espanto de la humanidad.

Su llegada al Cobre al frente de una guerrilla fue motivo de consternación por los hechos que se complacía en realizar. He aquí dos que recuerdo además de los fusilamientos de *San Juan de Wilson,* que ya dejo relatados y que pueden servir de ejemplo de todos los crímenes que cometió en aquella época por la extensa jurisdicción del Cobre.

Empeñado en matar al señor Lacret por el delito de estar su hijo, José Lacret Morlot, en la Revolución, ordenó a sus guerrilleros que lo asesinaran donde lo viesen, como era costumbre hacerlo en aquella época en que se mataba a los hombres como si fueran perros. No tuvo buen éxito la primera tentativa por haberse apercibido de ella el señor D. Jaime Nadal en los momentos en que iba a consumarse y aconsejando a Lacret que huyera del Cobre. Así lo hizo el buen anciano y vino a Cuba, donde permaneció algún tiempo, después del cual, deseoso de proseguir sus negocios en el campo, se dirigía a su residencia cuando cayó, por manera irremisible, en una emboscada que le habían preparado, saliéndole al encuentro en una solitaria vereda Boet y los suyos, uno de los cuales asestóle tan terrible machetazo al cuello que le cercenó por completo la cabeza, quedando el cuerpo acéfalo y aún erguido sobre el caballo, en que siguió marchando la víctima como una visión trágica de horror incomparable. Y así quedó satisfecho el deseo que tenía Boet de ver a un jinete sin cabeza.

Entre los varios crímenes cometidos en el caserío del Ermitaño por orden de Boet, sobresale el siguiente:

Perseguido por la guerrilla de dicho comandante un infeliz campesino de apellido Nápoles, le ataron en su propia casa y en presencia de su mujer Serafina Silva, jóvenes ambos, recién casados y embarazada ella de ocho meses. Atado el marido, le dicen los guerrilleros a la mujer «que lo custodie hasta que vuelvan para escabecharlo». Salen los asesinos y se esconden en la cercana manigua. Juzgándose a solas con su esposo, la pobre mujer se dispone a desatarle para que huya, instante crítico en que vuelven los guerrilleros y machetan al indefenso campesino en presencia de su horrorizada compañera, a quien se dirige el propio Boet fijándose en su vientre maternal, y le dice:

—Tu hijo va a ser otro San Ramón.

Y ordenando que le alzaran las faldas le rajaron el vientre y extrajeron el fruto de aquellas entrañas lanzándolo en alto y destrozándolo entre varios con sus machetes a la vista de la madre moribunda, a quien aquella visión sería más terrible y mortal que el filo de los machetes asesinos.

Sirvan ahora de complemento a estas líneas las siguientes del periódico *La Fe,* de Barcelona, correspondiente al 10 de junio de 1878, en que aparece parte de la historia de Boet pintada por sus paisanos y compañeros de armas:

«Nació en Mataró (Barcelona). Ascendió a capitán en 1859 y pasó a Ultramar. Hallándose en la Isla de Cuba de teniente coronel graduado comandante de Infantería en 1873, bien conceptuado allí y con nota de bueno en instrucción; sus hojas de hechos, sin embargo, bastaban por sí solas para comprender que fue mal oficial. Las deudas reclamadas y reconocidas ascendían a 28.000 reales. Sufrió por ello prisión varias veces y fue declarado incurso en el tercer caso de la Real Orden de 5 de abril de 1866. Sufrió también arrestos, reconvenciones y apercibimientos por faltas de todo género y calificado de poca integridad para el manejo administrativo de fondos, habiendo sido separado por tal motivo, en el año 1868, del cargo de ayudante mayor de Galicia, formándose causa por haber extraído del tesoro 8.000 reales, de cuya inversión no dio cuenta satisfactoria.

Jefe de una contraguerrilla en 1870, se erigió en árbitro de la vida y hacienda de todo el mundo de Cuba. Mató, con abuso notorio de autoridad, en la loma de los Cosmes, a 13 presos políticos que, amarrados de dos en dos por los brazos, eran conducidos de *San Juan de Wilson* a Santiago de Cuba. Para disponer de la vida de los cubanos no formaba procesos de ninguna especie.

También estuvo acusado de haberse apropiado y malversado 5.225 pesos, parte de la suma que se cree exigida a la esposa del cabecilla Figueredo. Igualmente se le acusa de haber atropellado al súbdito francés Mr. Dauré y de no haber impedido los desórdenes en la finca que administraba, etc.

En expediente gubernativo, y por orden de 25 de noviembre de 1873, de conformidad con dos acordadas del Consejo Supremo de la Guerra, fue relegado a la situación de retirado con nota que le impide en todo tiempo volver al Ejército por su incorregible propensión a contraer deudas, falta de integridad, mal concepto y muy detestable conducta militar. Por circular de 13 de septiembre de 1876 fue condenado en rebeldía a la pena de diez años de presidio porque, abusando de su autoridad, dio orden para conducir a unas infelices prisioneras en el Camagüey, de quienes abusó brutalmente. Constan los anteriores antecedentes en los ministerios de la Guerra y de Marina, en todas las direcciones y capitanías generales, por haberse circulado.

Preso en Puerto Príncipe después de cuatro años de continuados asesinatos e infamias, fue salvado disfrazado de sacerdote por curas de aquellas ciudad y embarcado en un bergantín inglés en Nuevitas, comprometido a unirse a las huestes de Don Carlos en España, a la sazón en guerra civil, y allí continuó sus fechorías y maldades ganándose la confianza de Don Carlos, del que abusó luego robándole el Toisón de Oro, mancillando el nombre de doña Margarita, esposa virtuosa del pretendiente, en un libelo que publicó al defenderse de la causa que en Italia se le formó por robo y abuso de confianza.

Huyó de Italia a España y fue preso por orden del general Martínez Campos y conducido a las fortalezas de La Habana, donde los voluntarios de aquella ciudad hicieron tentativas para salvarlo, muriendo, según otros, envenenado como venganza por haber ofendido a pretendidas testas coronadas. Y así concluyó el tristemente célebre Carlos González Boet.

Buenaventura Cruz

Santiago de Cuba, 15 de febrero de 1899.

MARZO 1870

Callejas y Asensio

(6 de marzo).—D. Wenceslao Callejas y Asensio, racionero de la Iglesia Catedral, fallece en esta ciudad. Se dedicó con gran interés a curar por el sistema homeopático, consiguiendo grandes triunfos que le valieron una reputación general no sólo en su ciudad natal, sino fuera de ella y a aun en el extranjero. El padre Callejas, hombre de claro talento, tuvo una constancia admirable y una fe inquebrantable en la ciencia de Hanneman, lo cual, unido a su vasta instrucción y a su caridad sin límites, pues jamás cobró estipendio alguno por asistencia y medicinas, hizo que fuera el ídolo de su pueblo. Era además escritor y escritor satírico de valía.

Martínez Betancourt

El profesor D. Tomás Martínez Betancourt es nombrado director de la Escuela Superior Municipal.

Alistamiento

Alistamiento de pardos y morenos de veinte a treinta años para el sorteo forzoso decretado por la Superioridad.

Tirado

Por renuncia del presbítero D. Ismael José Bestard del cargo de capellán del cementerio, es nombrado en su lugar el presbítero D. Rafael Tirado.

Protesta

Ante los motivos de que en la Península «se discute la conveniencia de que la Isla de Cuba sea cedida o vendida a los Estados Unidos», el Ayuntamiento, en nombre de la ciudad, en sesión extraordinaria, adopta el siguiente acuerdo propuesto por el concejal síndico D. Eusebio Faustino Capaz: «... rebosando indignación porque haya cabido el pensamiento suicida de considerar esta porción integrante de la nacionalidad como un feudo o heredad de otras provincias y a sus hijos cual siervos de la gleba, diga al Gobierno de la Nación que la ciudad de Santiago de Cuba rechaza siempre con denuedo y firmeza toda idea que tienda a marcar en su limpia frente un sello de ignominia, y si alguna vez, por los inescrutables decretos del Altísimo, hubiese de no ser española, si hubiese de caer al peso de agresión extranjera, podrá ser conquistada, pero nunca donada ni vendida.»

CARBONELL

Es nombrado vacunador D. Federico Carbonell, doctor en medicina.

PRESOS

Son trasladados a La Habana los presos políticos Isidro Rosales y el moreno Tomás Zayas.

PHILLIPS

En el vapor francés *Darién,* rumbo a Kingston, Jamaica, sale el vicecónsul americano Mr. A. E. Phillips, a quien se le achacó una correspondencia publicada en *The Herald,* de Nueva York, comentada por *El Diaria de la Marina,* de La Habana, y *La Bandera Española* de esta ciudad.

MARTÍNEZ MUÑOZ

Habiendo sido nombrado magistrado de la Audiencia de Puerto Rico el alcalde mayor del Distrito Norte, D. Juan Dot y Mitjans, asesor interino de esta Comandancia General para las causas de infidencia, se nombra para que lo sustituya en dicho cargo el del Distrito Sur D. Julián Martínez Muñoz.

EXEQUIAS

Se celebran en la Iglesia Metropolitana las exequias dedicadas por el Círculo Español y los cuerpos de Voluntarios a la memoria de D. Gonzalo Castañón no obstante tener acordado el Cabildo que en la Catedral no se hagan exequias a particulares.

LICENCIA PARA ARMAS

El Comandante General interino dispone que todas las instancias en solicitud de licencia para uso de armas queden sin

curso «... siempre que no se haga constar en ellas de un modo
modo claro y terminante, por el jefe de Vigilancia y Seguridad
Pública de esta ciudad y cabeceras de distrito o por los jefes de
fuerzas, comandante de armas y capitanes pedáneos en los partidos rurales, que el interesado es merecedor de la gracia que
pretende por su reconocida adhesión a la causa nacional.»

Prohibición

El comandante general de este Departamento dispone que sea
preso todo individuo que use en el sombrero la cucarda nacional o vista el traje de voluntario sin estar debidamente autorizado para ello.

La Guerra en Oriente

Los batallones de Bailén y San Quintín tienen encuentro con
las fuerzas mandadas por Máximo Gómez, habiendo hecho varios
prisioneros, entre ellos a la madre del jefe Calixto García y la
familia Varela, de Holguín.

Luis Marcano

El mayor general Máximo Gómez refiere la muerte del valiente Luis Marcano de la manera siguiente:
«El general Marcano, repuesto de sus heridas, había atacado
el campamento del Congo, jurisdicción de Manzanillo. El coronel Juan Hall, enemigo de Marcano, había visto que Marcano
había aplicado unos planazos a un soldado de mala conducta llamado Pedro Hall, y el coronel dijo al soldado que matase al general. En la persecución de las fuerzas cubanas por el enemigo
se había quedado solo Marcano con unos tres hombres, uno de
ellos el coronel Pedro Martínez Freire. Al marchar por una vereda sonó un tiro que hirió de muerte a Marcano. El traidor
Hall se presentó al enemigo diciendo que él había mandado dar
muerte al general Marcano.»
En una carta del general Gómez hay los siguientes párrafos
lamentándose de familia tan desgraciada: «... su pobre viuda,
la infeliz Lorenza Díaz, no tardó en morir desastrosamente. Se
tumbaba una gran ceiba inmediata a su habitación; el árbol tenía inclinada la caída para el lado contrario; ella había salido de
su casa, mas volvió a entrar por un momento; el árbol, empuja-

do por el viento, cae y sepulta dentro de su habitación a la infeliz mujer.»

«¡Oh Providencia, quién adivina tus designios! ¡Quién me hubiera dicho que Lorenza Díaz, miembro de una distinguida familia, que había nacido y se había criado en una sociedad escogida, iba a tener un fin tan triste y que sus restos, como los de su esposo, iban a quedar abandonados en los campos de Cuba! »

José Martí

En todo libro, en cuantas publicaciones sean necesarias y aparezca el nombre del redentor José Martí, debe reproducirse para que nunca jamás se borre del corazón de sus conciudadanos:

«EL MARTIR DE DOS RIOS, JOSE MARTI, CONDENADO A PRESIDIO

Capitanía General de la Isla de Cuba.—Estado Mayor.

De conformidad con el precedente dictamen apruebo la sentencia del consejo de guerra ordinario celebrado en esta plaza el día 4 del actual en la parte de la propia sentencia que condenaba a D. Eusebio Valdés Domínguez a ser extrañado de la Isla mientras duren las actuales circunstancias; a D. José Martí y Pérez a la de seis años de presidio, y a D. Fermín Valdés Domínguez a seis meses de arresto, los cuales, con duplicados testimonios de sus respectivas condenas, deberán ser puestos a disposición del Excmo. Sr. Gobernador Superior Político. También, de conformidad con dicho dictamen, entiéndase sobreseído el proceso respecto a D. Santiago Barbín y D. Manuel Sellén, que quedaban a disposición del Excmo. Sr. Gobernador Superior Político con arreglo a lo prevenido en circular de 16 de agosto último, y que se sustancie en plenario por lo que hace a D. Atanasio Fortier. Y para cumplimiento de todo y formación de los pliegos estadísticos, entréguese esta causa a su Fiscal.—P. A. el General Segundo Cabo.—*Buenaventura Carbó.*

Notificación de la sentencia de folios 243.

Seguidamente pasó el señor Fiscal, acompañado de mí, el Escribano, a la Cárcel Nacional de esta ciudad, donde se hallaban presos D. Eusebio Valdés Domínguez, D. José Martí y don Fermín Valdés Domínguez, reos en este proceso, a fin de notificarles la sentencia, y habiéndoles hecho comparecer ante sí fueron leídas por mí, el Escribano, la referida sentencia del Consejo de Guerra, el dictamen del señor Auditor y la aprobación del Excmo. Sr. capitán general, quedando enterado D. Eusebio Valdés Domínguez de la pena de ser extrañado de esta Isla mientras duren las actuales circunstancias; D. José Martí y Pérez de la pena de «seis años de presidio», y D. Fermín Valdés Domínguez de la de seis meses de arresto en la fortaleza de la Cabaña, a que han sido condenados. Y para que conste por diligencia, lo firma dicho señor y presente escribano de que doy fe.—*Lanzas.*—Ante mí.—*Enrique Jiménez.*

FIGUEREDO

Fallecimiento del hijo menor del patriota alzado D. Félix Figueredo, que se hallaba en la Casa de Beneficencia. En dicho establecimiento se encuentran recogidos también la esposa y tres hijos más.

MANZANO Y SEPÚLVEDA

Fallecimiento del comerciante gaditano D. Joaquín Manzano y Sepúlveda.

EDICTO

Se publica un edicto del señor fiscal militar D. Félix Martínez y Marina citando, llamando y emplazando, con motivo de la causa seguida contra D. Gonzalo Villar y otros por el delito de infidencia, al mencionado Villar, prófugo como los demás emplazados, que son: Juan de Mata Tejada, Luis de Guerra, José Infante (a) «Pepillo», Rita, Jesús Antúnez o Infante, Joaquín Miranda, Francisco de Paula Bravo, Manuel Fernández, Pedro Agüero, Luis Martín y de Castro, Francisco Badell, José Duany, Juan Castro, Francisco Horruitiner, Adrián Garay, Félix Tejada, Francisco Veranes, Pedro Collazo, José Rodríguez y al pardo Francisco Gala o Granda, vecinos de Santiago de Cuba; a Elías Leyte Vidal, de Mayarí; Angel Ramírez, de Barajagua, y Braulio Odio, cura párroco de Manatí.

INGENIO «ARMONÍA»

Causa enorme impresión la noticia del asalto e incendio del ingenio *Armonía,* uno de los mayores y más céntricos, hecho que ponía de manifiesto lo falso de la pretendida pacificación. El Comandante General interino dispuso la salida inmediata de 300 hombres en persecución de los asaltantes, a la vez que una expedición de voluntarios se dirige al ingenio *San Luis* para protegerlo.

EJECUCIÓN

(24 de marzo).—En la mañana de hoy es pasado por las armas, en la explanada del Matadero, D. José Candelario Ayo, natural y vecino de esta ciudad, casado, de cincuenta años de edad y propietario, por el especioso delito de infidencia. Había ingresado en la cárcel el día anterior.

MÁS EJECUCIONES

(28 de marzo).—Son pasados por las armas junto al muro del Matadero D. Isidoro Rodríguez, natural y vecino de esta ciudad, soltero, de cincuenta y nueve años de edad y del campo, que había ingresado el 12 del actual en la cárcel; D. Agustín Lara, natural de Bayamo, vecino de Manzanillo, viudo, de cuarenta y cuatro años, que había entrado en ese establecimiento el mismo día que el anterior, y el pardo Pablo Aguilera, de igual naturaleza y vecindad, soltero, de cincuenta años, que también se hallaba en el mismo penal desde el propio día. Todos fueron hechos prisioneros por una columna que la cañonera *Contramaestre* embarcó en Santa Cruz y desembarcó en *El Guayabal*.

DETENRE

Llega el brigadier D. Carlos Detenre, que había salido de Bayamo el día 4 comisionado por el conde de Valmaseda para inspeccionar todos los puestos militares de la línea.

BOMBEROS

El Cuerpo de Bomberos se ofrece al Gobierno por conducto de su primer jefe, teniente coronal D. Francisco de Hechavarría y Díaz. Aceptado el ofrecimiento por el gobernador interino, dispone salga cierto número de individuos del cuerpo, con un capitán y los correspondientes subalternos, a cubrir algunos destacamentos cercanos.

Amigos del país

La Sociedad Económica de Amigos del País acuerda conceder el título de Socio Honorario al conde de Valmaseda.

García

Tiene lugar el entierro del teniente coronel graduado, comandante del Batallón Cazadores de Reus, D. Nicolás García, muerto en campaña.

«La Revolución»

Copiamos del periódico *La Revolución,* de Nueva York, remitido clandestinamente, lo siguiente:

HORRIBLE ASESINATO EN SANTIAGO DE CUBA

Hace días que el telégrafo nos anunció otro hecho horrible cometido en Santiago de Cuba por los españoles y que viene a ser una prueba más de la insaciable sed de sangre que devora a esos asesinos que pronto saldrán de un país donde sólo han sabido sembrar el odio y el llanto, el luto y la desolación. Innumerables son los hijos de Cuba que han derramado su sangre en aras de la patria, innumerables son los que han muerto heroicamente en los campos de batalla en defensa de los eternos principios de la libertad y de justicia, pero innumerables son también los inocentes que han perecido.

Díjose que por una larga correspondencia capturada a Francisco Marcano había descubierto Valmaseda que en Santiago de Cuba un gran grupo de personas daban eficaz auxilio a los patriotas; esto decían los españoles, y de antemano se preparaban a gozar con la idea de la sangre que en breve iban a derramar para que sirviese de castigo ejemplar, sin pruebas de que esto fuese verdad; la población estaba bajo la impresión de la duda, pues nadie sabía quiénes eran, y los españoles no podrían contener la rabia y la impotencia de los voluntarios para sacrificar víctimas expiatorias de su venganza.

Valmaseda salió de la ciudad el 5 de febrero y nada se traslucía en su hipócrita semblante; sin embargo, sus sicarios Cons-

tantino Villar, jefe de Estado Mayor, y González Boet, jefe de
una contraguerrilla compuesta de ladrones, presidiarios y asesinos, habían recibido órdenes para obrar, como lo hicieron poco
después. El viernes fueron presos D. Manuel Camacho y Belisario Caballero, y conducidos al ingenio *San Juan,* distante siete
leguas de la ciudad; cuatro días después lo fueron D. José María Bravo, D. Buenaventura Bravo, D. Juan Francisco Portuondo,
D. Desiderio Hechavarría, D. Juan Francisco del Pozo, D. Diego
Palacios, y al siguiente día D. Magín Robert, D. Ramón Garriga, D. Andrés Puente, D. Joaquín Santiesteban, D. Diego Vinagre, D. Melchor Catasús, D. Ventura Cruz, D. Baldomero Cosme
y otros del campo en número total de 20 a 21; allí fueron maltra-
tados, vejados y juzgados por Boet, que sin pruebas de ninguna
clase, sin atender a las manifestaciones de las víctimas, que pedían
se les juzgase con la legalidad debida, los asesinó bárbaramente,
salvándose sólo cuatro de ellos, que fueron cunducidos de nuevo a
la ciudad. ¡Horrible crimen!

La derrota de Puello, la muerte de Castañón y, más que todo,
sus instintos de sangre, exasperados los ánimos de esos tigres
que, en plena conciencia del crimen que habían cometido, exci-
taron las pasiones de los dos jefes subalternos, que además de
Valmaseda son responsables de esta horrible matanza. Para ponerse en guardia acusan al joven D. Diego Palacios, a quien también asesinaron, de haber hecho una confesión explícita y hasta
citado nombres. ¿Puede darse mayor escarnio y burla de la justicia? La noticia llegó a la ciudad el día 15, y la consternación
fue grande. Regocijó la matanza a la redacción de *La Bandera
Española,* que dirige el cubano José Antonio Peralta, y engalanó
el frente con banderas españolas. Dos son ya los hechos que de
esta clase registra la historia de la revolución en Santiago de
Cuba, y ambos han sido cometidos por orden del general Valmaseda, que en su hipócrita cinismo ha pretendido hacer recaer sobre su subalterno tan odioso crimen. Mientras tanto se nos llena
el alma de una duda terrible y nos preguntamos: ¿Seguirán con-
sintiendo las naciones, que como los Estados Unidos, son el baluarte de la justicia, que España continúe cometiendo toda clase
de crímenes odiosos ante la razón y la civilización?

PORTUONDO

Copiamos del periódico *La Revolución* lo siguiente:
Juan Francisco Portuondo, uno de los asesinados brutalmen-

te en las cercanías de Santiago de Cuba con la última partida
que sacrificó la contraguerrilla de Boet, era ciudadano de los Estados Unidos y escribió en la prisión la siguiente manifestación
que se publicó en el *Herald* de Nueva York.

«En el año de 1847 me naturalicé como ciudadano de los
Estados Unidos en Filadelfia. Diez años después, al regresar a
Cuba, me ví precisado a salir del país porque no quise consentir en negar mi patria adoptiva. Volví a Cuba al cabo de algunos años con motivo de asuntos particulares y jamás acepté aquí
empleo del gobierno, cuyos actos me han inspirado horror toda
la vida. Se me ha preguntado si era ciudadano americano y he
contestado en la afirmativa, por lo cual se me han lanzado miradas amenazadoras y ya adivino la suerte que me espera. A mí
y a los que están presos conmigo se nos acaba de manifestar que
seremos conducidos al campo, y esto no tiene más objeto que el
de fusilarnos. ¿Podría el cónsul hacer algo a mi favor ya que mis
amigos le han hablado, pero si él interviene esto sólo servirá para
que el gobierno español acelere mi ejecución, pues de este modo
es como España paga las simpatías de Fish y la debilidad del
presidente Grant.Y es natural que así sea cuando hasta ahora los
mismos aseguran que es que los Estados Unidos temen a España.

Pueblo americano: mi vida vale poco y no pido venganza,
pero dejadme que os diga que Cuba es una parte de la América,
que aquí alienta un pueblo que simpatiza con el nuestro y que
está esclavizado por una nación a la cual detesta, cuya nación
asesina a nuestros compatriotas y os hará todo el mal que pueda. Es necesario, pues, que salgáis de vuestra inacción, que tengáis presente que Jefferson y Monroe os han trazado una línea
de conducta que puede salvar a Cuba y que podría vengar la
muerte de vuestro infortunado campatriota.

«LA BAYAMESA»

Versos que se cantan a media voz por las familias cubanas
patriotas:

1.º

No recuerdas gentil bayamesa
Que en Bayamo tu patria existió
Y un tirano traidor la vendió
Poseído de rabia y furor.

2.°

No recuerdas que en tiempos pasados
El tirano explotó tus riquezas
Pero ya no levanta cabeza
moribundo de pena y temor.

3.°

Te quemaron tus hijos, no hay pena,
Que más vale morir con honor
Que servir al tirano opresor
Que el derecho nos quiere usurpar.

4.°

Ya despierta mi Cuba sonriente
Mientras gime y padece el tirano
A quien quiso el valiente cubano
Exportar de sus playas de amor.

El padre Callejas

El 6 de marzo de 1870 dejó estos valles transitorios para buscar un reposo eterno, reposo acordado tal vez como un permiso a sus multiplicadas fatigas al hombre que motiva estas líneas.

El P. Callejas se dedicó con interés a la homeopatía, sacando de ella triunfos que le valieron una aceptación general no tan solamente en su amado país, sino también fuera de él, pues el padre Callejas, de gran talento, tuvo una constancia admirable, una fe inquebrantable a la ciencia de Hanneman; así es que unidas estas circunstancias a su vasta instrucción, nada tuvo de extraño para que se hiciera dueño de una popularidad sin límites, de tal modo que hasta los médicos mismos, partidarios de ese nuevo ssitema, procurasen llamarle cuando alguna ocupación o enfermedad les impedía ejercer su ministerio.

Y no fue esto solamente. El padre Callejas, en su laudable desprendimiento de hacerse más útil, especialmente para la clase desvalida, que era todo su bello ideal, hizo imprimir dos o tres veces, y aun casi costeó la impresión, su *Manual de Medicina* para que la gente del campo se utilizase de él antes de aparecer el médico, y en este proceder, como en todos, obraba el padre Callejas a impulso de su corazón bondadoso, y más digno de llamarse la atención cuando se sabía que apenas dejaba de su renta canonical alguna cosa con que vestirse, rechazando por otra parte cualquier dádiva que se le hiciera en gratitud de sus servicios.

Y el padre Callejas tuvo también su brillo en la arena periodística, pues con su constancia y su actividad redactó ocho o más publicaciones literarias, descollando entre sus escritos aquel diccionario ocurrentísimo que todos conocían por *El loco de Gotiansa.*

También colaboró por mucho tiempo en los peródicos de esta localidad.

Son notables, imperecederos, sus recuerdos. ¡Dejémosle, pues, dormir el sueño de los justos!

Fusilado

(31 de marzo).—Es pasado por las armas en la explanada del Matadero el moreno libre Perfecto Pérez, natural y vecino del Cobre, soltero, de cuarenta y nueve años de edad y del campo. Estaba sufriendo prisión en la cárcel de esta ciudad desde el 4 de septiembre del año anterior y se le acusó de ser incendiario.

ABRIL 1870

Hernández

(Abril).—Fallece repentinamente D. José Joaquín Hernández. Fue redactor de los periódicos *El Redactor* y *El Diario de Santiago de Cuba,* habiendo publicado los *Ensayos Literarios* en colaboración con D. Pedro Santacilia y D. Francisco Baralt.

La guerra en Oriente

Llega el vapor *Moctezuma* trayendo de Nuevitas 90 individuos de tropa y un oficial del Batallón Cazadores de Reus.

Boet

El coronel D. Carlos González Boet, jefe de la guerrilla de Valmaseda, opera por el ingenio *San Juan de Wilson* en persecu-

ción de los garitos de malhechores, salteadores que operan por
aquellos parajes.

ATAQUE

Los insurrectos atacan el cafetal *Santa Elena,* defendido por
movilizados; acude una sección de la guerrilla de Boet al mando del alférez D. Miguel Estevan, acompañado de D. Francisco
Monserrat, capitán de movilizados, «dispersándolos al grito de
¡Viva España! Concurrieron a la acción Mr. Constant Joan-
neau y Mr. Laurent B. Sarlabous, franceses, a quienes se cuenta
en el número de los buenos amigos. ¡Bien por esos bravos!»

VAPOR DE GUERRA FRANCÉS

Llegada del vapor de guerra francés *D'Estany,* con cuatro
cañones y 85 tripulantes, al mando del capitán de fragata Bar-
lodet des Essorts.

DUBOSC

En el pueblo del Cobre es pasado por las armas, por considerarlo patriota, D. Carlos Dubosc.

ECIJA Y MATOS

En Arroyo Blanco, jurisdicción de esta ciudad, son pasados
por las armas los cubanos D. José María Ecija y D. José María
Matos.

FORNARIS

En Sevilla, cerca de esta ciudad, son pasados por las armas
los cubanos D. Oscar y D. José Fornaris.

PRUNA SANTA CRUZ

Es pasado por las armas en Puerto Príncipe D. Luis Pruna
Santa Cruz, hijo de esta ciudad.

ASCENSIO MIYARES

Es nombrado mayordomo de Propios del Ayuntamiento don
Ascensio Miyares y Ferrer.

LA GUERRA EN ORIENTE

El comandante de la contraguerrilla de Valmaseda D. Carlos González Boet, por confidencias de un correo insurrecto prisionero cerca del ingenio *Giro,* «sorprendió de once a doce de la noche, merced a la luna, un campamento insurrecto matando al centinela que dormía junto a un furgón. Cayeron 18 cadáveres más y fueron contados al amanecer. Se hizo prisionero al mulato de Cuba Julián Cheri, que fue fusilado en el acto. Entre los muertos está el hermano de Matías Vega, llamado Atilano».

OPERACIONES

La columna del brigadier Detenre, en operaciones por Mayarí y Tempú, hace al enemigo 11 muertos.

ACOSTA

Fallecimiento de la antigua directora de la escuela de niñas D.ª Catalina Acosta, haciéndose cargo de dicha escuela municipal su sobrina D.ª Elvira Martínez Acosta.

INFIDENTES

El Gobernador Superior Político declara comprendidos en el artículo 1.º de la Circular de 29 de abril del año próximo pasado a los siguientes vecinos de Santiago de Cuba: señores don Miguel Ulloa y Delmos, D. José Ramón Villalón y Hechavarría, D. Bernardo Sánchez Hechavarría, D. Nicolás Sánchez Hechavarría, D. Juan Gabriel Amábile, D. Pedro de Moya, D. Prudencio Bravo y D. Benjamín Odio, ordenando el embargo de todas sus propiedades.

CONTRA LA ANEXIÓN

Se reproducen las protestas contra la anexión, cesión o venta de la Isla de Cuba a los Estados Unidos por el gobierno español según la prensa de la Península, siendo los voceros de la protesta el Círculo Español y el Ayuntamiento de esta ciudad.

«Severn»

Fondea en el puerto la fragata de guerra americana *Severn,* de porte de 18 cañones y 300 hombres de tripulación. Procedía de Santo Domingo y conducía al contralmirante Mister Porr y al ex cónsul americano de esta ciudad Mister Phillips.

Voluntarios

Los voluntarios cubren desde el día 16 los destacamentos del Morro, de Cabañas y del pueblo del Caney con objeto de que las tropas que estaban en esos puntos puedan salir a campaña.

Teatros

Tres salas de espectáculos públicos dan animación superficial a la vida social urbana. Los artistas Gonzalo Duclós, Vega y sus señoras, García Sagarra y algunos aficionados, formaron una compañía bastante aceptable que trabaja en el teatro del Comercio. Varios jóvenes forman una compañía que, a imitación de la del célebre Keller, presenta cuadros vivos, logrando llamar la atención por la propiedad y buen gusto con que se presenta. Por último, los empleados del periódico *La Bandera Española* dan, en uno de los salones que ocupa la imprenta, funciones dramáticas los domingos, destinando una parte de los productos al socorro de los heridos de la guerra. Con esto y las retretas se pasan las noches entretenidas y se cubren las angustias dentro de las cuales se vive.

«La Bandera Española»

El periódico *La Bandera Española,* en su número del día 29, trata de explicar el hecho para muchos insólito de que después de dos meses de haberse dado por completamente pacificado el Departamento Oriental, abunden de nuevo los insurrectos y menudeen los encuentros. Supone que ello es debido a que los rebeldes, como último extremo, han echado mano de los esclavos negros que, como es sabido, faltan de muchas fincas, y que son los que ahora constituyen el núcleo principal de las partidas.

Cable telegráfico

Entra en el puerto, el día 28, el vapor americano *Yantic,* procedente de Batabanó, con escala en Cienfuegos, conduciendo a su bordo a Sir Charles Bright, uno de los concesionarios de la compañía que va a establecer el cable submarino de las principales Antillas.

El ingeniero jefe de dicha empresa se encuentra también aquí, acompañado de su secretario, y dichos señores, con el indicado vapor, van a recorrer la costa de la inmediaciones de este puerto para elegir el lugar más favorable a su designio y enlazar, desde la bahía de Cochinos, la capital de este Departamento, las demás Antillas, el continente americano y el mundo entero. Se espera para dentro de un mes la llegada del vapor que habrá de traer el cable.

Palacios de Canalejo

La Sra. D.ª María Francisca Palacios de Canalejo, ha remitido al brigadier don Carlos Detenre, dos cajas que contienen mil tabacos y doscientas cajetillas de cigarrillos, para que se sirva distribuirlos a los individuos de tropa heridos en la acción de la Altagracia.

Villaverde

Es preciso ser imparcial y ello nos obliga a la reproducción de estos escritos del *Diario Cubano* que se publica en Nueva York: la justificación de la señora de Villaverde vendrá a su vez.

LA SEÑORA E. C. DE VILLAVERDE

Muy a menudo llegan a nosotros los llamamientos que hace la Sra. Villaverde al patriotismo de los cubanos para socorrer familias pobres, y con objeto de auxiliar a nuestros hermanos de Cuba y en New York; pero hasta ahora no hemos tenido el gusto de saber las ascendencias de sus distintas recaudaciones ni la distribución que de ella se ha hecho. Como cubanos, y sobre todo como cubanos contribuyentes, nos creemos autorizados a pedir cuenta de la inversión de esas sumas; con tanta mayor razón, cuanto que la Sra. Villaverde procede con entera independencia de la legítima representación de nuestro gobierno en ésta.

Sabemos además que la referida señora ha enviado grandes cantidades de papeletas de rifas a la América del Sur y a otras partes: por lo tanto creemos indispensable que se nos diga en qué forma esas recolecciones auxilian a nuestros compatriotas.

VILLAVERDE

De *El Diario Cubano.*—El ciudadano Villaverde.

Voz súbitamente destemplada, argumentación mezquina, y algo más, se ha presentado en esta redacción el ciudadano Cirilo Villaverde, exigiendo satisfacciones por las palabras del suelto publicado en el número 285 de nuestro periódico y relativo a las suscripciones y recaudaciones llevadas a cabo por su señora.

No logró su objeto: la redacción, le sostuvo, a pesar de su actitud, lo que cree, y dijo, sigue creyendo y diciendo, esto es, que su señora está obligada a dar cuenta de lo que ha recibido e invertido, y que mientras no lo haga, la solicitud hecha está en pie, y a medida que pase el tiempo sin satisfacerla, ira justificando más y más.

«LA REVOLUCIÓN»

EN LA MUERTE DEL C. BRIGADIER
JUSTO DEL MARMOL

Por un patriota cubano

Héroe de libertad, joven ardiente,
decidido adalid americano
que en el fragor del bélico litigio
determinado, intrépido y valiente
de acrisolado honor en el prestigio,
te vio al sangriento pérfido tirano
combatir de tu patria por la gloria
ceñida ya tu generosa frente
del fúlgido laurel de la victoria!

De intenso amor el alma poseída,
de esperanza, de fe y heroico celo

los sagrados principios proclamando
del suelo hermoso que nos dio la vida
bajo este azul y deslumbrante cielo;
en pos de suspirada independencia
y al término feliz tal vez tocando
de subido ¡oh dolor! alzando el vuelo
rendiste por tu patria la existencia.

Tu pronta muerte de amargura llena
al noble corazón; suspira el alma
de angustia horrible, de profunda pena
pidiendo al protector sólo justicia,
justicia sí, para obtener la palma,
y que vayan tus hechos y tu nombre
a revivir donde no muere el hombre,
de la gloria inmortal el sacro templo.

De nuestros campos te ha cedido el seno
un sarcófago honroso, coronado
de flor azul y roja, de un terreno
con la española púrpura abonado.
El alto cedro y el pequeño arbusto
que en torno están de tu apartada huesa,
den a la vista del viajero adusto
en cada hoja de su tronco impresa
esta palabra dominante «Justo».

El himno de las aves en la Aurora
es la oración que al cielo se levanta
por tu espíritu grande que allá mora
de luz colmado y de ventura tanta,
y cuando velo misterioso y triste
de la noche se extiende por el mundo,
baña tu fosa celestial rocío,
el llanto es ése que en su amor profundo
vierte la patria en tu sepulcro umbrío.

Héroe de libertad, alma sublime,
el premio a tu virtud es tu memoria
que dulce y bendecida Cuba imprime
entre los genios de su bella historia.
Reposa en paz, que cada ciudadano

en su pecho de amor, siente una herida.
y en él tu nombre y tu imagen guarda.
No será el triunfo del perverso hispano,
que por hacer su libertad querida
Cuba lucha hasta el fin, sufre y aguarda.

Cuba Libre, abril, 6, 1869.

EL BANQUETE DEL DESTIERRO

Por J. A. Quintero

Destino amargo y severo
A tierra extraña nos lanza;
Ved el cielo que sombrío,
No hay ni un rayo de esperanza!

Mas riamos de la pena
La espumante copa alzad;
Un brindis por los que han muerto,
Hurra por la libertad!

Tras noches de insomnios fieros
Está la mejilla hundida,
Mas pronto el bullente vino
Ha de dejar encendida.

¡Atrás el esplín amargo!
¡Diáfana la copa alzad!
¡Un brindis por los que han muerto!
¡Hurra por la libertad!

Que no haya ni un suspiro
Ni una lágrima siquiera,
Por los héroes que encontraron
Un sudario en su bandera.

¡Cuántas memorias tristes!
Mas vuestras copas llenad;
¡Un brindis por los que han muerto!
¡Hurra por la libertad!

En el campo de batalla
Yacen con airado ceño,
Mas las lágrimas cobardes
No despiertan ese sueño.

Así, la copa espumosa
Al seco labio llevad;
¡Un brindis por los que han muerto!
¡Hurra por la libertad!

Nuestro corazón oprime
Pesada mano de hierro;
Mas con júbilo venimos
Al banquete del destierro.

¡La copa alzad, vuestra orquesta!
Es la horrenda tempestad...
¡Un brindis por los que han muerto!
¡Hurra por la libertad!

Dejad que a la triste madre
Recuerde el alma sombría...
Já! Já! Já! ¿quién aquí espera
Volverla a ver algún día?

Mas el corazón se hiela,
La bullente copa alzad...
¡Un brindis por los que han muerto!
¡Hurra por la libertad!

¿Qué es la vida? Grano leve
De arena que huella el paso,
La burbuja que en el vino
Revienta al tocarse el vaso!

¡Decepción por donde quiera!
Mas vuestras copas llenad;
¡Un brindis por los que han muerto!
¡Hurra por la libertad!
Mirad, mirad el pasado
Fuerza es que la fe sucumba;
¿No veis? Es un cementerio!
¡Cada esperanza una tumba!

Mas se encienden vuestras frentes,
¡Otra vez la copa alzad!
¡Un brindis por los que han muerto!
¡Hurra por la libertad!...

————

Del periódico *La Revolución*. Recibido por correo
de New York.

EL SUPLICIO DEL PATRIOTA
A. R. MORALES

Por Fernando Fornaris y Céspedes

Son las seis de la mañana
y en un pueblo de la Isla,
un hombre con faz serena
deja la oscura capilla,
y entre hileras de soldados
hacia el cadalso camina;
es el patriota cubano
que marcha con frente altiva
a sufrir horrible prueba
con que el déspota castiga,
al que noble y generoso,
rompe las ferradas ligas,
que lo ataban tras el carro
de la odiosa tiranía.
Sigue su marcha el patriota
en medio de la cuadrilla,
y entre el tumulto del pueblo
que se agrupa en las esquinas,
en las calles y las plazas
por do marcha el que asesina,
divisa lágrimas tristes,
que corren por las mejillas,
y ojos llenos de coraje,
que la venganza ilumina
con la llama devorante
del rencor y de la envidia.
El indiferente a todo
mira la luz matutina,

y las pardas nubecillas
envuelven a Cuba en un manto
de animación y de vida,
como contraste esplendente
de los que muerte fulminan
contra el que marchó a buscarla,
en la patriótica lidia.
Llega al terrible cadalso,
siempre con la faz tranquila
y al subir sobre el tablado
la turba insolente mira;
y entre el ruido de atambores
de cornetas y rechiflas
con que el déspota inhumano
callar quiere aquella víctima,
exclama con voz serena:
«hijos de Cuba, la vida
»que van a arrancarme ahora
»los tiranos de esta Antilla,
»vale muy poco el perderla»,
diciendo con frente altiva,
« ¡Viva Cuba independiente!
» ¡Muera el tirano homicida! »
Mas al hablar de ese modo
la voz del patriota expira,
porque la turba insolente
de españoles o numidas
se lanza sobre el tablado
y a balazos acribilla,
al que a matar de ese modo
con luz gloriosa iluminan
que el que muere por la patria
siempre goza eterna vida.
Tiñe de sangre el cadalso;
el patriota no respira,
mutilado hasta los huesos
por la turba enfurecida;
la tropa con paso lento
de aquel lugar se retira,
y entre el tumulto del pueblo
que se ve por las esquinas,
por las calles y las plazas

por do pasó la cuadrilla,
se oye el eco del patriota
que aún repite, viva! viva!
y la libertad su espada
por los espacios fulmina
y nuevas lágrimas corren
por femeniles mejillas,
por el mártir del cadalso,
que no pereció en la lidia,
pero que murió con gloria
ante el déspota homicida.

La Jagua del Porcayo, abril de 1870.

ESQUEMBRE

(30 de abril).—Es fusilado en Cienfuegos el padre Esquembre.

El presbítero D. José Francisco Esquembre y Guzmán, hijo de esta ciudad, cursó sus estudios en el Colegio Seminario de San Basilio el Magno, recibió las sagradas órdenes en La Habana, en 1861, y poco tiempo después obtuvo los cargos de capellán de coro de esta Santa Iglesia Catedral y prosecretario de su Cabildo.

En 1864, fue suspendido en el ejercicio de su ministerio por el Dr. D. José Orberá y Carrión, gobernador eclesiástico y provisor y vicario general de este Arzobispado, por el arzobispo Lic. D. Primo Calvo y Lope que se hallaba en la Pastoral Visita de Puerto Príncipe. Ignoramos la causa que inspiró tal medida, pero es fácil presumirla, ya que el P. Orberá se distinguió siempre por su persecución al clero cubano. En 1866 se le había alzado la suspensión y, con licencia de su superior, pasó a la diócesis de La Habana para donde pidió y obtuvo letras dimisorias.

En ese obispado se le nombró cura ecónomo de Nuestra Señora del Rosario de Yaguaramas, en el término municipal de Cienfuegos. Al ocurrir el alzamiento de las Villas, en 1869, casi todos sus feligreses se levantaron en armas y acudiendo a la parroquia, presentaron a su joven párroco la gloriosa bandera de la Estrella Solitaria y éste, sacerdote y cubano, la bendijo solemnemente y luego ascendió al púlpito y dirigió una patriótica alocución a sus feligreses.

Con un numeroso grupo de patriotas, se marchó a las huestes revolucionarias el P. Esquembre, y poco tiempo permanecieron todos allí, porque la rápida e incesante persecución que les hicieron las columnas de los brigadieres Buceta, Peláez y Letona les obligó a acogerse a la amnistía que decretó el general Dulce.

Regresado a su parroquia, el P. Esquembre, pudo notar que no era bien visto por los elementos incondicionales al Gobierno, y por eso solicitó y consiguió su traslado al curato de Quiebra-Hacha, en Pinar del Río. Mas allí le persiguió también la saña de los Voluntarios, pues a los tres días de haber tomado posesión de su nueva parroquia, fue detenido, conducido a La Habana, donde permaneció casi un año sin que se le formara causa, hasta que, a principios de 1870, fue llevado a Cienfuegos y juzgado en consejo de guerra verbal, que le condenó a la última pena. Y el 30 de abril de 1870, en los Campos de Marsillán, Cienfuegos, se consumó el horrible atentado de fusilar a un hombre, amnistiado ya, por haber bendecido la sagrada enseña de su patria. Seamos justos y digamos que el Gobernador General lo indultó de la pena de muerte... sólo que envió el perdón después del bárbaro e inícuo sacrificio.

Cedamos la palabra a los documentos que siguen, reproducidos fielmente con su propia ortografía:

En el expediente N.º 600, legajo N.º 540 del Archivo de Gobierno de la Secretaría de Cámara del Arzobispado de Santiago de Cuba, órdenes y personal de D. Francisco Esquembre, aparece lo siguiente:

«(Al folio 1.º). D. José Dolores Giró Cura Rr. por S. M. del »Sagrio. de la S. I. M. de esta ciudad de Santiago de Cuba, »Certifico: que en el Libro 15 de Bautismos de blancos al fº 12 »está la partida númo. 80 cuyo tenor es el siguiente:—Año del »Señor de mil ochocientos treinta y ocho: en veinte y ocho de »Julio. Yo D. Joaquín Fernández, Presbo. Cura Teniente del »Sagro. de la S. I. M. de esta ciudad de Santiago de Cuba, »bautizé, puse óleos, crisma, y por nombre JOSE FRANCISCO, »a un niño expuesto en las casas de la morada de Dn. Ciriaco Esquembre. Padrinos el mismo D. Esquembre y Da. Andrea »Guzmán, a quienes advertí el parentesco contrahido. Y para »que conste lo firmo.—Joaquín Fernández.—Es copia fiel de »su original. Santiago de Cuba, diez y nueve de Mayo de mil ochocientos cincuenta y seis.—José Dolores Giró.—Gratis.»

SENTENCIA

Santolalla, Cabo primero de Cazadores de Hernán Cortés, y autorizado por ordenanza para actuar como escribano en la causa que por indeficencia se sigue contra el presbítero D. Francisco Esquembre, de la que es es fiscal el Cap. de Ynfª D. Ramón Prieto y Rodríguez.—Certifico y doy fe, que á folios cincuenta y cinco blt° de dicha causa se halla la Sentencia dictada por el Consejo de Guerra berval celebrado en esta plaza el día diez y nueve del presente mez que copiada a la letra ez como sigue.—Sentencia—Visto el Juicio que acaba de tener lugar contra el Presbítero D. Franco Esquembre y Guzmán acusado del delito de infidencia, examinada laz pruebas, comparecido en acusado, hoida la conclusión fiscal y defensa de su procurador, todo bien estudiado y reflesionado, el Consejo á condenado y condena por una nimidad de votoz al espresado D. Franco Esquembre a que sufra la pena de ser pasado por las armaz por estar su delito comprendido en laz circularez del gobierno Superior Político de doce y trece de Febrero del año último; verificando antez en el reo la correspondiente degradación según previene la ordenanza.—Cienfuegos diez y nueve de Abril de mil ochocientos setenta.—Ramón Franchi.—Juan Celis.—Juan Gabaldon.—Eugenio Herrero.—Nicolás Gallardo.—Juan Fuentez.—Y para que conste donde conbenga doy la presente de orden y mandato de dicho Sr. Fiscal Dn. Ramon Prieto en una hoja rubricada por mi y firmó igualmente el referido Fiscal.—Ramon Prieto.—Feliz Santolalla.»

AUTO DE DEGRADACION CANONICA

«En la ciudad de La Habana dia veinte y siete de Abril de mil ochocientos setenta, el muy Ylustre Sr. Dr. Dn. Benigno Merino y Mendi Dignidad de Maestrescuela de la Santa Yglesia Catedral y Gobernador de este Obispado en ausencia del Excelentísimo e Yltrmi. Sr. Obispo Diocesano, convocadas previamente hallándose reunidos en el Palacio Episcopal los Sres. Arcediano de la citada Santa Yglesia Dr. D. Antonio María Pereira, Provisor y Vicario General Dr. Dn. Tomas Ubierna y Saez, Canónigo Penitenciario Dr. Dn Domingo García Velayos, Canónigos Ldo. D. Federico Guillem D'Escoubed y Dn. Manuel

Torres Valderrama, Magistral Dr. Dn. Mariano Hernández Guillen y el Promotor Fiscal General Eclesiástico Prebendado Ldo. Dn. Manuel Moncalian y Rivas, y dado por su Señoría lectura a todos y cada uno de los documentos que preceden relativos a la Sentencia de muerte pronunciada en el Consejo de guerra verbal celebrado en Cienfuegos el dia diez y nueve del corriente mes y aprobada por el Sr. Comandante General interino de las Cinco Villas en veinte y dos del mismo en cuya virtud se solicita la degradación del referido Pbro. Dn. Francisco Esquembre y Guzmán: Visto por su Señoría lo representado por el Ministerio Fiscal y con el acuerdo unánime de los citados señores y excepto el Sr. Provisor y Vicario General que ha reserbado (sic) su voto dijo su señoría que desde luego usando de las facultades de que se hallaba investido venia en degradar y degradaba en virtud del presente auto canónico, entregándolo como desde luego lo entrega al brazo secular para que en el referido Pbro. Dn. Francisco Esquembre y Guzmán se cumpla lo resuelto y fallado por el antes citado Consejo de guerra verbal disponiendo su señoría que el citado auto se remita testimonio íntegro al Vicario Foráneo de Cienfuegos a los consiguientes efectos y otro con atento oficio al Excmo. Sr. Gobernador Superior Político Vice Patrono para su conocimiento de quien se impetrará de nuevo el indulto que de su superior autoridad tiene solicitado en favor del citado Esquembre su señoría previniéndose al citado Vicario de Cienfuegos procure que al sentenciado Esquembre se le conduzca en el modo y forma que está prevenido por la ley de la cual se le instruirá. Así lo proveyó y firmó su Señoría con dichos señores de lo que doy fe.— Dr. Benigno Merino y Mendi.—Dr. Antonio M. Pereira.— Dr. Tomás Ubierna.—Dr. Domingo García Velayos.—Ldo. Federico Guillem D'Escoubed.—Manuel Torres Valderrama.— Dr. Mariano Hernández Guillen.—Ldo. Manuel Moncalian.— Ramón G. Salas Secretario.»

ACTA DE DEGRADACION

«En la Villa de Cienfuegos a los veinte y nueve días de Abril de mil ochocientos setenta siendo las ocho de la noche constituídos en la Sala de Justicia de la Carcel Nacional de esta Villa el Sr. Vicario Foráneo Juez Eclesiástico de la misma Pbro. Dn. Juan Bautista Sellas el Sr. Fiscal Militar de la causa

Capitán de Ynfantería Dn. Ramón Prieto el infrascrito Notario
Eclesiástico se hizo comparecer al Pbro. Dn. Francisco Esquembre y Guzman a quien se notificó con lectura clara e inteligible
de la superior resolución del Yltmo. Sr. Gobernador del Obispado que degrada al enunciado Pbro. Dn. Francisco Esquembre
y Guzman. Oida con sumisión y respeto por el ya citado Pbro.
Dn. Francisco Esquembre y Guzman la superior resolución de
su señoría Yltma.; y habiéndose presentado el referido Pbro.
Dn. Francisco Esquembre y Guzman vestido de los ábitos (sic)
Sacerdotales, a saber, sombrero de teja, manteo, sotana y alza-
cuello se mandó se despojara de los hábitos sacerdotales y acto
continuo fue entregado al brazo secular. Todo lo que se hace
constar por esta diligencia que firmó el Sr. Vicario por ante mi
de que doy fe.—Sellas.—José G. Barredo Notario Eclesiástico.»

MAYO 1870

GONZÁLEZ BOET

(Mayo).—Llegada de la Sra. D.ª América Estévez de González Boet, con su señora madre y dos niños. Se le dio una serenata por la música del Primer Batallón de Voluntarios, rodeada
de hachones.

VILLAVERDE

Copiamos de *El Diario Cubano,* de Nueva York.
La Sra. E. de Villaverde.
Acabamos de recibir una prueba más de lo útil que puede
ser nuestro periódico a la causa de Cuba. La Sra. Casanovas
de Villaverde, ha publicado hoy sábado en *La Revolución,* las
cuentas de las funciones que por su iniciativa, y con su exclu-
siva intervención se han dado aquí a beneficio de los cubanos
pobres, y lo hace por habérselo pedido así *El Diario.*
Es verdad que no estamos completamente satisfechos, como
lo demostraremos en artículo que hoy no tenemos tiempo de
escribir, pero, de todos modos, tomamos nota de sus propias
palabras cuando dice: que para levantar fondos a favor de la
causa creyó prudente «y de un imprescindible deber dar cuenta
de esos fondos».
Es claro que si ella tenía ese deber, los demás cubanos

teníamos el derecho de esperar y exigir dichas cuentas; y tomamos nota de las palabras citadas, porque ese derecho nuestro fue lo que nos negó el señor Villaverde cuando vino a esta redacción.

ROVIRA Y GONIM

Fallecimiento del comerciante D. José Rovira y Gonim.

LANCHA DE PESCADORES

El día 5, entra en puerto una lancha inglesa llamada *Emilio,* tripulada por seis negros y un patrón blanco. No trae bandera, patente ni rol, dicen ser pescadores de Jamaica, y que los vientos duros y las corrientes los acercaron a las costas de Cuba.

ESTUDIANTES

El día 7 embarcan en el vapor *Villaclara,* los jóvenes bachilleres D. Pedro y D. Ladislao Guerra y Giró, que se dirigen a Barcelona, vía Habana, a completar sus estudios.

DETENRE

El brigadier Detenre sale con rumbo a La Habana.

LASSO

D. José Lasso presenta su título de escribano público.

PRESOS

Son conducidos a la capital los presos políticos D. Manuel Alvarez y Gutiérrez y el pardo Pedro Estrada.

BUENO Y BLANCO

La segunda compañía del Primer Batallón de Voluntarios, nombra capitán de la misma al Sr. D. José Bueno y Blanco, hijo de esta ciudad.

ALVAREZ VILLALÓN

D. Francisco Alvarez Villalón, concejal del Ayuntamiento y
capitán de la octava compañía de Obreros del Primer Batallón
de Voluntarios, ofrece efectuar gratis la reconstrucción del dete-
riorado puente del Yarayó, contando con la cooperación de los
voluntarios obreros para la mano de obra y con otros recursos
para materiales, ofrecimiento que aceptó la Corporación Municipal.

CÉSPEDES

Copiamos del periódico *La Revolución* la siguiente proclama
del padre de la Patria Carlos Manuel de Céspedes.—Dice así:

A LOS PATRIOTAS CUBANOS,
RESIDENTES EN PAISES EXTRANJEROS

Estado del Camagüey, febrero 29 de 1870.

DIOS, PATRIA Y LIBERTAD.
REPUBLICA DE CUBA.

Queridos hermanos y compatriotas:
Cuando levanté en los campos de Yara la bandera de Cuba
con el sublime grito de Independencia, grito a que respondieron,
rebosando en ardor y entusiasmo, los pocos compañeros que se
reunieron al brillo de su estrella, ni estos, ni yo, contábamos
con otras armas ni con otros pertrechos que los que quitásemos
a nuestros enemigos, ni con más recursos que los que ofreciese
el patriotismo de los dignos hijos de este oprimido suelo, residentes aquí y en el extranjero. No por temerario, en parte, me
engañó tan halagüeña esperanza. Sin embargo, no es mi propósito, al dirigirme a vosotros, referir los gloriosos hechos que de
ellos dan testimonio por la fama y por la prensa que han llegado
a vuestros oídos.
Basta decir, que, cubierta de laurel, nuestra bandera flota
libre en los Estados. Ni tampoco os debo recordar que los
grandes y redoblados esfuerzos que muchos de nosotros con
inmenso sacrificio y con recomendable civismo habéis hecho

para allegar recursos y contribuir al triunfo de la justa causa de nuestra Patria: porque vana tarea sería ésta, toda vez que la obra es vuestra. Mucho menos cabe decir nada que pueda parecer una excitación a lo que en el presente y en el porvenir tiene Cuba que esperar de nuestro filial amor y del justo y comprimido odio contra un gobierno, que siempre con iniquidad, y algunas veces con inconcebibles engaños, mantenía aprisionados entre duras cadenas, los destinos que la naturaleza y la razón asignan a los pueblos.

Al dirigiros mi voz fraternal, ilustres compatriotas, me propongo solamente haceros una súplica, quiero que no os parezca extraño ni que alude a determinada persona. La súplica que os hago es con la íntima buena fe y sinceridad, es que entre todos reine el espíritu de concordia, y que alejéis de vosotros todo sentimiento de que puedan brotar escisiones y banderías, y que no alojéis en vuestro pecho, más que un común deseo y un interés solidario para servir a la patria que ahora os llama más que nunca, y con justicia, os interesa en su socorro.

He aquí un sentimiento muy digno de vuestra noble emulación.

Pero también es preciso que como buenos hijos de Cuba, sigáis no siendo indiferentes a la santa causa de su Independencia, no os desviéis jamás del Gobierno constituido y de su representación en el extranjero para excluir de la gestión individual su necesaria e indeclinable intervención; porque dejaríais de reconocer ese alto atributo, vosotros mismos la despojaríais del prestigio y dignidad que conviene asaz conservarle entre cubanos y extraños. Tal vez por esta causa ajena de una santa intención que en todos vosotros reconozco, lamentamos los sensibles fracasos de algunas expediciones, en que tantos sacrificios y patrióticos esfuerzos había empleado algunos de vosotros y cuyos auxilios (que merecen la gratitud de la Patria) si se hubieran recibido oportunamente, ya habrían dado por infalible resultado la completa expulsión de los soldados de la tiranía.

Pero la Patria se promete todavía de nosotros que no languidezca nuestra fe ardiente, nuestro poderoso entusiasmo. Espera que a la sombra de la unión, y con el sagrado fuego del amor patrio, perseveréis en la noble empresa de enviar recursos a vuestros hermanos que con una abnegación sin ejemplo, desnudos y descalzos muchos, y sin lanzar un gemido en medio de todo género de privaciones, están peleando y derramando su sangre para darnos a todos los Cubanos Patria y Libertad.

¡PATRIA Y LIBERTAD! que son los votos y serán los irrevocables conatos de vuestro compatriota y hermano.

Carlos Manuel de Céspedes

GOICURÍA

La Revolución, de Nueva York, dice lo siguiente:

UNA CARTA DE GOICURÍA

La carta que a continuación publicamos, es una demostración de la serenidad de espíritu que acompañó en sus últimos momentos al desgraciado Goicuría, pues así por la falta de pretensiones, como por ocuparse más de los otros que de sí mismo, y por entrar en detalles de encargos de interés personal, prueba evidentemente que se hallaba en posesión completa de su ser, y no le perturbaba la idea del próximo suplicio:

«A bordo de la cañonera *Gacela.*—1.º de mayo de 1870.

Querido hermano: Ayer fui hecho prisionero en la isla de Guajaba, en donde con otros seis estábamos esperando el tiempo favorable para dirigirnos a Nassau, pero habiendo descubierto un bote de guerra el que teníamos, se lo llevó y nos dejaron sin tener con qué salir de la isla que está desierta. Yo tuve la desgracia de perderme de mis compañeros y prácticos que nos acompañaban, y vagando por los montes sin tener que comer ni beber, ya casi muriéndome de debilidad, me dirigí a una casa de pescadores donde sabía que había agua, pero la suerte quiso otra cosa, allí emboscada la tropa de marinos me rodearon de momento y estando desarmado tuve que entregarme sin ninguna resistencia y no sé si hubiera podido hacerlo porque estaba «más muerto que vivo». Hoy no puedo saber a donde me llevarán, aunque presumo será a Nuevitas, donde se encuentra el general Caballero de Rodas para que disponga donde debe concluir mi vida. Ya sea allí, o en La Habana, sólo es cuestión de muy pocos días o quizás de horas, como debes presumir: lo único que siento es que no hubiera sido en el campo de batalla, pero como la Providencia ha dispuesto otra cosa, estoy conforme con ello y moriré como deben morir los que defienden los derechos del hombre, humanitario y contento, porque la Independencia no es más que cuestión de tiempo.

Cuba será libre, sin duda alguna, porque el elemento en campaña ya no puede conquistarse de ningún modo.

Te suplico a ti y a todos mis amigos que tiendan una mano de favor sobre mi Carlota desgraciada para aliviar su pena.

A todos, todos mis amigos y compañeros, mi último adiós, hasta que nos encontremos en la eternidad.

Al amigo M. que te entregue todos mis papeles...

Como toda mi fortuna la he dado y nada tengo en el mundo, ninguna disposición hago sobre bienes, y lo poco que hay sólo pertenece a Carlota como tú sabes.

Ofrecí dar mi fortuna y mi vida, ya todo se ha cumplido, ojalá mi sacrificio lo imiten otros.

Adiós, por fin, hermanos queridos y un adiós a todos los tuyos...

G. de Goicuría

P. D.—Esta carta, la mandarás a Carlota, o copia de ella para no repetir.

El portador de ésta será el maquinista de este cañonero, a quien le he entregado el reloj de Valentín, mis espejuelos y unos botones de camisa para que se los envíen a Carlota. Dejé en Nassau, al cuidado del ciudadano Diego Loynaz, mi maleta con varios papeles, si no te la ha mandado, reclámala. Debes hacer un reclamo de 200 pesos al C. M. C. de diez rifles «Remington» y de mil cápsulas que me faltaron, que según noticias las habían sacado los C. C. V. y L. sin su conocimiento: eso pertenece a la causa de Cuba.»

«LA REVOLUCIÓN»

Copiamos esto, copiado a su vez de un periódico americano.

Un periódico americano refiere y comenta el caso siguiente: D. Fernando Cuevas —hacendado cubano, se incorporó a las filas de la insurrección y llevó consigo a todos aquellos de sus siervos que estaban en actitud de tomar las armas.

Dejó en su finca un gran número de negros, entre viejos, mujeres y niños, y a todos dio aviso de que eran enteramente libres, conforme lo dispuesto en la Constitución de Cuba, y según la voluntad del que hasta entonces había sido su dueño.

Pasó por allí una vez una columna española y sorprendiendo a ochenta de estos infelices, los declaró esclavos, y los condujo a Santiago donde se pusieron de venta en pública subasta; mas como no se halló comprador, se hizo cargo de ellos un tal don

Juan Tarrida, administrador de bienes embargados en el Departamento Oriental y los llevó a La Habana, que es mercado donde es fácil vender a bajo precio.

Este caso, que es reproducción de otros del mismo género, dice bien a las claras lo que es España y lo que significa la República de Cuba.»

«EL CUBANO LIBRE»

Copiado de *La Revolución,* de Nueva York.
DOCUMENTOS OFICIALES.—Un amigo nos ha facilitado un ejemplar de *El Cubano Libre,* llegado últimamente a esta ciudad, y con objeto de reproducir los documentos oficiales que en él encontramos, suprimimos gran parte de los materiales que teníamos preparados para este número, seguros de que nuestros lectores tendrán gusto de ver cuanto antes lo que nos viene de nuestros campamentos.

Dicen así:

CAMARA DE REPRESENTANTES

En sesión celebrada en el día de hoy, unánimemente se resolvió añadir el siguiente artículo a nuestra Constitución política:
—«Los Representantes del pueblo son irresponsables e inviolables en el ejercicio de sus funciones». Lo que se comunica a usted para los fines oportunos.—P. y L. Sibanicú y agosto 10 de 1869.

Carlos Manuel de Céspedes, Presidente de la República de Cuba.

Por cuanto la Cámara de Representantes ha expedido en las fechas que a continuación se indican, las Leyes que a la letra dicen: En sesión celebrada en el día de hoy, se adoptó el acuerdo siguiente:

La Cámara de Representantes declara que todo ciudadano está en el pleno goce de sus derechos mientras que por decreto judicial, ajustado a las leyes, se le prive de alguno; sin embargo, en las actuales circunstancias el Ejecutivo podrá detener a un ciudadano fundamente sospechoso de los delitos de traición, homicidio, robo o violación, aunque sólo para ponerlo a disposición del tribunal que corresponda.

Y se comunica a usted para los fines oportunos.—P. y L. Palo Quemado, diciembre 25 de 1869.

En sesión celebrada en el día de hoy, se resolvió que toda instancia presentada a este cuerpo y que por no corresponderle se remita a las autoridades competentes, se nos comunique por quien corresponda la fecha en que ha comenzado a formarse el procedimiento que amerite. Se comunica a usted para los efectos consiguientes.

P. y L. La Deseada, febrero 12 de 1870.

———

En sesión celebrada en el día de hoy, se resolvió unánimemente de acuerdo con su mensaje, fecha 1.º del que cursa, autorizarle para que pueda facultar a los ciudadanos J. Morales y Manuel Mestre, a extender hasta cincuenta millones de pesos el empréstito exterior de la República. Y se comunica a usted para los efectos consiguientes.—P. y L. Palmas de Guáimaro, febrero 23 de 1870.

———

En sesión celebrada en el día de hoy, se resolvió que el Ejecutivo pueda nombrar en comisión a todos los magistrados y jueces ordinarios indispensables para que funcionen los tribunales, proponiéndose inmediatamente a las Cámaras. Y se comunica a usted para los efectos consiguientes.—P. y L. Palmas de Guáimaro, febrero 23 de 1870.

———

En sesión celebrada el día de hoy, se resolvió que donde no fuera posible establecer en cada distrito un juez civil, y otro criminal, se nombre uno para ambos fines. Y se comunica a usted para los fines consiguientes.—P. y L. Palmas de Guáimaro, 23 febrero de 1970.

———

En sesión celebrada en el día de hoy, se resolvió que donde no hubiesen jueces del Crimen, puedan las Cortes Marciales, conocer de los procedimientos que se siguen sobre delitos políticos y comunes, y que donde no existan sino consejos de guerra, entienda éstos en toda clase de delitos. Y se comunica a usted para los efectos consiguientes.—P. y L. Palmas de Guáimaro, febrero 23 de 1870.

En sesión celebrada en el día de hoy, se resolvió que los secretarios de Estado tuviesen voz en las Cámaras. Y se comunica a usted para los fines consiguientes.—P. y L. Palmas de Guáimaro, febrero 23 de 1870.

En sesión celebrada en el día de hoy, se resolvió unánimemente nombrar Vice-Presidente de la República al ciudadano Francisco V. Aguilera. Y se comunica a usted para los fines consiguientes.—P. y L. Palmas de Guáimaro, 24 de febrero de 1870.

En sesión celebrada en el día de hoy, se adoptaron los siguientes acuerdos:

El funcionario civil o militar que abandone sin necesidad el territorio que manda cuando lo invadan, o por cualquier otro motivo, será castigado con una suspensión proporcionada a la gravedad de la falta.

A los Sub-Prefectos, Jefes de Distritos, de Estado, de todo el Ejército, Presidente de la República y Corte Suprema de Justicia corresponde hacerla efectiva en sus inferiores. Y se comunica a usted para los efectos consiguientes.—P. y L. Palmas de Guáimaro, 24 de febrero de 1870.

En sesión celebrada en el día de hoy, se adoptaron las siguientes resoluciones:

En los Estados en que no se determinan las prefecturas, éstas corresponden a las antiguas capitanías de partido.

Las subprefecturas tienen en lo general los límites de las anteriores tenencias de partido. Una prefectura tendrá por lo menos dos subprefecturas, y un distrito tres prefecturas.

Cuando quedaren en un territorio un número menor de subprefecturas o prefecturas, se agregarán a las prefecturas o distritos inmediatos. Los distritos judiciales, financieros y postales, corresponden a los administrativos. Y se comunica a usted para los fines convenientes.—P. y L. Palmas de Guáimaro, febrero 24 de 1870.

———————

En sesión celebrada en el día de hoy, se resolvió unánimemente indemnizar cuando los fondos del Estado lo permitan, a los dueños de efectos y propiedades destruidas o deterioradas en servicio de la República o por orden de las autoridades civiles y militares que estuviesen facultadas para ello. Y se comunica a usted para los efectos consiguientes.—P. y L. Palmas de Guáimaro, febrero 24 de 1870.

———————

En sesión celebrada el día de hoy, se adoptaron las siguientes resoluciones, que formarán parte de la Ley de Sueldos.

Los empleados civiles y militares que no estuvieren en servicio activo no ganarán sueldo alguno.

El empleado que por servicio de la República se inutizase, hasta el extremo de no poderse proporcionar el sustento por sí mismo, continuará percibiendo su sueldo. Muerto, por este servicio, continuará percibiendo su sueldo su viuda, mientras permanezca tal, sus hijas solteras y sus hijos solteros, menores de dieciocho años, o sus padres ancianos y sin otro apoyo; pudiendo transmitir a cualquiera de ellos ese derecho por testamento; si no lo hiciere, se seguirán las reglas de las herencias intestadas.

Los sueldos empezarán a devengarse desde el día en que se tome posesión del destino. Todo empleado que por cualquier causa se retire, recibirá de su pagador un documento en que conste lo que le adeuda la República hasta el día mismo que se separó del destino. Siempre que un empleado traspasare su crédito contra la República, deberá dar cuenta de ello a la oficina en que ha de abonarse. Ningún empleado cobrará pago por el tiempo que estuviese ausente sin licencia, a no ser que demuestres su inculpabilidad ante su superior.

Cuando un empleado civil se haya ocupado interinamente, tendrá la mitad del sueldo el propietario y la otra el interino.

Los Mayores Generales gozarán de sobresueldo cuando desempeñen la comisión de jefes militares de un Estado de todo el Ejército.

Los soldados que por servicios extraordinarios se hagan acreedores a un certificado de mérito y al sobresueldo correspondiente, empezarán a cobrarlo desde la fecha del certificado hasta que dejen de ser soldados, ya por promoción, ya porque cesen en el servicio.

El que se pasare al enemigo, pierde, en beneficio de la República, las cantidades y sueldos devengados. Y se comunica a usted para los efectos consiguientes.—P. y L. Palmas de Guáimaro, febrero 24 de 1870.

———

En sesión celebrada en el día de hoy, se adoptaron las siguientes resoluciones:

Cada cien pesos en papel moneda podrán cambiarse por bonos de igual suma al cinco por ciento anual, pagadero el interés en papel moneda y el principal en metálico, cuando los bonos de la República lo permitan.

A las propiedades, si no estuvieren deterioradas, se les fijará el precio que tenían en los momentos de estallar la Revolución. Se constituirán lotes de media caballería de tierra, no dividiendo las fincas, cuyo fraccionamiento produciría la disminución de su valor. Podrá obtenerse cada lote de finca con bonos o papel moneda en la cantidad que estuviesen valuados.

La evaluación se hará por el Ejecutivo a propuesta de los decretos de Hacienda respectivos y con aprobación de la Cámara. Y se comunica a usted para los fines consiguientes.—P. y L. Palmas de Guáimaro, 24 de febrero de 1870.

———

En sesión celebrada en el día de hoy, se resolvió autorizar a usted para una nueva emisión de tres millones de pesos en papel moneda. Y se comunica a usted para los fines, consiguientes.—P. y L. Palmas de Guáimaro, 24 de febrero de 1870.

En la sesión celebrada en el día de hoy, en recta interpretación del artículo 24, sección 3.ª, de la Ley de Organización Administrativa, la Cámara de R. R. declara que no se puede verificar incendios sin orden de un jefe de operaciones militares. Y se comunica a usted para los efectos consiguientes.—P. y L.— Palmas de Guáimaro, febrero 24 de 1870.

En sesión celebrada en el día de hoy, se adoptó la siguiente Ley:

Considerando que el Gobierno español ha confiscado y ha vendido en pública subasta los bienes de la mayor parte de los cubanos; Considerando que el producto de esos bienes constituye hoy el único recurso con que cuenta dicho Gobierno para sostener algún tiempo más su casi extinguida dominación en Cuba.

Considerando que existen a nuestro alcance propiedades de los enemigos con las que pueden compensarse en alguna parte las pérdidas de los patriotas arruinados por el Gobierno Español.

Considerando por último que al adoptar la medida objeto del presente decreto, la República no se propone el empleo de la confiscación como medida de amenaza o de castigo, sino que procede por el justo título de la represalia, en virtud de necesidades perentorias y cediendo al peso de las circunstancias: La Cámara de la República declara:

Artículo 1.—Se consideran pertenecientes a la Nación todos los bienes de los que voluntariamente hayan prestado o prestasen auxilio directo o indirecto al Gobierno español.

Id. 2.—No serán perjudicados por las consecuencias de este decreto los acreedores ni los herederos forzosos de las personas a que se refiere.

Id. adicional.—La Cámara comunicará instrucciones detalladas al Ejecutivo para la aplicación del presente decreto. Y se participa a usted para los fines consiguientes.—P. y L. Palmas de Guáimaro, febrero 24 de 1870.

———

Por cuanto las leyes preinsertas han sido sancionadas por el Ejecutivo y es procedente su promulgación para que surtan en el país los importantes resultados que de ellos se esperan.

Por tanto ordeno y mando: que se hagan públicas por este medio, de modo que lleguen a conocimiento de los habitantes de la República en general, las respeten, observen y practiquen en todas sus partes bajo las penas en caso contrario, que las leyes designan. Dado en Guáimaro, a 10 de marzo de 1870, año tercero de la Independencia.

C. M. Céspedes

De «El Diario Cubano»

Del perriódico que bajo el nombre de *El Diario Cubano,* se publica en Nueva York, recibido por correo, copiamos lo que sigue: CONVOCATORIA A UN CADAVER.—La *Gaceta Oficial* de La Habana, en un número correspondiente al mes de abril, inserta la convocatoria del Fiscal de un consejo de guerra, por el que se previene a D. José Jacinto Milanés, que en el término de ocho días se presente personalmente, en el cuartel que ocupa el Regimiento de Cazadores de la Reina, a descargarse de la culpa que le resulte por haberse publicado una composición suya, en un periódico liberal cubano, cuando la efímera libertad de imprenta.

Todo el mundo sabe que Milanés murió ha años; solamente dejan de saberlo los españoles que allí residen. ¿No demuestra ésto que los españoles son extranjeros en la tierra de que dicen ser señores?

Y no será extraño que el día menos pensado citen también a Heredia, a D. Jose de la Luz, al padre Varela y hasta el mismo padre de las Casas y al cacique Hatuey.

No será extraño tampoco que el Fiscal se amostace al saber que ha convocado a un cadáver; y como el Consejo de Guerra ve desvanecida la esperanza que abrigaba de dar tormento al distinguido poeta, es casi seguro que para consolarse decretará el embargo de los bienes que le pertenecieron en vida.

¡Oh, españoles…!

«La Revolución»

De *La Revolución,* de Nueva York, llega a nuestras manos el siguiente escrito.

DOMINGO GOICURIA

Más de veinte años hacía que este distinguido patriota estaba ocupado sin cesar de la suerte de Cuba, y de entonces acá, ocasión alguna no se ha presentado en que dejase de aprovechar cualquier circunstancia favorable para demostrar la fe de sus principios republicanos.

La idea de la libertad de la patria le acompañó siempre,

desde los días de su primera juventud, y podrá decirse de él
todo lo que se quiera, menos que hubiese olvidado jamás sus
deberes de buen cubano; era uno de los soldados infatigables
de esta gran cruzada, que viene peleando contra el despotismo
español en la reina de las Antillas; fue uno de los creyentes
que supieron llevar en su pecho el fuego de una religión por
la cual se están sacrificando a centenares sus hermanos en la
democracia.

Ya en 1848 conspiraba con el ilustre general Narciso López,
y de 1850 a 1851 aparece en la escena tomando parte activa en
aquellos movimientos. Al embarcarse López para el extranjero,
quedó Goicuría en La Habana, preparando un plan de levantamiento en el Occidente de la Isla, que, en combinación con los
trabajos políticos de Camagüey tenía por objeto apoyar la insurrección que simultáneamente debía de haber estremecido el
país por varios puntos; pero, descubierta la trama pudo en suerte
Goicuría escapar al extranjero, y desde allí prosiguió en su
laboriosa tarea incorporándose a las asociaciones políticas que los
cubanos de aquella época establecieron en los Estados Unidos.

La Junta Cubana de Nueva York, organizó bajo el mando
del general Quitman, una expedición, que auxiliada con grandes
sumas de dinero cubano, había tomado proporciones considerables, y debía iniciar en nuestra Isla una guerra, en cuyo programa
estaba como propósito esencial poner a nuestro pueblo la bandera estrellada del Norte América, Goicuría fue uno de los más
consagrados a la obra, y consiguió un buen nombre entre sus
compatriotas por su perseverancia y porque iba a ser uno de
los jefes de este cuerpo, que se deshizo, al fin, a causa de equi-
vocados manejos, que de momento no tenemos para qué exa-
minar. Fracasado el proyecto, perdido el dinero, y mal enca-
minados en lo general los planes políticos, quedó limitado el
movimiento a inútiles esfuerzos que se fueron debilitando poco
a poco, hasta traer la postración que se debió a las exitaciones
de los años que del 66 a la fecha ha sumado la guerra de nuestra
independencia. Goicuría no desmayó por las desgracias, y continuó por la senda que él y otros inflexibles se habían trazado,
de no transigir nunca ni por ningún motivo con los tiranos de
la Patria. Proclamadas las amnistías de la ex-reina Isabel, algunos las aprovecharon y volvieron a Cuba, pero Goicuría des-
preció el perdón, y es digno de recordarse aquí que, pudiendo
penetrar en la Isla, estuvo varias veces en el puerto de La
Habana, y no bajó a tierra, aunque en cierta ocasión el general

Concha mandó con un ayudante suyo a manifestarle que tenía toda clase de seguridades para quedarse en la ciudad.—«Lo sé —contestó Goicuría— pero, habiendo prometido no volver a mi patria sino con las armas en la mano, sabré cumplir con mi juramento.» Efectivamente pertenecía a la Junta Cubana, que solemnemente había dicho en público que ninguno de sus miembros pisaría el suelo de Cuba, esclava, y él, como sus compañeros, con excepción de uno solo, han llenado doblemente este deber.

Después de unos cuantos años de trabajos revolucionarios, aparece Goicuría con Walker en Nicaragua, y aunque este caso no le favorece como hombre político, ni al parecer como buen americano, es de advertirse que entró en aquel proyecto porque era su pensamiento dirigirse desde Centroamérica con una expedición a Cuba, y realizar el deseo de toda su vida, en lo cual se equivocó no sólo por el medio escogido, cuanto por no contar con preparativos aceptados en la Isla.

Más tarde lo vemos en Antón Lizardo favoreciendo la causa del partido liberal de Méjico, en contra de Miramón; y a poco de esto, arreglando una expedición por Tamaulipas, que no pudo consolidar, y que abortó. Retirado al Brasil, andaba por allá soñando con la patria cuando llegaron a sus oídos rumores confusos del levantamiento de Yara, el 10 de octubre de 1868, y dejando familia, intereses y comodidades, se presentó en Nueva York a mediados de Enero de 1869, acompañado de su hijo, para saber lo que pasaba y entrar en la lucha. Mandó a su hijo que era un hermoso joven y un valiente, a cumplir con su deber, y permaneció en Nueva York arreglando una expedición, que fue la del *Katherine Wing,* la cual fracasó. Siguióse a ésta la del *Lillian,* y nuestros lectores saben su fin desastroso. Trasladados a Nassau, y al cabo de tantos años de fatiga y tropiezos, se embarcó en una goleta con varios jóvenes, y llegó a Cuba Libre, donde al siguiente día tuvo un encuentro con el enemigo y se batió con gran denuedo. Lo que sabemos después, es que venía para el extranjero, y detenido en un cayo dejó en la embarcación ciertos papeles que sorprendió el enemigo, por los cuales fue descubierto su paradero, y, aprehendido en breve se le condujo a La Habana, donde se le sentenció a muerte y se le dio garrote en presencia de una multitud, a las 8 de la mañana de anteayer, 7 de mayo. Goicuría, como todos los cubanos que han perecido en el garrote, subió con paso firme las gradas del cadalso, y afrontó con valor su destino, sacrificándose por la causa de la patria a la cual ya antes había sacrificado su juventud, su reposo, sus riquezs y su hijo muy amado. Era hombre de corazón generoso, de verdadero patriotismo y de incuestionable rectitud de principios, y la noticia de su fin trágico, que se sigue a la de su hijo, irá a atormentar dolorosamente a dos hijas y una esposa que deja en Río Janeiro, a quienes damos el pésame por una pérdida, que con ellas, lamentan también todos sus conciudadanos.

«El Diario Cubano»

Llega a nuestras manos este periódico y copiamos:
LOS TELEGRAMAS DE HOY.—Siempre se paga al verdugo el trabajo de sus ejecuciones, y por eso el español, que puede ser perezoso para el bien, pero que es sumamente activo para todo lo malo, se apresura a recompensar con dinero y otros objetos de valor a los verdugos del pobre anciano compatriota nuestro.

Y los miserables sicarios tomaron ese dinero, y lo emplearon en báquicas embriagueces, probando una vez más, que no es la cuestión de Cuba para ellos cuestión de patriotismo, ni de dignidad, ni de principios, sino simplemente un negocio como cualquiera otro, y que habrían hasta vendido a Goicuría la libertad, si el desgraciado mártir hubiese tenido con qué comprársela en el nefando islote de Guajaba.

El dolor de muerte de la víctima ha encontrado eco en toda la Isla —como fuera de ella— pero ha resonado de manera muy distinta, según los corazones que lo han recibido.

En los españoles, predestinados para el odio, ha producido una alegría salvaje. Oíamos hablar en nuestra niñez del infierno de los católicos, donde la llegada de cada nueva alma despertaba un regocijo satánico entre todas las furias. Un espectáculo igual acaban de presentar los españoles: Goicuría fue la víctima; Cuba, el infierno, y ellos los espíritus de la perversidad: afortunadamente, nuestro compatriota no hizo más que pasar por su lado: los vio, los oyó, los maldijo, los perdonó tal vez, y arrebatándoles la parte más noble de sí mismo, sólo les dejó un cadáver.

En los corazones cubanos... ¿a qué decir lo pasado, ti todos lo estamos sintiendo todavía? El enemigo conoce bien nuestro dolor, y cree burlarlo impunemente. Hace bien: así se justificarán más y más nuestras sangrientas represalias.

24

«El Diario Cubano»

PARTES Oficiales.—Continuamos reproduciendo lo que encontramos en *El Cubano Libre*.

BOLETIN DE LA GUERRA.—Extractos hechos por la Secretaría de la Guerra.

El mayor general Máximo Gómez, con fecha 22 de enero, comunica de Mejías lo siguiente:

Después del movimiento operado por el enemigo sobre esta línea y del que di cuenta con fecha 15 del actual, han tenido lugar otros no menos importantes. Una columna procedente de la jurisdicción de Cuba, de más de 1.000 hombres ha avanzado sobre ésta, ocupando a Barajagua; avisos oportunos me hicieron preparar fuerzas sobre este punto, y en la mañana del 19 le salimos al encuentro defendiendo nuestras posiciones mientras nos fue posible, atendida la escasez de pertrechos con que me encontraba en aquel momento.

Penetrado de que esta columna se iba a dividir y en su mayor parte dirigirse a Holguín, dispuse escalonar la mayor fuerza posible por el camino donde debía emprender su marcha, dejando el resto hostilizando sobre Barajagua.

En la mañana del 21, emprendió su marcha una parte de la columna enemiga que fue atacada desde su salida hasta los Haticos, último punto de nuestros campamentos; no habiéndoles permitido hacer alto ni un momento nuestro continuo fuego y obligándole a hacer una marcha, en ese mismo día, de más de once leguas, dejando varios muertos y heridos que a su paso quemaban, poniéndolos dentro de las casas del camino que incendiaban.

Por nuestra parte no hemos tenido más pérdida que la de seis muertos y diez heridos, algunos de gravedad, figurando entre los primeros el valiente comandante Fernando Toro. Hoy marcho sobre las fuerzas enemigas acampadas en Barajagua.

Debo manifestar a usted, que durante todos estos días de continuos combates con el enemigo se han portado con bastante decisión y valor los ciudadanos, brigadier Calixto García, comandante José Vázquez y demás oficiales subalternos, distinguiéndose entre estos el capitán Jacinto Durant .

———

El mayor general Julio G. de Peralta, con objeto de tomar
la iniciativa sobre el enemigo, ordenó con fecha 12 al capitán
Cornelio de Rojas, avanzara sobre el Yareyal para que practicara
un reconocimiento entre este punto y Holguín, y al dirigirse al
lugar indicado, tuvo un encuentro con el enemigo a media legua
del Yareyal, en el cual logró hacerle un prisionero, y tomarle
seis caballos, obligándole a retirarse precipitadamente a sus trincheras.

Con fecha 13, he dado orden al coronel Loreto Vasallo para
que con cien hombres pasara a Maniabón e incendiara al enemigo
San Manuel, y al comandante José Martínez, para que con 50
hombres marche sobre Managuaco y asalte aquella trinchera, la
cual, según noticias, se encontraba un tanto débil.

———

El ciudadano jefe de Estado Mayor general Thomas Jordan,
con fecha 29 de Enero, comunica lo siguiente:

La imposibilidad de estar en un punto fijo, y las circunstancias de no tener a mano los medios de despachar, me han
impedido comunicar a ese Gobierno los últimos acontecimientos:
me apresuro a hacerlo ahora lo más brevemente posible, en la
necesidad de moverme en que me encuentro, por razones del
Gobierno conocidas.

El enemigo pernoctó en Sabanilla y a las doce y tres cuartos
de la mañana del siguiente día 26, se presentó ante la trinchera,
cuya existencia evidentemente no sospechaba, hacia la cual avanzó confiado, pues aún después de verla, su construcción especial debió hacerle creer que era una fortificación empezada y
abandonada a medio hacer.

Un tiro escapado de los nuestros le dio la alarma, y envió
entonces guerrillas de flanqueo por dentro del monte, al mismo
tiempo que rompimos del frente un fuego nutrido y sostenido
de rifles y artillería, que hizo grande y visible estrago y puso
a la cabeza de la columna enemiga en violenta retirada. Se gene-
ralizó entonces el fuego en toda nuestra línea, pues ya las guerrillas habían llegado a los flancos; hubiéramos rechazado posi-
tivamente al enemigo o hubiéramos consumido el último cartu-
cho, a no haber sido que una fuerza de Vuelta Abajo, presa de
inexplicable pánico, abandonó la posición que ocupaba en el
ala izquierda de la trinchera por donde el enemigo cargó con
brío viendo que debilitaba la posición, asaltó la trinchera, ha-

ciendo necesaria la retirada, que se efectuó por nuestro flanco derecho.

No tuvimos más que cuatro bajas: tres muertos y un herido mortalmente; uno de los primeros, el valiente capitán Emilio Pérez, de las fuerzas del teniente coronel López Recio, derribado de un balazo en el cráneo, a boca de jarro, pérdida en extremo sensible.

Calculo en muy cerca de 200 las bajas que el enemigo tuvo, pues no solo sufrió a mi vista muchas en el frente, y las tuvo en las guerrillas, sino que los siete disparos de nuestra artillería, llevaron la destrucción hasta el mismo centro de la columna, habiéndose encontrado señales evidentes de ello a gran distancia de la trinchera. El enemigo volvió a dividirse en dos columnas, siguiendo una por el camino real y otra por el camino de la Vega.

Este era mi deseo para atacar una y destruirla; pero, por una parte nuestras tropas estaban sumamente fatigadas de un mes de activas operaciones, y falta de buena alimentación, y por otra, una falsa alarma que tuvo lugar en la Matilde, las había un tanto desmoralizado, por lo cual, y siguiendo las excitaciones de casi todos los jefes, decidí no intentar el ataque, limitándome a hacer vigilar sus movimientos hasta que, habiéndose reunido de nuevo el enemigo, marchó a la ciudad.

Al coronel B. Bobadilla, jefe de la fuerza que abandonó sin motivo la trinchera, se le ha pedido un juicio y lo tendrá.

El brigadier C. Porro, ha atacado anteayer a una pequeña fuerza enemiga que salió por la línea y vino hasta Santa Margarita, causándole algún daño.

«EL DIARIO CUBANO»

Copiamos de El Diario Cubano, que se nos remite, lo que sigue: —UN APRECIABLE AMIGO NUESTRO:

Un apreciable amigo de estos que tienen paciencia para «leer» —«desde la cruz a la fecha»— los periódicos españoles, sin encontrar un obstáculo en su insoportable aridez, ha tomado nota con curiosidad suma, de los epítetos que nos han, generosamente, donado nuestros enemigos, y en forma alfabética, lo remite para su publicación en el Diario.

Es un trabajo que más de una vez excita a risa, y que a nadie ridiculiza más que a los mismos que nos han bautizado tantas veces y con tantos nombres diferentes.

Para otro día reservamos la lista hecha por el mismo amigo, de los altisonantes calificativos que a sí propios se han dado los españoles. He aquí el que nos ocupa ahora: Nombres que han dados los españoles a los patriotas cubanos.

A

Alevosos.
Animales.
Anti-españoles.
Aprendices revolucionarios.
Arrastrados.

Asesinos.
Asquerosos.
Aventureros.
Aves de rapiña.

B

Badulaques.
Bajos.
Bandidos.
Bandoleros.
Bárbaros.
Bienechores de Cuba.

Bobos.
Bribones.
Briganderos.
Borrachos.
Brutos.

C

Cabecillas.
Cacos.
Caballeros de tea y puñal.
Cafres.
Caínes.
Calasimbos.
Calumniadores.
Canallas.
Cándidos.
Caníbales.
Caudillos.
Cimarrones opulentos.

Carniceros.
Cobardes.
Conejos.
Corredores.
Corifeos.
Crapulosos.
Crueles.
Cuadrilleros.
Comunistas de manigua.
Cuatreros.
Criminales.

CH

Chusma.

Chacales.

D

Despreciables.
Desvastadores.
Descamisados.
Destructores.

Desengañados.
Delirantes.
Difamadores.
Descarados.

E

Enemigos del orden.
Enemigos de la felicidad.
Enemigos de la riqueza.
Extraviados.

Estafadores.
Enmascarados.
Embargados.
Encarcelados.

F

Falsificadores.
Famosos libertadores.
Fanfarrones.
Faranduleros.
Faroleros.

Fieras.
Fieras selváticas.
Filibusteros.
Foragidos.
Fusilados.

G

Galgos.
Gallinas.

Gatos.

H

Hambrientos.
Haraposos.
Héroes de salón.
Héroes de teatro.

Hijos espúreos.
Hipócritas.
Humanitarios libertadores.
Huídos.

I

Idólatras.
Ignorantes.
Ilustres.
Ilustres patriotas.
Insurrectos.
Infames.
Incendiarios.
Ilusos.
Inícuos.

Infelices.
Infieles.
Inventadores.
Insurgentes.
Intrusos.
Injustos.
Incapaces.
Insulares torcidos.
Imbéciles.

J

Jactanciosos.
Junteros.

Judas.
Juyuyos.

K

Ku-kuses.

L

Ladrones.   Libelistas.
Latro-facciosos.   Liebres.
Latro-ladrones.   Libertadores de Cuba.
Laborantes.

M

Malhechores.   Meleliadores.
Malvados.   Miserables.
Maricones.   Mentirosos.
Manigüeros.   Montaraces.
Mambises.   Montunos.

N

Neo judíos.   Nuliadades.
Novatos.

O

Obcecados.   Ojalateros.
Obligados.   Olvidadizos.
Obtusos.   Osados.

P

Pájaros.   Perturbadores.
Patrioteros.   Pepsipistas.
Palucheros.   Piratas.
Pasteleros.   Plantilleros.
Patriotas de manigua.   Pillos.
Pájaros de mal agüero.   Pistonudos.
Patricidas.   Protestantes.
Perversos.   Pregonados.

Q

Quebrados.   Quídanes.

R

Rateros.
Rastreros.
Ratones de manigua.
Relajados.
Rebeldes.

Relámpagos.
Ridículos.
Renegados.
Reprobados.
Reos de la nación.

S

Salvajes.
Salteadores.
Saqueadores.
Secuaces.
Sicarios.

Simpatizados.
Sinvergüenzas.
Soberbios.
Sublevados.
Suripantas (las mujeres).

T

Temerarios.
Traidores.
Trastornadores del orden
    público.

Tramposos.
Turbulentos.
Tunos.

U

Ultrajadores.

Urdidores.

V

Vándalos.
Vandálicos libertadores.
Villanos.
Viles.
Víboras.

Velocípedos.
Viciosos.
Victimarios.
Vilipendiosos.

X

Xarros.

Z

Zarrapastrosos.

Bendición de bandera

(Jueves, 26 de mayo, día de la Ascensión).—En la Catedral, bendición y jura de la bandera del Primer Batallón de Voluntarios, con asistencia del Gobernador interino y demás autoridades civiles y militares. Actuó de padrino el acaudalado comerciante D. Roque Núñez, capitán del mismo batallón, y de madrina la Srta. D.ª Josefa Norma y de las Cuevas. Bendijo la enseña el deán D. Manuel José Miura y Caballero y el sermón estuvo a cargo del medio racionero, Lic. D. Eduardo de Lecanda y Mendieta, capellán de dicho batallón.

La guerra en Oriente

Sale de Mayarí una columna al mando del teniente coronel graduado, D. Lorenzo Maestre, con dirección a Pinalito, y ataca las fuertes trincheras del campamento insurrecto de Donato Mármol, huyendo los foragidos, fusilando a 14, e hiriendo en la cabeza a Mármol; todo según la prensa española.

Fusilado

D. Carlos María Delgado es fusilado en Mayarí.

El coronel de Infantería de Marina, D. Emilio Calleja, con 180 hombres ataca a los insurrectos en Loma del Gato y Loma Veranes, derrotándolos completamente, cuasándoles 5 muertos.

Vapor francés

El capitán del vapor mercante francés fondeado en la bahía, se niega a recibir a su bordo a los agentes de policía durante su permanencia en el puerto.

Cuverville

El cónsul de Francia, Monsieur de Cuverville, es obsequiado con un banquete por su enérgica actuación.

Caricatura

Un periódico integrista publica lo siguiente que copiamos íntegro:

«Se propala en la ciudad, anónimamente, traída de Jamaica por el vapor francés, una caricatura simbólica que representa a la Libertad, cubierta con el gorro frigio y vestida de la bandera insurrecta cubana empuñando en la mano derecha una espada con la cual va desplumando un gallo que representa a España, cuyas alas y plumas, rotuladas Portugal, Flandes, Nápoles, Perú, Méjico, Chile, etc., andan esparcidas por el suelo, mientras que el desplumado gallo, con el pico abierto, alarga el pescueza hacia dos talegas rotuladas MORALIDAD, JUSTICIA, obra de los bandidos simpatizadores de la causa del tizón que abandonan sus casas y afecciones por huir de los VOLUNTARIOS.»

Presos

Son remitidos a la capital los presos políticos D. Joaquín Verdecia, Pedro Casulo y Fernando Ramírez.

Duany

Se niega la prórroga de un año más de licencia que solicita el regidor perpetuo, D. Andrés Duany, conde de Duany, dándosele de baja definitivamente.

Martínez Rodríguez

Se concede una pensión vitalicia de 30 pesos mensuales, al anciano profesor de instrucción pública D. Vicente Martínez Rodríguez.

Jura de una bandera

(Domingo, 5 de Junio).—Se celebran festejos con motivo de la jura de la bandera del 2.º Batallón de Voluntarios: diana a las cinco de la mañana por las calles de la población, ejecutada por la música y banda de tambores de dicho batallón; misa de campaña en la Alameda y jura de la bandera, amenizando el acto las dos bandas de músicas de los batallones 1.º y 2.º; desfile del batallón, retirada al campamento atrincherado preparado al efecto y desayuno; retirada al cuartel del Instituto, y por la noche baile dado por los jefes y oficiales en la Sociedad Filarmónica Cubana.

Merelo

(5 de junio).—Llega a esta ciudad y se hace cargo de los mandos civil y militar, el brigadier D. José Merelo y Calvo; cesando en los mismos el coronel de Artillería, D. Juan Ojeda.

Pérez Galdós

(10 de junio).—Toma posesión del cargo de Jefe de E. M. de la Comandancia General el teniente coronel graduado, comandante del mismo cuerpo, D. Ignacio Pérez Galdós.

Bueno y Blanco

(11 de junio).—El brigadier Merelo nombra ayudante de campo suyo, al alférez de la 7.ª compañía del 2.º Batallón de Voluntarios, D. Gustavo Bueno y Blanco, hermano político suyo.

Libertad

Promulgación del decreto de la Regencia, declarando libre los hijos de madres esclavas que nacieran desde la fecha del decreto. Primer paso para la abolición de la esclavitud.

Punta Lucrecia

Vuelve a encenderse el faro de Punta Lucrecia, en Gibara.

«El Diario Cubano»

Se nos remite.—Nombres con que se han calificado a sí mismos los españoles.—He aquí la segunda lista que un amigo nos ha remitido, según dijimos el jueves pasado al publicar la primera lista.

A

Amantísimos.	Amantes.
Amantes del orden.	Atentos.
Arrojados.	Amables.
Amorosos.	Afortunados.
Aguerridos.	Amigos del orden.

B

Bravos.	Bondadosos.
Buenos.	Bizarros.

C

Caritativos.
Compasivos.
Combatientes.
Consecuentes.
Conservadores.

Cariñosos.
Constantes.
Contribuyentes.
Celosos.

D

Decididos.
Desprendidos.
Disciplinados.
Descendientes de Pelayo.
Descendientes de los
   Guzmanes.

Defensores del orden.
Denodados.
Dignos.
Descendientes del Cid.
Defensores de la honra.

E

Entusiastas.

F

Famosos.
Forzudos.
Frugales.

Fuertes.
Fieles.
Festivos.

G

Guerreros.

Generosos.

H

Honestos.
Hidalgos.
Hércules.
Hombres de bien.

Humanitarios.
Heroicos.
Humildes.

I

Inexpugnables.
Intrépidos.
Ilustrados.
Infatigables.
Instruidos.
Invictos.
Inocentes.

Invencibles.
Insignes.
Inmortales.
Inexorables.
Incansables.
Inofensivos.

J

Jocosos.

L

Leones.   Leoncillos.
Leoncejos.   Liberales.
Leales.

M

Mártires.   Modestos.

N

Nobles.

O

Obedientes.

P

Prudentes.   Pundorosos.
Pujantes.   Patriotas.
Púdicos.   Pacientes.
Pacíficos.   Pacificadores.

R

Respetuosos.

S

Sobrehumanos.   Salvadores.
Semidioses.   Sobrios.
Sufridos.   Sentimentales.

T

Temibles.   Terribles.

U

Unidos.   Uniformados.

V

Valientes.   Valerosos.

«La Revolución»

Copiamos del periódico insurrecto *La Revolución,* publicado en Nueva York, y llegado a esta ciudad.

LAS ATROCIDADES QUE HA COMETIDO EL BARBARO BOET

Las atrocidades que ha cometido el bárbaro Boet en la juris-dicción de Santiago de Cuba, son de aquéllas de las que apenas puede uno formarse idea. Este hombre fue el que dio de palos e hizo fusilar a 21 ciudadanos de Santiago de Cuba en el camino de Jiguaní, y el mismo que a los pocos días cometió el hecho terrible que vamos a referir.

Habiendo hecho prisioneros a dos hermanos, dispuso que fuesen pasados por las armas, pero el mayor de ellos le suplicó que le hiciese ejecutar antes que el otro para no tener la pena de ver morir a su hermano. —No tendrá usted esa pena —le contestó Boet— voy a evitarle ese disgusto. ¡Ea, que venga uno acá y le saque los ojos a este hombre! —Y la orden se llevó a efecto. Este Boet llegó una vez a un rancho y hallando en él a una joven con un niño en los brazos, que acababa de dar a luz, la mandó ponerse inmediatamente en camino en la situación en que se hallaba, y la hizo marchar con la columna, para po-nerse al servicio de los soldados.

Al llegar a Matanzas el 26, los Voluntarios le hicieron pasar bajo arcos triunfales, porque, como dice *La Aurora:* «éste ha sido uno de los españoles que han entendido verdaderamente el modo de acabar con la insurrección».

El modo que ha empleado ha sido el de matar como lo ha efectuado por Santiago, Guantánamo, Holguín y Jinguaní.

ARTEAGA

Sale desterrano de la Isla de Cuba, por sentencia de un consejo de guerra, el presbítero, natural de Puerto Príncipe, D. Ricardo Arteaga y Montejo, denunciado como infidente por un sermón que predicó en la iglesia de San Francisco, de esta ciudad. En el sermón llamó a la Virgen de la Caridad: «Estrella Solitaria» y habló de los colores rojo, azul y blanco. La bandera cubana tiene una estrella solitaria y fajas blancas y azules y las suspicacia de las pasiones desencadenadas en una lucha fraticida exageró el sentido y significado de la frase. Se hallaba en esta ciudad extrañado de su curato de San Miguel de Bagá, por el mariscal de campo D. Eusebio Puello y Castro, gobernador civil y comandante general de Puerto Príncipe, por otro sermón que predicó en Nuevitas y por la constante comunicación con los mambises.

GÓMEZ

(18 de junio).—Es nombrado comandante del 2.º Batallón de Voluntarios D. Manuel Gómez.

FALLECIMIENTO

(20 de junio).—Muere el alférez del 1er. Batallón de Voluntarios D. Francisco Ill. A las cuatro de la tarde se verifican sus exequias en el templo de San Francisco, y le tributa los honores militares un piquete con la música de su batallón.

SERENATA

Los oficiales de los cuerpos de Voluntarios ofrecen una serenata al brigadier D. Baltasar Hidalgo, recién llegado a esta ciudad. Igualmente dan otra serenata al coronel graduado, comandante del Batallón Cazadores Voluntarios de Matanzas, D. Mariano Quesada y Quintana, y otra a D. Antonio Norma y Lamas, coronel del Primer Batallón de Voluntarios.

CORPUS CHRISTI

Se celebra la festividad del *Corpus Christi* con la procesión de costumbre, que se había suprimido en año anterior. Cubren la línea voluntarios y bomberos.

Sociedad Filarmónica

La Sociedad Filarmónica, abre de nuevo sus salones, después de haber estado cerrados dos años, ofreciendo un lucido baile.

Cable

Se da comienzo a los trabajos para la estación del cable submarino, colocándose los postes para el alambre terrestre que habrá de enlazarse con el cable, el cual será sacado a tierra en un punto de nuestra bahía cerca de Punta Blanca.

Serenata

Son obsequiados con serenatas, por los Voluntarios, el brigadier D. Carlos Detenre, y el coronel D. Francisco Fernández Torrero.

Cuádruple ejecución

Se publica la siguiente:

«Adición a la Orden de la Plaza de Santiago de Cuba, de 22 de junio de 1870.—Debiendo ser pasados por las armas los paisanos D. Jenaro Hijuelo, D. Benito Carnucho, D. José María Arredondo y D. Eustaquio Chaveco, por el delito de infidencia y asesinatos cometidos en Mayarí, serán puestos en capilla a las doce de la noche de hoy, para cuyo acto se nombrarán 25 hombres con un oficial y uno de banda del 1er. Batallón de Voluntarios que darán la escolta de los reos. El cuadro lo formarán a las seis y media en punto dos compañías de cada batallón de Voluntarios, la fuerza armada de Bomberos y el escuadrón de Caballería de esta plaza, a las órdenes del Sr. coronel de Cuba D. Jacobo Araoz, con su ayudante, que mandará el cuadro. Los capellanes del Morro, Cuba, Cárcel y de los batallones de Voluntarios, se hallarán a las once y media en punto en la Cárcel y alternarán entre sí para auxiliar a los reos. Lo que de orden de S. E. se comunica en la de este día para su conocimiento. El Teniente Coronel, Capitán, Sargento Mayor interino.

Benito Alvarez Cora

Al siguiente día 23, como estaba dispuesto, fueron pasados por las armas en la explanada del Matadero. Se les acusó también de haber estado en connivencia por la partida del feroz isleño Monzón.

CERVERÓ

(26 de junio).—A las cuatro y media de la tarde, se efectúa en el templo de San Francisco el servicio funeral por el alma del comandante graduado, capitán D. Antonio Gómez Cerveró «muerto gloriosamente en acción de guerra», según rezan los papeles públicos y oficiales. El cadáver quedó depositado en la misma iglesia hasta las cinco y media de la tarde del siguiente día en que fue conducido al vapor que lo trasladó a Guantánamo, con escolta de un oficial y 25 hombres de Voluntarios y comisiones representativas de todas las compañías de dicho instituto, a cuya ciudad llegó el 27 y en donde fue sepultado definitivamente.

FALLECIMIENTO

(29 de junio).—A las ocho de la mañana, se verifica el entierro del teniente coronel graduado, comandante retirado don Francisco Moreno y Pérez, fallecido el día anterior. El batallón de Bomberos le tributó los honores de Ordenanza.

BOMBEROS

Salen para relevar los destacamentos del Morro, Cayo Ratones, Punta de Sal y Cabañas las correspondientes fuerzas de Bomberos, que hace algún tiempo están prestando esos servicios.

CUVERVILLE

Los franceses residentes en Santiago de Cuba, obsequian con un banquete al nuevo cónsul de su nación Monsieur Cuverville. Asistieron varios cónsules extranjeros y algunas autoridades y funcionarios españoles.

MAMARRACHOS

Se celebra el Carnaval cubano, mamarrachos, con bastante animación viéndose en las calles músicas, tangos, *tumbas,* etc., y

25

celebrándose buen número de bailes de todos colores y condiciones.

BOET

El diario integrista intransigente, *La Bandera Española,* dedica los párrafos siguientes al implacable jefe de guerrillas Boet, que dejó tras sí un rastro de lágrimas y de sangre:

«La ausencia del Sr. González Boet es indefinida y sabe Dios si volveremos a estrechar en Cuba la mano de ese apreciable amigo, que tantos recuerdos deja entre nosotros. El Sr. Boet es uno de los jefes que mejor ha comprendido la clase de guerra en que nos hallamos empeñados y el mejor sistema de perseguir al enemigo, y sobre todo, el medio más eficaz de combatir la insurrección en su raíz.

Es innegable que la insurrección armada no existiría sin el auxilio oculto del laborantismo que la alimenta, tanto en el orden moral como con recursos materiales; y en éste concepto el objeto, mejor diríamos, la misión, de un jefe de columna ilustrado y sagaz, no debiera limitarse a perseguir las bandas enemigas, atacarlas, vencerlas y ponerlas en derrota; mucho más eficaz es, en la cuestión que nos ocupa, sorprender sus secretos, poner a su doblez e hipocresía el trabajo de contramina, buscar los lugares en que se oculta y las fuentes que le nutren, combatirla, en fin, en sus bases, destruyendo esos elementos de vida que con tan siniestros fines propenden a prolongar la lucha...»

JULIO 1870

PRESO

(Julio).—Es trasladado a La Habana el preso político Ladislao Sánchez.

DEFUNCIÓN

(3 de julio).—Fallecimiento del capitán del Batallón Cazadores de Reus, D. Francisco Seoane y Seoane, que fue sepultado a las siete de la mañana del siguiente día. El 1er. Batallón de Voluntarios con su música le hizo los honores militares. Murió a consecuencia de heridas recibidas en la acción de «La Ceiba».

Monedas extranjeras

Enterado el Gobernador Civil, que los comerciantes de esta ciudad, y algunos particulares, sólo aceptan monedas de oro de las repúblicas hispanoamericanas con un descuento mayor o menor, según su voluntad, dispone que tanto en el comercio como en las oficinas sea obligatoria la admisión de dichas monedas, las onzas por el valor de 16 pesos, las medias onzas por 8 pesos, cuatro el doblón y dos el escudo, siempre que reúnan las condiciones de ley y peso.

«La Revolución»

Correspondencia de *La Revolución*.—Por el vapor correo *Morro Castle*.—La Habana, 2 de julio de 1870.

Al amigo Tenicú:

¿Dónde estará Mozo Viejo? —me preguntaba yo al leer las relaciones cacareadas de la captura de las expediciones del *Upton.* —¿Dónde estabas valentísimo Mozo Viejo, tú que en la península del Ramón en otros tiempos cuando Santiago Apóstol quería, supiste, a la cabeza de una recua de bizarros apresar todo el cargamento del *Perit,* que esto no obstante, llegó todo a poder de los patriotas? —Mozo Viejo valerosísimo, tú mereciste en justo premio de tus hazañas y heroicidades, que la Sibila (1) del Apostadero hasta las nubes te encumbrara, trepándose *velis nolis,* sobre el obelisco de la Cabaña, al nivel del sargento Carrasco, y casi tan alto como Calvo el gran ciudadano de carne negra. Mozo Viejo imponderable, tú que arrancaste entre un ajo y otro ajo, rugidos a la trompa del benemérito difunto? ¿Cómo así dejaste, consentiste, permitiste, que otra frente ciñera lauros que a la tuya de derecho se debían? ¡Menguado! Te retiraste antes de tiempo de la escena; nada obtuviste en la gran lotería permanente de cruces, empleos, ascensos y promociones; y ahora *¿quid faciendo?* Sentado en tu obelisco, Mozo Viejo, medita y filosofa. Piensa en la instabilidad de las cosas humanas, mientras D. Aurelio López del Campo, capitán del partido de Velasco, recoge en paz la cosecha de glorias que ser debieran tuyas.

Porque, en otro estilo, es, que D. Aurelio, al frente de veinte y tantos voluntarios, se apoderó de todo el cargamento, según

(1) Se refiere al Contralmirante D. Manuel Sibila, comandante general del Apostadero.—*Barrera.*

El Diario de la Marina, aunque según la *Voz* dice que lo cogido fue la lista de los efectos: poca diferencia hay entre coger la lista y coger el *listado.*

Lo más particular del cuento es que el *Upton* había desembarcado gran parte de su cargamento en otro lugar, y que los godos se habían apoderado de lo descargado: eso no importa: D. Aurelio apresó en La Herradura todo lo que el *Upton* sacó de los Estados Unidos, y creo que también lo que ha de traer en lo sucesivo, Dios mediante.

Cuentan las Crónicas, en forma de soldados heridos llegados a esta capital, que lo del apresamiento ha sido para los godos una donosísima mixtificación. Como buitres hambrientos sobre un cadáver, se arrojaron ellos sobre las cajas que vieron abandonadas en la playa. —«Esta ocasión no nos dirán que mentimos»— corrieron, y con música guerrera, y bélico aparato, banderas desplegadas y tambor batiente entraron en poblado, y a los pies del invicto Pacificador —tomo 2.º— depusieron los cajones.

> ¡Viva España con honra! El aire atruena
> Este grito imposible, los gorriones
> Frenéticos, desclavan los cajones.
> Y descubren en ellos ¡triste pena!
> Guijarros toscos y menuda arena.
> ¡Por el saco de Cádiz! ¿qué es aquésto?
> Exclama el General ardiente en ira:
> Y responde mi burro: —«No me admira
> Este ardid laborante: manifiesto,
> Por el honor de España «que protesto».

II

AYUNTAMIENTO, FECUNDACION Y PACTO

Errare humanum, etc., en romance: a cualquiera se le da un gatazo. ¡Y qué gatazo! Mayúsculo y prieto y rabudo, fue el que a todos nos dio la melindrosa D.ª Desideria. Al cabo de sus años miles, de sus cien maridos, crió la vieja verde un vientre casi tan redondo y voluminoso como el de D. Blas Pipote. No se descuidó D. Gil, y hay que convenir en que «tiene estómago». Sospechan algunos maliciosos que hubo magia de por medio, o cuando menos, algún ungüento de invención culcufrana. Los prudentes piensan que no ha habido gatuperio. D. Gil es padre postizo, editor responsable, Ruiz de León está al frente de la *Voz* de aquel Gil Gelpí que figurando como comparsa y los dos Pepes despabilan las luces.

> Y yo, señores, pregunto,
> ¿Qué engendró, si bien se piensa,
> Ha de salir de la Prensa,
> Y de la «voz del difunto»?

III

¿Qué ha de salir sino un periódico español por los cuatro costados? Español, sí, vive Cristo, tan español como el Colegio de Santiago Apóstol, en el que españolizan a los alumnos, se les uniforma, no se les enseña más que religión por Ripalda y el padre Claret, historia de España, geografía de España, y al entrar en clase, y al salir de clase se les obliga a gritar tres veces ¡Viva España! Pues así, y con todo eso, déjeles usted que crezcan y ya veremos «si cojen o no manigua».

IV

LA GRAN CAMPAÑA CONTRA JESUS DEL SOL

Más de tres mil hombres salieron de Matanzas, Cárdenas, Colón, Güines y Cienfuegos contra el ya célebre jefe cienfueguero.

Cacarearon la expedición más que su primer huevo una pollona: fueron, volvieron y ¿qué hicieron? Asesinar a cuatro o seis infelices campesinos, talar, robar y gritar ¡Viva España! es de sentirse que entre tantos bellacos no fuera ni un cronista para llenar las columnas del *Diario* con relación de espeluznantes aventuras y hazañas portentosas, como las que, en estilo de cuadra, ha solido referir el veterinario Arán y el casca liendres D. Olimpio. Pero no hay que perder la esperanza; todavía hay tiempo hasta de escribir un poema épico.

No lo leerá aquí «La segunda Cava», me explicaré: no quiero aludir a una segunda edición de aquélla que folgaba con el rey Rodrigo, del Tajo en la ribera, sino lisa y llanamente a la consorte del Segundo Cabo que marcha a la Península con la de

Rodas. Los maridos ven esto turbio y han acordado que las mujeres pongan mar de por medio. Bien pensado, porque Rodas espera para arreglar la cosa 30,000 soldados y vendrán 30,000 cuernos.

Lenguas sueltas dicen que esas matronas van en comisión para ver, si sacan de apuros al gran héroe español González Boet, que está preso en la Cabaña «por haberse averiguado que cometió por dinero» los infames asesinatos que han hecho horrible su nombre en el Departamento Oriental. Como lleven dinero asunto concluído y ¡viva España!

V

MI BURRO

No hay como la ausencia para debilitar los afectos: ejemplo, mi burro.

Ya otra vez lo dije: Gutiérrez de la Vega me lo vendió flaco, barrigón, lleno de vejigas, sobrehuesos, cañas, mataduras y mazamorras. Cuidélo, curélo, púsose rollizo y lustroso, tan galán y flamante que parecía gente; enviélo a Camaüey, recomendélo a Napoleón Arango, díjele que le dejara suelta la brida, y que de vez en cuando, le permitiera refocilarse en las dehesas aunque no mucho, ¿podía hacer más? Pues en pago, ¡el ingrato me ha olvidado! «No conoce a Bainoa» —y él mismo lo dice: —Lanzo por las orejas, contra los muros de la Cabaña, a un desgraciado que probablemente se pudrirá allí.— ¡Ah! qué burrada. ¿Conque no me conoces Pepe?

> Yo sé que me estás buscando
> Conperseverancia atroz;
> Podrás tirarme una coz:
> Pero que me cojas... ¿cuándo?
> Tu propósito de loa
> Digno es: pero discurro:
> Que no romperá su burro
> Los huesos de este

Bainoa

De Juan y Gutiérrez

(16 de julio).—Toma posesión del cargo de racionero de la Iglesia Metropolitana, el presbítero Lic. D. Mariano de Juan y Gutiérrez, fiscal eclesiástico.

Rodríguez Correa

Toma posesión de la Administración de la Aduana de este puerto D. José Rodríguez Correa, cesando en dicho cargo D. Enrique Pulleiro, quien queda desempeñando su destino de contador propietario.

Mestre

A bordo del vapor francés *Caravelle,* sale para Europa el Sr. D. Juan Mestre, quien pasará a Madrid, para gestionar la condonación de multas impuestas a algunos comerciantes.

Mala Real

Se reúnen, el día 19, los comerciantes para tratar acerca del establecimiento de una sucursal de los vapores de la Mala Real Inglesa. Varios comerciantes apoyan el proyecto y se declaran dispuestos a contribuir a la subvención.

«San Agustín»

Causa impresición la noticia del ataque e incendio por los rebeldes del ingenio «San Agustín», situado sólo a ocho leguas de la ciudad.

Vapores

Hay movimiento en el puerto. Además de los vapores de las líneas regulares del Sur y de las Antillas, entran en puerto, en una misma semana, el *Moctezuma,* el *Maisí* y el *Cuba.*

Valmaseda

(24 de julio).—Hace su entrada en esta ciudad el teniente general D. Blas Villate de la Hera, conde de Valmaseda, coman-

dante general del Ejército de Operaciones del Departamento Oriental, el ídolo del elemento sanguinario. Todas las fuerzas disponibles del Ejército y Voluntarios de esta plaza, al mando del coronel del Regimiento Infantería de Cuba, D. Jacobo Araoz y Valmaseda, le tributan los honores correspondientes, y el 1er. Batallón de Voluntarios le da la guardia de honor, compuesta de un capitán, otro oficial subalterno, uno de banda y 40 hombres, en su residencia, en los altos de la plaza de Dolores cerca del templo. Se le obsequió con un almuerzo y serenata. Y al siguiente día recibió a todos los jefes y oficiales de la guarnición.

SERENATA

(27 de julio).—Los cuerpos de Voluntarios obsequian con una serenata al Sr. Teniente Coronel del Batallón de Cazadores de San Quintín.

GALA DE VILLARES

Recibe del Gobierno un distintivo benéfico, la Sra. D.ª Teresa de la Gala, hija de esta ciudad, esposa del primer jefe del Primer Batallón del Regimiento de la Corona, D. Vicente Villares, por haber salvado en octubre de 1868, ocultándola, la bandera de dicho batallón.

MAMARRACHOS

Los días 24, 25 y 26 son días de bullicio y regocijo para la ciudad, con motivo de las festividades de Santa Cristina, Santiago y Santa Ana. La llegada del Conde de Valmaseda contribuye a que la animación sea mayor.

ESPÍRITU ESPAÑOL

Dice un periódico:

«En el vocabulario español, las locuciones: altivez española, arrogancia de nuestros padres, honor de nuestros hijos, orgullo de nuestros nietos, son locuciones familiares, por las cuales hacen guerras coloniales, exterminan generaciones y se resignan a perder toda su respetabilidad en el mundo.»

AGOSTO 1870

Por inconvenientes

(Agosto).—Son trasladados a Baracoa, donde fijarán su residencia, hasta nueva orden, por inconvenientes, los morenos Rafael Moreau y Petronilo Hechevarría.

Miseria

Es tal el estado de miseria en que se encuentran los habitantes del pueblo de Palma Soriano, exigiendo alimentos, ropas y medicinas, que se excita a las sociedades, Círculo Español, Club de San Carlos, Sociedad Filarmónica, y al público en general para acudir a remediar tamaños males.

Traslado de presos

Son trasladados a La Habana, por el vapor *Rápido,* los presos siguientes: asiático Silvestre, blancos: Manuel Rivera, Asunción Almenares, José García y García y Rafael López Herrera.

Duany

El señor conde Duany «ruega que se aplace la declaratoria de caducidad de su empleo de regidor perpetuo, no sólo por padecer enfermedades graves, sino que está físicamente imposibilitado para salir de Jamaica, cambiar de clima y emprender viaje por mar, y en uso de la facultad que la Ley le concede hace renuncia solemnemente ante el señor Cónsul Español en Jamaica, a favor de su legítimo hijo D. Andrés Duany y Suárez».

Padre Marful

El padre Marful, sacerdote español, natural de Galicia, según se decía, hombre de escasísima instrucción, ninguna educación y sin escrúpulos para nada, era un acaparador de cuanto negocio estuviera a su alcance, le había dado por predicar en cuanta fiesta religiosa se lo permitiesen, cobrando naturalmente ocho pesos y medio por el sermón. La iglesia de Dolores era su iglesia más preferida y podía estarse seguro de que «sermón del padre Marful» era iglesia cuajada de fieles. ¡Tanto divertía su deslenguada *verbosidad!*

Una noche en Dolores, clamaba desde el púlpito contra los bailes y contra toda danza, hipócritamente como es natural, y en sus mímicos desahogos se expresó así: —«No es nada, hermanos míos en Jesucristo, la baileta tan seguida; ya no es nada lo de la mangansila; lo que hay que ver es el... camprán! — y tendió los brazos al público e hizo un movimiento lascivo, moviendo el vientre y agachándose en el púlpito.

Círculo Español

La Junta Directiva del Círculo Español, alquila la casa del señor Marqués de Palomares del Duero, calle de Santo Tomás, esquina a la de la Catedral, Plaza de Armas, para el alojamiento del excelentísimo señor Conde de Valmaseda (en vez de la que habita en la calle de la Catedral, esquina a la del Calvario). El Conde acepta esa pequeña muestra de gratitud de El Círculo Español. El ofrecimiento se le hace por: «...los eminentes servicios de su noble espada, elevada inteligencia y acendrado patriotismo han prestado a la causa nacional». En dicho edificio quedaron instaladas las oficinas del Estado Mayor a sus órdenes.

La guerra en Oriente

Publicación de *La Bandera Española:*
El coronel Cañizal, en operaciones por Cabaniguán: «confía en que dentro de pocos días terminará la insurrección que tenía este sitio como su último refuerzo».

«Guiados por confidencias fidedignas y por itinerarios y datos topográficos, facilitados por el capitán de bomberos D. Carlos Segrera y Barriga, que le acompaña, fue que el bizarro y sagaz capitán D. Vicente del Río, con la contraguerrilla de Manzanillo dividida en cinco secciones al mando del teniente movilizado D. Juan Tejeda, alférez del Regimiento de España, don Onofre Moreno, del teniente del Segundo Batallón de Barcelona, D. Juan Berenguer, del alférez graduado, cadete de La Habana, D. Juan Domínguez, y del capitán teniente de Milicias, D. José Gómez Madrazo, llevando a sus órdenes al alférez de navío don José Muller, al oficial segundo de Administración Militar, don Guillermo Mediaaldea, y al secretario de Bienes de Insurrectos, D. Enrique del Olmo, cayendo sobre el punto denominado «Santa Rosa», sorprendió al amanecer de hoy, día 12, al cabecilla titulado teniente general, jefe de Estado Mayor General, D. Pedro Figueredo y Cisneros (conocido por Perucho) con toda su extensa familia, a los también titulados generales D. Rodrigo Tamayo, padre e hijo, al titulado comandante D. Quintín Tamayo y las familias de estos y del cabecilla Machado, y dejando algunas familias por considerarlas demasiado valentudinarias.»

«Perucho Figueredo ha sido remitido al general Valmaseda, por el cañonero *Astuto,* custodiado por el capitán, teniente de Milicias D. Alejandro de Elizaga, comandante de la compañía de Guías de Ampudia.»

«Las armas de Figueredo han sido dedicadas al coronel Cañizal, la banda de capitán general a la primera autoridad, la de mariscal de campo que usaba uno de los Tamayos al Conde de Valmaseda, y el sello de Carlos Manuel de Céspedes a los Voluntarios de Manzanillo.»

«Se han dado órdenes para que de fallecer Figueredo en el trayecto, sea embalsamado para llevar el cadáver a La Habana.»

«Una de las hijas de Figueredo, Candelaria, llevaba la bandera de la Estrella Solitaria el día de la bendición y jura.»

FIGUEREDO Y TAMAYO

A las siete de la mañana del día 16, entra en puerto el cañonero *Astuto,* trayendo prisioneros al teniente general, jefe del Estado Mayor General del Ejército Libertador, Pedro Figueredo y a los generales Rodríguez Tamayo, padre e hijo, capturados por las contraguerrillas mandadas por el comandante graduado, capitán D. Vicente del Río, en el punto denominado Santa Rosa, Tunas.

Los presos fueron trasladados a la Cárcel y juzgados al día siguiente por un consejo de guerra verbal, presidido por el coronel D. Francisco Fernández Torrero. El general Figueredo que se encontraba muy enfermo, para caminar y subir las escaleras tuvo que ser conducido por dos sirvientes de la cárcel; pero a pesar de las dolencias conservaba todo su ánimo y entereza. Como es de presumir, fueron condenados a muerte, y puestos en capilla a las cuatro de la tarde del mismo día, para ser ejecutados a la siguiente mañana.

PERUCHO FIGUEREDO Y COMPAÑEROS

(16 agosto).—Se dicta la siguiente adición a la Orden de la Plaza de este día, que copiamos con su propia sintaxis y ortografía:

«A las siete en punto del día de mañana, serán pasados por las armas los paisanos D. Pedro Figueredo, D. Rodrigo y D. Ignacio Tamayo, por el delito de infidencia titulados los dos primeros Generales insurrectos. Dos medios batallones de los Cuerpos de Voluntarios de esta Plaza y el Escuadrón de Caballería de los mismos, como igualmente toda la fuerza de los Escuedrones de Caballería de la Reina y del Rey que se hallan en ésta al mando del oficial más antiguo de los dos, así como la fuerza armada que haya de Bomberos, cuyas fuerzas se hallarán a las seis menos cuarto en correcta formación en el paraje de costumbre donde se hallará el Sor. Coronel de la Corona D. Francisco Albreú que mandará el cuadro. El Regimiento de la Corona nombrará un piquete compuesto de un oficial, 25 hombres y uno de banda para la custodia de la Capilla y conducción de los reos al indicado punto, debiendo salir de la Cárcel a las seis en punto. Lo que de orden de S. E. se comunica en la de la Plaza para su cumplimiento. El Teniente Coronel, Capitán Sargento Mayor interino.—Benito Alvarez Cora.»

He aquí como describe la trágica escena *La Bandera Española:*

«Poco después de la siete, llegaron los reos montados sobre burros en atención a su estado de debilidad, y acompañados por los hermanos de la Misericordia y los capellanes que los auxiliaban. Todos tres conservaron su serenidad y entereza hasta el último instante, y a pesar del estado de postración en que se hallaba Figueredo, le vimos con mucha presencia de espíritu, perfecta conformidad y sin afectación, arodillarse en el sitio que le estaba destinado. La despedida de los dos Tamayos fue conmovedora. Arrodillados a distancia de ocho pasos el uno del otro, el padre le echó la bendición al hijo, mientras éste volvía la cabeza al otro lado para no ver caer al padre.

Clavados en nuestro sitio, en cumplimiento de nuestra obligación, nosotros no pudimos contemplar aquella dolorosa escena, en que con muda elocuencia se representaban los más profundos sentimientos del corazón humano...

Fuimos anoche a la capilla a ofrecer a los reos nuestros servicios, y recibimos de Figueredo el encargo que cumplimos en este lugar, de despedirle en su nombre de su familia y de sus numerosos amigos, a quienes suplicó le tributen un recuerdo a su alma en sus oraciones.

En los breves momentos que conversamos con Figueredo pudimos apreciar la finura, educación y talento de ese hombre distinguido, que era indudablemente una de las personas más notables de la Insurrección.»

Díaz Quintero

De *La Bandera Española:*

LOS BOMBEROS Y DIAZ QUINTERO

Los señores jefes y oficiales del Batallón de Obreros y Bomberos, dirigen al diputado Sr. Díaz Quintero, la manifestación siguiente:

«Los buenos y leales españoles, peninsulares e insulares, que componen el Batallón de Bomberos de Santiago de Cuba, protestan enérgicamente contra el indigno diputado de la provincia de Huelva, y al mismo tiempo le dicen, no tan solamente por los insultos incalificables del Sr. Díaz Quintero, sino por ser representante de una provincia, que es precisamente la que más se le une a su historia, la de esta Isla, y la primera que trajo de sus habitantes a este país: aquéllos trajeron a ésta los primeros del mundo, religión, costumbres, civilización, patriotismo y honor. Los Voluntarios de ahora a costa de penalidades, de sus intereses, y aún de su propia sangre, no han hecho otra cosa que defender aquellos principios de religión, costumbres, civilización, patriotismo y honor, de aquéllos que hace trescientos y pico de años, embarcaron en el puerto de Palos de aquella noble provincia. Al hacer esta pequeña indicación, queda probado que el Sr. Díaz Quintero no ha sido solamente traidor y vil calumniador de los beneméritos Voluntarios de esta Isla, si que más directamente de los habitantes de aquella provincia, que, como queda dicho, fue la primera que le cupo el honor de traer la honra de España a estas playas.

Merece, por tanto, ese señor el oprobio, el baldón y la deshonra de los habitantes de Huelva, de todos los buenos españoles, y muy particularmente del Batallón de Honrados Obreros y Bomberos de esta ciudad.—Santiago de Cuba, 7 de agosto de 1870.—El Teniente Coronel, primer jefe, *Francisco Hechavarría Díaz.*—El Comandante, segundo jefe, *Jaime Llopis.*—El Teniente, primer ayudante, *Angel Miqueli.*—El Capellán Dean de esta S. I. M. *Manuel José Miura.*—El Ayudante Médico doctor *Enri-*

que Lafont.—Capitanes: *Nicolás Gallinat, Francisco Montserrat* Tenientes: *Blas Cardonne, José Arrufat, Miguel Jacas, José Calvo, José Martí.*—Alféreces: *Victoriano Robert, José Acevedo, Esteban Roberts, Pablo Roca, Alfonso Ribeaux, José Masdeu, Antonio Gil y Ramón.*

CABLE SUBMARINO

Después de vencidos todos los obstáculos, queda al fin establecida la comunicación telegráfica submarina entre Santiago de Cuba y Batabanó, trasmitiéndose los primeros cables oficiales el día 26.

RIERA Y FABRÉ

Fallecimiento del Sr. D. José Riera y Fabré, director del Círculo Español.

ADMINISTRACIÓN DE CORREOS

El Gobernador Civil, en vista de haberse ocupado la prensa de algunos hechos relativos a sustracciones de cartas y de valores de la correspondencia pública, ordena se abra una sumaria en averiguación de los hechos denunciados.

PERALTA

El director de *La Bandera Española,* Sr. D. José Antonio Peralta, es agraciado con la encomienda de Carlos III.

ESCUADRILLA

El día 25 entran en puerto los vapores *Dacia, Suffolk* y *Vestal,* que componen la escuadrilla que ha venido tendiendo el cable desde Batabanó, dejando la punta del mismo en tierra, en la ensenada del Morro, al pie del fuerte de la Estrella.

Por la noche se da a los señores de la expedición del cable una serenata marítima.

FIESTAS

Otros festejos se celebraron con motivo de la colocación del cable. La Sociedad Filarmónica Cubana dio un baile y el Club de San Carlos un *asalto* en obsequio de Sir Charles Bright y de los demás señores que forman la expedición del cable.

VALMASEDA

Una comisión de la Sociedad Económica de Amigos del País de Santiago de Cuba, hace entrega al Conde de Valmaseda del título de Socio de Honor de la expresada institución.

DÍAZ QUINTERO

Los jefes y oficiales de los batallones de Voluntarios, publican en *La Bandera Española* la siguiente protesta, con motivo de ciertas palabras que pronunciara el diputado Sr. Díaz Quintero en las Cortes Constituyentes:

«Sesenta mil Voluntarios armados, entre quienes se halla lo más rico, lo más ilustrado y lo más distinguido del país, movidos por el santo y desinteresado amor a la patria; que han dado gran parte de su reposo y de su hacienda y que darían, cuando necesario fuese, su sangre y su existencia entera para sostener el orden, las instituciones patrias y la integridad nacional, ¿deberán detenerse porque el grito de un maniaco les llame la *deshonra de la patria*? No. De poder más alto, de más elevado criterio ha de emanar su juicio y su sentencia. La historia imparcial y severa con su veredicto terrible, formado con vista de datos y documentos irrecusables, dirá si fueron o no buenos hijos de la patria y dignos de sus progenitores los que con sus bienes, con su actitud decidida, con su unión y con su sangre, supieron conservar incólume y sin menoscabo para la civilización, para el orden y para el progreso, la tierra feliz que sus padres descubrieron y en que les cupo nacer o crearse una familia.

«Declaramos que no nos irrita el Sr. Díaz Quintero. Lo dejamos entregado al torcedor de su propia conciencia y a la indignación de los hombres rectos y de santas intenciones. Si sus palabras no hubieran sido proferidas en el santuario augusto de la representación nacional, ¿quién se hubiera fijado en ellas? Nuestra propia atención les da importancia; pero con ello y todo, no pueden ser ni son otra cosa más que un nuevo grito de rabiosa impotencia unido al concierto que forman los que han hallado en la institución de que formamos parte terrible antemural a sus ideas disolventes y a sus proyectos patricidas.

«Sírvase usted hacerlo comprender así, Sr. Director, y crea siennpre en el afecto sincero con que somos de usted atentos S. S. Q. B. S. M.—Por el primer batallón, Coronel Primer Jefe, *Antonio Norma.*—Comandante, *Benigno Dorado.*—Por el Segundo batallón, Coronel Primer Jefe, *Manuel de la Torre.*—Comandante, *Manuel Gómez.*—Por la Caballería, Ayudante mayor, *Andrés González.*»

ULESIA

Procedente de la Península, llega el Sr. D. Vicente Ulesia y Cardona, militar hijo de Santiago de Cuba.

VALMASEDA

La llegada del general Valmaseda, el Pacificador, obedece a que viene a dirigir personalmente las operaciones en todo el Departamento Oriental. Van a saludarlo una comisión del Ayuntamiento compuesta del alcalde municipal interino, marqués de Villaitre y concejales D. Gabriel Junco, D. Manuel Masforroll y D. Lino Guerra.

CÓLERA MORBUS

Recrudece de nuevo la epidemia del cólera morbus, «llegando a conturbar el ánimo de poblaciones menos abatidas que esta desgraciada ciudad».

«LA REVOLUCIÓN»

Copiamos del periódico *La Revolución,* que se publica en Nueva York, recibido por correo.
CARTA DE CESPEDES.—He aquí un original de la carta que nuestro Presidente dirigió hace poco al general Mac Mahon:
Dios, Patria y Libertad.—República de Cuba.— Sr. General M. T. Mc. Mahon, Presidente de la Liga Cubana de los Estados Unidos.—Número 334.—
Con la mayor satisfacción he recibido su atenta de 11 de mayo del corriente año, en que tiene usted la bondad de participarme la fundación de la «Liga Cubana» en los Estados Unidos, y me expresa el objeto de esa asociación y los sentimientos que la animan en pro de la causa que los hombres libres estamos sosteniendo en esta Isla.
Para los cubanos es muy honorífico y significativo el establecimiento de esta Liga, y que sea usted su digno Presidente, y esperamos que producirá óptimos frutos para la pronta reden-

ción de todos los esclavos blancos y negros que aquí pelean, por el goce de la libertad moderna siguiendo el mismo ejemplo de esos Estados Americanos. Crea usted, general, que los cubanos no han dudado un momento que el pueblo de los Estados Unidos es decidido por la causa de la libertad e independencia de Cuba a pesar de la actitud desgraciada que ha asumido su Gobierno y que no tardará el día en que la opinión pública, omnipotente en los Gobiernos Americanos, le obligue a adoptar una sola línea de conducta que lo saque más airoso, y que no se desvíe de los principios de la gran Nación que dirige. Por eso el pueblo de Cuba no ha sentido enfriarse ninguna de sus simpatías por el pueblo de los Estados Unidos.

Pero lo que nos causa más satisfacción es la justicia que usted, General, y sus dignos compañeros, nos hacen distinguir la conducta de los cubanos beligerantes de las de su verdugo, incluso los mismos criollos que militan bajo la bandera de la tiranía. Yo le juro a usted por mi honor, que es falsa la calumnia con que se nos quiere perjudicar ante el gabinete de Washington, asegurando que nos entregamos a las mismas atrocidades que los españoles. No, y mil veces no. Desde los primeros días de la revolución traté yo de regularizar la guerra; repetí más tarde mis instancias; consolidado nuestro gobierno republicano, se volvió a solicitar del de España, que renunciase a una práctica tan opuesta a la civilización moderna, antes de obligarnos a usar represalias. Nada se obtuvo, el silencio fue la respuesta, o las palabras injuriosas de que éramos unos bandoleros. Mengua de los cubanos hubiera sido no castigar tanta insolencia pero, al hacerlo, se ha empleado toda la moderación compatible con tan sangriento deber, y si algún jefe o soldado cubano (en casos muy raros) se ha excedido de alguna manera, inmediatamente ha sido castigado con la última pena, porque nuestro gobierno nunca ha permitido la ejecución de los prisioneros cogidos con las armas en la mano, sino después de ser juzgados con las formalidades de un consejo de guerra. Los españoles en cambio, mutilan los cadáveres de los que asesinan saciando su rabia en los ciudadanos pacíficos, mujeres, ancianos, niños, sin retroceder ante la deshonra del sexo débil, haciéndolo víctima de las más escandalosas torpezas. El pueblo de Cuba, como los miembros de la Liga, espera que muy pronto cesarán esos horrores, porque los españoles serán lanzados de estas playas, y nuestra amada y hermosa Isla, ocupará entre las naciones civilizadas, el puesto a que la hacen tan merecedora sus virtudes, sus sentimientos y las

26

excelentes dotes para el gobierno propio que en su larga y honrosa lucha, constantemente ha desplagado.

Ese mismo pueblo tendrá a dicha quedar reconocido a los servicios que consiga obtener de la Liga Cubana de los Estados Unidos y de la nación americana en general, con quien está ligada por tantos vínculos de fraternidad. He tenido el gusto de pasar a la Cámara de Representantes el original de su atenta comunicación para los efectos consiguientes.

General, tenga usted la bondad de trasmitir a sus beneméritos asociados el testimonio de mi más alta consideración, en la que cabe a usted una gran parte.

Carlos Manuel de Céspedes

Camagüey, agosto 22 de 1870.

FIGUEREDO

De *La Revolución* copiamos la siguiente carta escrita desde esta ciudad.— Dice así:

CARTA DE SANTIAGO DE CUBA.—Un amigo nuestro ha recibido la siguiente, en que se confirman algunas noticias que ya conocíamos, y se dan otras que ignorábamos:

«Agosto 15.—Hoy ha entrado un cañonero con prisioneros que resultaron ser Perucho Figueredo, Rodrigo Tamayo y su hijo Ignacio; el primero venía tan enfermo que tuvieron que subirlo en carruaje; fueron cogidos en Camaniguán, pero según he sabido, fueron entregados por un tal Gapá y un tal Breder, ambos franceses que hacía tiempo que estaban con los patriotas.

16.—Se les formó consejo de guerra verbal y al querer tomar declaración a Perucho, contestó: —«Soy abogado y como tal, conozco las leyes y sé la pena que me corresponde, la de muerte; pero, no por eso crean ustedes que triunfan, pues la Isla está perdida para España; el derramamiento de sangre que hacen ustedes es inútil, pues ya es hora que conozcan su error, con mi muerte nada se pierde, pues estoy seguro que a esta fecha mi puesto estará ocupado por otra persona de más capacidad; si siento la muerte es tan sólo por no poder gozar con mis demás hermanos la gloriosa obra de la redención que habían inaugurado y que se encuentra ya al final»— y otras cosas más que no recuerdo; los otros nada dijeron. Perucho hizo testamento: a las cuatro de la tarde fueron puestos en capilla.

17.—Hoy por la mañana han sido conducidos al Matadero, habiéndoseles montado en burros, no tan sólo para más vejarlos, sino por el estado de Perucho; aquí viene bien lo que dijo Rousseau: «cobardes en la guerra; guapos en la paz, etc.», pues en Perucho no se encontraba más que un cadáver, y un cadáver fue lo que fusilaron. Salieron de la cárcel con bastante serenidad y fumando, pues antes habían tomado chocolate; cuando llegaron al fatal lugar, Ignacio se puso de rodillas delante de su padre para que le echase la bendición: momentos terribles en que el corazón más empedernido se conmueve, pero el español no conoce eso, pues en lugar de tristeza mostraban la risa y la mofa. Sufrieron su muerte, aunque no sin padecer un poco, y fueron conducidos todos, en triste carretón, pues aunque la Hermandad de la Misericordia quiso ponerlos en caja, le fue negado.

Dios quiera sean estas las últimas víctimas sacrificadas por la patria. Junto con Perucho cogieron algunos más que fusilaron en las mismas haciendas; no sé quiénes son. También cogieron varias familias, entre ellas a una hija de Perucho, casada con Carlos M. de Céspedes, hijo, a ésta la mandaron a Manzanillo, y tanto por el valor que ha demostrado como por haberse negado a escribir a su marido para que se presentase, la tienen en el lugar más indecente de la cárcel, dándole por comida el rancho de los demás presos y en plato de lata; le oí decir a un sanguinario que vino de Manzanillo escoltando a los presos, que habían de rebajar el orgullo a esa señora a tal grado que la iban a mandar al hospital para que lavase la ropa de los soldados enfermos. Hoy se ha sabido haber sido fusilado en San Luis, junto con otros, el viejo Juan Cortés; se han dado buenos ataques en San Juan de Wilson, por la Palma y en Jiguaní; en el primero, además de las bajas que hicieron, cogieron mucho azúcar y varias mancuernas de bueyes; en el segundo hicieron más de cien bajas y en Jiguaní a una columna que salió a reforzar a la que se batía fue también rechazada.

26.—Ha recibido Catasús la noticia de que su hijo, el mayoral, dos peones y 20 mancuernos que estaban en el corral fueron llevados todos por los patriotas. Este potrero de Catasús está cerca del Cobre.

27.—Han llegado 17 heridos del Pinalito, entre ellos, dos oficiales. Por persona del Estado Mayor, he sabido que de España han llegado desde 1868 hasta la fecha 51,030 hombres: ¿qué te parece? y luego dirán que los patriotas no hacen bajas: yo estoy seguro que hoy sólo habrá unos 14,000 o menos en toda la Isla. Se calculan muertos entre balas y enfermedades 100 diarios. Aunque dicen de España que vienen 14,000 hombres, lo pongo en duda.

28.—Han entrado heridos y enfermos; han quemado a la Meca y a Songuito. Hoy por la tarde ha estado una gran partida en el puerto de Bayamo.

30.—Anoche (29) han estado en el potrero San Miguel, de Correoso a dos y media leguas de ésta, y han cogido todo el ganado que había encerrado. Según manifestó el Capellán del cementerio a una persona amiga, desde el día 1.º al 25, se habían sepultado del Hospital Militar 253 personas: casi todos los días mueren de 10 a 11.

Septiembre 1.º—Por toda la jurisdicción están regados los patriotas. Se dice que han quemado a San Andrés de Ciria. Le oí decir a un comandante español que nos íbamos a acostar españoles y amanecer yankees.

PERIODICO *LA REVOLUCION* RECIBIDO ANONIMO CUBA LUCHANDO

A. MIGUEL G. GUTIERREZ

FERNANDO FORNARIS Y CESPEDES

I

Ha tiempo ya que luchas, patria mía
Con el tirano cruel: al verte sola
El rayo vengador de la justicia,
Su fuego te prestó: con él fundiste,
Tus hórridas cadenas angustiadas
Levantando hasta el cielo tu mirada,
Entre el fragor de la feroz pelea,
Mil veces ¡ay! la sangre de tus hijos,
Tu túnica manchó el fiero hispano,
Enardecía tu soberbia impía,
Ante el hermoso pabellón cubano.

II

Destroza con su mano,
Lo más hermoso que tu seno cría;

Y de rencor y de venganza lleno
Tu valor e inocencia desafía
Y en ti derrama su letal veneno.

III

Oh! patria! en tus dolores,
En tu duro penar, en tus congojas;
Suelta al viento la negra cabellera;
La frente levantada, el pecho herido
Por la bala del déspota iracundo;
Hermosa te presentas
Sobre tu carro de verdor fecundo,
Y la diadema ostentas,
De mártir sin segundo,
Que ante la turba osada
De fieros opresores
Desprecias los furores,
Llamando toda la atención del mundo

IV

Tú triunfarás al fin: en vano España
Apresta sus legiones
De Atilas y Nerones,
Y con conducta extraña
Te niegan las naciones
El puesto que reclamaban tus derechos;
En los robustos pechos.

V

De tus hijos patriotas
Existen corazones generosos
Que laten presurosos
Por alcanzar el lauro de la gloria,
Y por dar a tu historia
El brillo esplendoroso del progreso
Que te reserva su fecundo beso
Para cantar contigo la victoria.

VI

Tú triunfarás al fin: en cada brisa:
Que rueda por tus mares,
En cada ola que besa tus arenas,
En cada nave que Neptuno arroja,
A tus hermosas playas,
Llega a nosotros de promesas llenas.
El eco del clamor americano,
El eco de ese pueblo soberano
Que donde quiera que el pendón ondea
Su sangre derramando,
Ansioso siempre con ardor buscando
El triunfo sacrosanto de la idea.

VII

Tú triunfarás al fin: la estrella pura,
Que brilla en tu bandera inmaculada,
Radiante, esplendorosa,
Feliz independencia nos augura;
Que trae la noche oscura
De horrenda tiranía.

VIII

Tras negra tempestad atronadora
Luce fecundo el sol de bello día
En que la diosa de los pueblos libres
Hermosa se adelanta,
Sobre su carro, de esplendor bañada,
Y al himno del progreso entusiasmada
Al son del viento de las olas canta.

IX

¡Oh! patria, sigue ansiosa,
Tu sangre derramando,
Tu sangre generosa
Siempre la senda del honor hollando;
Y si la suerte impía,

Te niega sus favores,
Si ceden en tu daño
Los hados bienechores;
Si el lauro victorioso
Que llevas en tu frente,
Marchito ves rodando por el suelo,
Alza la vista al cielo,
¡Oh! virgen de occidente,
Y busca algún consuelo
A Dios alzando tu oración ferviente.

X

Mas no sufras la indolencia suma
Del déspota inhumano;
No vuelvas otra vez a uncir tu cuello
Al carro de la odiosa tiranía;
Si quedas sola un día,
Si el mundo te abandona indiferente ;
Si rota ves la espada triunfadora,
Que el cielo te empuñara;
Si de tus hijos se apagara el fuego
Que alienta su valor en los combates,
Si todos sucumbieran uno a uno
En desigual pelea,
Entonces ¡ay! entonces
Antes que en ti se cebe el despotismo,
Recoge tu bandera infortunada
Y lánzate al abismo
De tus revueltos mares,
Que en las hirvientes olas,
Y vientos bramadores.
Irán tras ti las naves españolas,
Llevando tus infames opresores

XI

Y en cataclismo horrendo,
En remolino ráudo,
Girando toda la española gente,
Rabiosa, confundida;
Tras el clamor de inmenso sacrificio;

Que asombre al universo
Roja silueta dejará el océano,
Aquí, donde surgías
A la entrada del golfo mejicano;
Y cuando el nauta,
Surque veloz el mar de las Antillas
Tu historia recordando,
Al acercarse al espantoso abismo
Que guarda tus dolores,
Dirá al son de los vientos silbadores
Con voz robusta que al espacio suba
Aquí se hundió de España el despotismo
Ante el suicidio de la mártir Cuba.

(Tunas, agosto de 1870)

SEPTIEMBRE 1870

Baile

(2 de septiembre).—Sir Charles Bright, comandante de la fragata de guerra británica *Vestal,* y los demás jefes y oficiales de la escuadrilla que vino conduciendo el cable submarino, obsequian a la sociedad de esta población con un gran baile en la mencionada fragata. A dicha fiesta, que resultó magnífica, asistió lo más selecto de esta sociedad que se entregó a las delicias de Terpsícore y que fue espléndidamente obsequiada por la galantería de los marinos británicos.

El cólera morbus

Se presentan nuevos casos de cólera morbus en la ciudad.

Alférez Real

Según lo preceptuado en el artículo 97 de la Ley Orgánica, queda extinguido el oficio de Regidor Perpetuo, Alférez Real, que desempeñaba D. Andrés Duany, conde de Duany.

Alguacil Mayor

Queda extinguido el oficio de Algualcil Mayor que desempeñaba D. Manuel de Jesús Portuondo.

Ojeda

Vuelve a ser gobernador interino el coronel D. Juan Ojeda, por entrega del mando que le hace el brigadier D. José Merelo y Calvo.

«La Revolución»

Copiamos de este periódico lo siguiente:
«Máximo Gómez a los hijos de Santiago de Cuba:
CUBANOS:
Desde el momento en que me hice cargo de las fuerzas libertadoras que defienden este distrito de la opresión de los tiranos, formé la intención de dirigirme a vosotros para sacaros del error en que os tiene la malicia de éstos y hacer llegar a vuestros oídos la voz de la verdad.

Bastante habéis sido víctimas de la infamia de nuestros enemigos, sin haber obtenido otro galardón, por vuestra ceguedad, que el desprecio, la desconfianza y la opresión. Semejante estado debe cesar, no sólo porque no debéis hacer un papel ridículo ante el mundo, sino porque estáis traicionando vuestra patria, sirviendo de único contrapeso al torrente de la Revolución.

Nuestros enemigos os han dicho que estáis ciegos y que la Revolución, expirante y hecha girones, no presta esperanzas de triunfo a sus valientes defensores. ¡Mentira! Eso mismo se dice a Camagüey, respecto de Oriente, y a las Villas respecto del Camagüey; y en las Villas la Revolución está más potente que nunca.

Observad que hace ya cerca de dos años que estamos en guerra, que durante este tiempo han arribado a nuestras playas más de cuarenta mil españoles y se han armado más de treinta mil voluntarios, sin que esto les haya hecho adelantar un solo paso y sin que nuestras fuerzas y recursos de guerra hayan disminuído; por el contrario, la Revolución, como la hidra, echa cien cabezas por cada una que le cortan, sus fuerzas y sus recursos aumentan cada día, y si por un lado pierde algún pedazo de territorio, por otro lo recupera con gran ventaja. ¿Cuántas veces os ha dicho el general Valmaseda que ya no hay vestigio de la Revolución en Bayamo, Manzanillo y Holguín, y ésta trae a los españoles en grandes aprietos, llegando hasta el caso de cogerse el convoy particular de Valmaseda, cuya ropa se ha distribuido entre los soldados de la Presidencia? En Cuba son testigos de la vida con que palpita el corazón de la Revolución: los crecientes ataques del Hondón, Santa Cruz, California, Sabanilla, Songuito y San Andrés, en que se han hecho innumerables bajas a nuestros enemigos y se les ha obligado a huir cobardemente.

Creedme: sin la sanción moral que estáis prestando a las barbaridades que nuestros enemigos ejercen en vuestros hermanos, ya el Gobierno habría venido abajo, socavado en sus cimientos, sin que pudieran sostenerle ni sus Voluntarios, reptiles sin valor y sin esfuerzos, que lamen con oprobio las plantas del déspota.

Vosotros sois los que lo sostenéis. ¿Con qué objeto? ¿Qué esperáis de él? ¿Qué esperáis de un Gobierno que conserva la esclavitud, que monopoliza los empleados, que instituye exacciones arbitrarias, que no establece caminos, que paraliza la enseñanza, que estatuye la censura y que pone trabas a la industria, al comercio y a la agricultura? Mirad a vuestro alrededor, conoced vuestra fuerza, lanzaos al campo de la Revolución y el triunfo será obra de un día. Vosotros decíais que mirábais con simpatía nuestra causa, pero que diversos motivos os retenían en la población. ¡Funesto error! ¿Acaso los patriotas que se hallan con nosotros no han tenido familia, intereses y los demás motivos que a vosotros os esclaviza? Vuestra sola simpatía es inútil para nosotros, sobre todo cuando estáis ayudando a nuestros enemigos con vuestro apoyo moral y material.

Tened presente que en las revoluciones no se pueden representar dos papeles: es preciso decidirse por uno u otro partido; pronto y con resolución: el que quiere representar un papel mixto está perdido, pues no tardará en ser el blanco de las iras del uno y del otro: decidíos pues. En cuanto a mí, si como particular os amo, como patriota tendré que repetir las palabras de Jesucristo: «el que no está conmigo es mi enemigo».

El gobierno español nos ha jurado una guerra de exterminio: pues bien, guerra de exterminio le haremos nosotros también, sin piedad y sin cuartel, para ninguno de sus satélites: fuego por fuego, sangre por sangre. La tea en una mano y el rifle en la otra: ese será el resumen de mi política.»

Máximo Gómez

CARTA DE UN MORIBUNDO

Distrito de Cuba, septiembre 10 de 1870.
Del periódico *El Universal de Madrid*, del día 8; copiamos lo que sigue:

CARTA DE UN MORIBUNDO

No hay nada tan triste, pero no hay nada tan solemne como la voz del hombre que va a morir. Cuando éste se halla en la primavera de la vida y rodeado de toda suerte de seducciones, la tristeza del supremo espectáculo, sube de punto. Cuando la sentencia viene impuesta por la voluntad humana, y no por decreto del cielo, su felicidad toca en lo sombrío. Cuando las pasiones políticas, el extravío de las discordias civiles, la crueldad de la victoria o la ley de la fuerza han puesto bajo su jurisdicción la vida e invadido el imperio de la muerte, cuando se expira por el error voluntario o por la verdad prematura... ¡Ah! Entonces la contemplación del patíbulo desgarra el alma, turba el corazón de los hombres honrados y es preciso exclamar:
¡Maldita sociedad la que así olvida sus derechos y deberes!
Inspíranos estas reflexiones y otras muchas muy amargas, la carta que insertamos al pie de estas líneas; último legado que un moribundo lleno de salud y de nobles alientos, consagra al amor de la familia y al recuerdo del hogar. ¡Oh! ¡Cuántos como el infortunado Portillo habrán sido arrancados a la juventud y a la alegría por la cruel divinidad de la vindicta pública en esa nueva guerra, que desola los campos feracísimos de la Isla de Cuba!
Nosotros enviamos un doliente tributo de simpatía a los desconsolados padres del infeliz agonizante. Dios quiera compensar con futuras felicidades su presente desconsuelo.
He aquí, en fin, la carta.
Holguín, en capilla, junio 30 de 1870.
Inolvidables y queridísimos hermanos: Hoy les escribo por última vez, y lo hago con el objeto que tengan resignación y sufran con paciencia la suerte que me ha cabido.
Todas las revoluciones tienen sus víctimas, y a mí me ha tocado ser una de ellas. Jesucristo murió por la humanidad, así que no es extraño que yo muera también, pues todos, tarde o temprano, tenemos que seguir el mismo camino.

Yo voy a morir, y llevo la conciencia tranquila; es lo único que necesita un hombre para morir con resignación.

Mi historia desde que llegué a Cuba, es muy largay está llena de sufrimientos sin límites. Hambre, sed, sin dormir, atravesando montes y lleno el cuerpo le espinas, las manos y las piernas hinchadas, todo eso he pasado, y ahora, la eternidad, dentro de pocas horas.

Yo no tengo nada que mandarles como recuerdo; solamente les servirá como tal esta carta, que está mal escrita porque las esposas me impiden el movimiento de las manos.

Vosotros, queridísimos padres, hermanos, consolad a vuestros padres, y no dejen que se entreguen al dolor, cuídenlos bien.

Yo creo que no les haré falta, contando con tres hijos, con Julio, y una hija que sabrán también consolarlos.

Le dirijo la carta a Manuel, porque al fin es hombre, y sabrá enseñarles la carta a mis padres cuando lo crea conveniente. A Ataulfo, que se reciba pronto para que ayude a mis infelices padres, y a todos ustedes, queridísimos hermanos, les recomiendo la vida de mis idolatrados padres.

El único sentimiento que me queda es el sufrimiento que les he de causar a todos ustedes; pero acordarse de que hay Dios y éste es muy grande.

Hermana mía; yo siempre he creído que tú sufrirás con paciencia la suerte que me ha cabido. Consuela a nuestros padres y a mi sobrinita; todos los días le darás besos en mi nombre; a todos los parientes y amigos muchas memorias del que va para la gloria. Me acompañan en mi destino seis compañeros más, que son: Manuel Mestre, José Mena, Adolfo Leyte-Vidal, Eulogio de la Calle, José A. Collazo, Agustín Batista; ellos están conformes, lo mismo que yo, con sufrir esa suerte.

Hasta el valle de Josafat, se despide de ustedes vuestro hijo y hermano que les pide perdón por el dolor que les ha causado.

Isidro

FIGUEREDO

La Revolución, de Nueva York, publica lo siguiente:
LOS PERIODICOS DE SANTIAGO DE CUBA.—Los periódicos de Santiago de Cuba, cuando dieron cuenta de la ejecución de Pedro Figueredo y de los Tamayo, padre e hijo, no pudieron menos de confesar el valor con que afrontaron su suerte.

En los partes oficiales se dijo que estaban los dos ancianos tan débiles y enfermos, que fue necesario ayudarlos a ir a la cárcel, que se les condujo con burros al suplicio, porque apenas podían sostenerse de pie. Pero ahora su heroismo, se quiere traducir en cobardía, y he aquí cómo se expresa el *Diario de la Marina:*

«Pasaba Figueredo por hombre de mucha inteligencia e ilustración y se le reputaba como de más valimiento y jefe de más influencia y trastienda que Carlos M. de Céspedes. En las últimas horas de su vida ha demostrado que eran de muy baja ley esa inteligencia y esa ilustración, pues, tanto él como los Tamayo hicieron alarde, al entrar en capilla, de una firmeza y serenidad que no pudieron conservar y que por tanto era puramente artificiales.

Llevó la osadía hasta quejarse de los consejos de guerra y de cómo los españoles tratan a los prisioneros; habló de lo difícil que será capturar a Céspedes, por el buen espionaje que tiene. Los dos Tamayos quisieron hacer también alarde de fortaleza en la capilla, y apenas salieron, les flaquearon las piernas, y como a Figueredo, fue menester llevarlos en burros al lugar de la ejecución.

Ha testado Figueredo 300,000 pesos en casas, haciendas, animales, etc., cuyas propiedades en su mayor parte han sido destruidas por él y sus compañeros, etc.»

Celebra el articulista la ejecución de estos pobres viejos, enfermos, prisioneros, y les atribuye una crueldad en la guerra que los mismos saben no habían ejercido, porque se necesitaba suponer para disculpar lo que en toda tierra del mundo no pasa de ser un asesinato.

Dudar de un valor demostrado es cosa miserable, y burlarse del ánimo fuerte y varonil, es propiedad de gente que no sabe estimar lo que es digno de respeto:

«La muerte de un contrario valeroso»—«solamente el que es vil la solemniza».

CÍRCULO ESPAÑOL

El Círculo Español da una fiesta en la quinta del Sr. Doucoureau, en honor de los expedicionarios del cable submarino.

CÍRCULO ESPAÑOL

El día 8, el Círculo Español da un gran baile al conde de Valmaseda.

TEMBLORES

A las nueve de la mañana del día 11, se experimentan dos o tres fuertes sacudidas de la tierra, sin que afortunadamente ocurran desgracias personales ni averías en las casas. El temblor fue de trepidación y su dirección del Este y le acompañó un gran estruendo.

LA CARIDAD

Como parte de las fiestas celebradas por el Primer Batallón de Voluntarios, en honor de su patrona Nuestra Señora de la Caridad, se efectúa el día 9 una procesión religiosa que recorre las principales calles de la ciudad.

CABLE SUBMARINO

El día 12, la Redacción y la Administración de *La Bandera Española,* saludan al periodismo de la Isla por la apertura de la comunicación telegráfica.

SARAO

El día 18, tiene lugar una brillante *soirée-concierto* con que el cónsul inglés, D. Federico Guillermo Ramsden, obsequia a los señores marinos de la expedición del cable.

TEMBLOR

El día 13, a las dos y treinta minutos de la tarde, se siente otra sacudida, causando alarma en la población.

PARSONS

Víctima de la fiebre amarilla, fallece el día 14 el cónsul de los Estados Unidos, Mr. John W. Parsons.

MERELO

El brigadier D. José Merelo, gobernador político de esta plaza, ingresa como voluntario de la primera compañía del Primer Batallón.

TEMBLOR

El miércoles 21, a las dos y veinticinco minutos de la madrugada, se dejó sentir un nuevo temblor de tierra, más fuerte que los dos anteriores. Hubo tres fuertes y prolongadas convulsiones, de bastante duración la tercera. Fueron movimientos de trepidación muy marcados, provinientes de la parte del Este, y precedidos de un trueno subterráneo, sordo y profundo, que se iba extinguiendo paulatinamente como si se alejara. Hubo algún sobresalto en la población.

GÓMEZ

Fallecimiento de D. Manuel Gómez, secretario del Gobierno Civil.

ACLIMATACIÓN

En la reunión de hacendados, verificada en casa del señor conde de Valmaseda, éste propone y se acepta, que las tropas recién llegadas de España, ocupen el lugar de los voluntarios movilizados que protegen las fincas y haciendas, dedicándose los últimos a las operaciones de campaña hasta tanto que los primeros logren aclimatarse.

MERELO

Llamados por el gobernador civil, D. José Merelo, se reúnen los comerciantes. Les expone el desagrado con que el Capitán General ve el enorme descuento que sufre el papel del Banco Español en su curso como moneda corriente en esta localidad, dando lugar a que se especule con perjuicio de los militares y empleados. Agrega que si no se cortaba el abuso, tomaría medidas de rigor que obligarán a los comerciantes especuladores a amoldarse a lo que prescriben la equidad y la justicia.

AYESTERÁN

La Revolución, de Nueva York, publica la siguiente poesía a la
memoria del mártir L. Ayesterán.

A LA GLORIOSA MUERTE
DEL CIUDADANO L. AYESTERAN

¡Otro cadalso! ¡Oh Dios mío! ¡Otro cadalso
Alzado por los déspotas que un día,
Por un capricho de la suerte loca,
Sepultaron en negra tiranía
La América feliz!... ¿Y qué? aún es poca
Tanta inocente sangre derramada,
Desde que en esta tierra bendecida,
Por medio del engaño y de la espada
Clavásteis vuestra planta maldecida?
Llanto, desolación, muerte, exterminio,
Sembrásteis por doquier hombres o fieras.

Hijos de Torquemada que os legara
Su puñal, por herencia, y sus hogueras,
Vuestra insaciable sed, aún está ardiente
No basta no, tres siglos de maldades.

¡Sangre! ¡Sangre! El León está rugiente!
Bebed, bebed, horror de las edades!
Que hoy va a morir en Cuba otro valiente!
Ved la víctima, allí la frente erguida,
Impaciente, serena la mirada,
Por defender su libertad querida,
La vida va a perder y qué es la vida
Ante la imagen de la patria amada?
Con ademán resuelto, y firme paso.
Las gradas sube del cadalso horrendo.
En él no puede defender a Cuba
Y en él la honra, con valor muriendo.
¡Cuba!... dice y el déspota medroso
Ante el héroe sonriente en su agonía

Da la señal de muerte presurosa;
Aplaude la española cobardía
Y ¡uno menos! la chusma espectadora
Con bárbara y estúpida alegría
Animada por Baco vocifera.
Sin comprender ¡oh necios! que ese día,
Habrá entre España y Cuba una barrera.
Aplaudid, aplaudid, espúreos hijos
Del ínclito Padilla,
Aplaudid el martirio del patriota;
Cuya sonrisa indiferente humilla
Vuestro afecto infernal; digna es la hazaña
De vosotros, baldón de vuestra España,
Pero también temblad! ... por cada héroe
Que en el cadalso bárbaro sucumba
Otros cien y otros mil contra vosotros
Brotarán indomables de su tumba;
Que ya Cuba su frente
Del polvo levantó que la ultrajaba.
Y antes mil veces morirá valiente
Que vivir de vosotros torpe esclavo.

Los nobles hijos de la hermosa Antilla
O muerte o libertad! fieros gritaron
Cuando en los campos bélicos de Yara
La tricolor bandera enarbolaron.
¡O muerte o libertad! De un insolente
Déspota, esclavo el vivir es mengua
Para el hijo de Cuba independiente.
¡O muerte o libertad! Grito sublime
Que al cabo de tres siglos pronunciado
Hoy, a Cuba redime
A pesar de la España y sus vestigios
Del maldito pecado,
De haber sido española por tres siglos.
Vedlos, vedlos morir, no como mueren
Los hijos de Monarca envilecidos.
Así mueren los buenos, por su patria,
Humillados jamás ¡aunque vencidos!
Así muere el patriota que coadyuva
A romper de los déspotas el yugo;

Así mueren los mártires de Cuba.
¡Gloria al mártir! ¡Oprobio al verdugo!
Aplaudid, aplaudid! Himnos de gloria,
Entonad, celebrad vuestras hazañas
¡Uno menos, mágnífica victoria
Que el cadalso regala a vuestra España!
Venid todos hijastros de Velarde,
Ignominia y baldón de los hispanos,
Venid todos, venid gente cobarde,
Y aprended a morir con mis hermanos.

Un camagüeyano

Septiembre, 24 de 1870.

INDICE ALFABETICO

de los nombres de personas y de los asuntos más importantes contenidos en este volumen

Nombre o asunto

Nombre o asunto

D

E

F

Nombre o asunto

Nombre o asunto

M

N

Nombre o asunto

Q

R

S

Páginas

Nombres o asuntos

W

Y

Z

INDICE GENERAL